JN186723

リウマチ・膠原病診療ゴールデンハンドブック

改訂第2版

Golden Handbook of Rheumatology

監修
竹内 勤
編集
金子祐子
齋藤俊太郎

南江堂

執筆者一覧

■監　修

竹内　　勤	慶應義塾大学医学部リウマチ・膠原病内科/埼玉医科大学

■編　集

金子　祐子	慶應義塾大学医学部リウマチ・膠原病内科
齋藤　俊太郎	慶應義塾大学医学部リウマチ・膠原病内科

■執筆者（執筆順）

花岡　洋成	慶應義塾大学医学部リウマチ・膠原病内科
山岡　邦宏	北里大学医学部膠原病・感染内科
太田　裕一朗	慶應義塾大学医学部リウマチ・膠原病内科
武井　裕史	慶應義塾大学医学部リウマチ・膠原病内科
長谷川　哲雄	慶應義塾大学医学部リウマチ・膠原病内科
佐々木　貴紀	慶應義塾大学医学部リウマチ・膠原病内科
中澤　真帆	慶應義塾大学医学部リウマチ・膠原病内科
林　侑太朗	慶應義塾大学医学部リウマチ・膠原病内科
坂田　康明	熊本大学病院血液・膠原病・感染症内科
安岡　秀剛	藤田医科大学リウマチ・膠原病内科学
齋藤　俊太郎	慶應義塾大学医学部リウマチ・膠原病内科
近藤　泰	慶應義塾大学医学部リウマチ・膠原病内科
高橋　千紘	慶應義塾大学医学部リウマチ・膠原病内科
西川　あゆみ	永研会ちとせクリニック
玉井　博也	慶應義塾大学医学部リウマチ・膠原病内科
室田　敦子	IQVIA ジャパン
泉　啓介	慶應義塾大学医学部リウマチ・膠原病内科/東京医療センター
塚本　昌子	日本大学医学部内科学系血液膠原病内科学分野
仁科　直	仁科医院
金子　祐子	慶應義塾大学医学部リウマチ・膠原病内科
髙梨　敏史	慶應義塾大学医学部リウマチ・膠原病内科
井上　有美子	慶應義塾大学医学部リウマチ・膠原病内科

菊池　潤　慶應義塾大学医学部リウマチ・膠原病内科
平本　和音　慶應義塾大学医学部リウマチ・膠原病内科
鈴木　勝也　慶應義塾大学医学部リウマチ・膠原病内科
松本　紘太郎　慶應義塾大学医学部リウマチ・膠原病内科
倉沢　隆彦　埼玉医科大学総合医療センター リウマチ・膠原病内科
武井　江梨子　慶應義塾大学医学部リウマチ・膠原病内科
髙田　哲也　日吉メディカルクリニック
秋山　光浩　慶應義塾大学医学部リウマチ・膠原病内科
林　智子　林クリニック
竹下　勝　慶應義塾大学医学部リウマチ・膠原病内科

改訂第2版の序

今回の改訂第2版を出版するにあたり，初版刊行から6年という月日が経過したが，この期間におけるリウマチ・膠原病領域の診療の進歩を実感する改訂作業となった．リウマチ・膠原病診療は，数多の疾患を鑑別とし全身の臓器にわたる広範な知識を背景として行う必要があり，この6年で新しい分類基準，治療選択肢が多く生まれた中で，そのハードルはいっそう高くなったようにも感じられる領域の1つである．一方で，世界に誇る長寿国であるわが国では，関節痛や原因不明な発熱を訴える患者数，およびその代表的な疾患であるリウマチ・膠原病患者への診療機会に触れる医療者数はいずれも増加している．

このような状況の中で，本書は初版から変わらない執筆理念として初学者へのわかりやすさ，簡潔さに加え，診療内容の具体的記述性を兼ね備えており，本書の存在は日常臨床でますます重要になったと自負している．初版の内容からの変化がわかりやすいよう，分類基準の一部などについては初版の内容をあえて残したうえで追記する形式をとった．今回の改訂作業も，初版と同様に慶應義塾大学医学部リウマチ・膠原病内科の第一線で診療にあたっている若手医師が中心となってまとめており，その絶え間ない努力と熱意にこの場を借りて感謝の言葉を述べたい．

引き続き，本ゴールデンハンドブックが，リウマチ・膠原病が疑われる患者，その診療に携わる医療者の皆様に役立つことを心から願っている．

2023年3月

金子　祐子
齋藤俊太郎

初版の序

本書は，関節・筋肉の痛みやこわばりなどのリウマチ症状をきたすリウマチ性疾患，それに加えてリウマチ症状を呈しながら自己免疫学的異常を背景に全身の多臓器に炎症を引き起こす膠原病を包括した疾患群について，日常診療に必要な情報を盛り込んだハンドブックである．「ゴールデン」という名には，この領域の診療に携わる医師にとって最も信頼していただけるハンドブックにしたいという執筆者たちの思いが込められている．

日本においては65歳以上の高齢化率は2016年に26.7%，2025年には30%を超えると想定され，世界的にも高齢化社会のモデルとして日本に向けられる注目度は高い．その中で，高齢者で問題となる認知機能や運動機能が社会に及ぼす影響について大きな関心が寄せられている．特に運動機能が低下するフレイルの問題は，世界全体の課題として取り組んでいかなければならない．運動機能の低下をきたす主要な疾患としてのリウマチ性疾患は，従って，これからの高齢社会にとって極めて重要な領域であり続けることは言うまでもない．

リウマチ性疾患は，関節・筋肉の痛みを主訴とすることが多く，それがどのような病態で起こっているかを理解し，診断を絞り込んでいく．頻度の高い，変形性関節症や関節リウマチ，極めて稀な疾患まで広範な知識に基づく鑑別が必要である．その中にあって特に，診断が難しく，病態が多様で，治療反応性の個人差が大きい膠原病診療は，数ある内科的疾患の中で最も難しい疾患領域でもある．

このように重要かつハードルの高いリウマチ・膠原病についてcommonな疾患からrareな疾患まで幅広く扱い，初学者にもわかりやすくかつ簡潔に解説したハンドブックが本書である．執筆は，慶應義塾大学医学部リウマチ内科の第一線で診療にあたっている若手医師にお願いした．彼らの熱意と頑張りに改めて深謝したい．最後に，このハンドブックが，より良いリウマチ・膠原病診療のために少しでもお役に立てば幸いである．

2016年12月

竹内　勤

目 次

IV 各疾患へのアプローチ

付 録

謹告 著者ならびに出版社は，本書に記載されている内容について最新かつ正確であるよう最善の努力をしております．しかし，薬の情報および治療法などは医学の進歩や新しい知見により変わる可能性があります．薬の使用や治療に際しては，読者ご自身で十分に注意を払われることを要望いたします．

株式会社 南江堂

略語一覧

※本書で使用される主な略語のフルスペルと
対応する日本語をアルファベット順に示す．

略　語	フルスペル	対応する日本語
AAV	ANCA associated vasculitis	ANCA 関連血管炎
ABT	abatacept	アバタセプト
ACE	angiotensin converting enzyme	アンジオテンシン変換酵素
ACTH	adrenocorticotropic hormone	副腎皮質刺激ホルモン
ADA	adalimumab	アダリムマブ
ANA	antinuclear antibody	抗核抗体
ANCA	anti-neutrophil cytoplasmic antibody	抗好中球細胞質抗体
AOSD	adult onset Still's disease	成人発症 Still 病
APS	antiphospholipid syndrome	抗リン脂質抗体症候群
AS	ankylosing spondylitis	強直性脊椎炎
AZP	azathioprine	アザチオプリン
BAR	baricitinib	バリシチニブ
bDMARDs	biological disease-modifying antirheumatic drugs	生物学的疾患修飾性抗リウマチ薬
BUC	bucillamine	ブシラミン
CADM	clinically amyopathic dermatomyositis	臨床的に筋炎所見に乏しい皮膚筋炎
CMC	carpometacarpal	手根中手
CMV	cytomegalovirus	サイトメガロウイルス
csDMARDs	conventional synthetic disease-modifying antirheumatic drugs	従来型合成疾患修飾性抗リウマチ薬
CTD	connective tissue disease	膠原病
CY	cyclophosphamide	シクロホスファミド
CyA	cyclosporine A	シクロスポリン
CZP	certolizumab pegol	セルトリズマブ ペゴル
DAD	diffuse alveolar damage	びまん性肺胞傷害

略　語	フルスペル	対応する日本語
DIC	disseminated intravascular coagulation	播種性血管内凝固症候群
DIP	distal interphalangeal	遠位指（趾）節間
DM	dermatomyositis	皮膚筋炎
DMARDs	disease-modifying antirheumatic drugs	疾患修飾性抗リウマチ薬
DVT	deep vein (venous) thrombosis	深部静脈血栓
EBV	Epstein-Barr virus	Epstein-Barr ウイルス
EGPA	eosinophilic granulomatosis with polyangiitis	好酸球性多発血管炎性肉芽腫症
EOA	erosive osteoarthritis	びらん性変形性関節症
ETN	etanercept	エタネルセプト
FIL	filgotinib	フィルゴチニブ
FFP	fresh frozen plasma	新鮮凍結血漿
GBM	glomerular basement membrane	糸球体基底膜
GCA	giant cell arteritis	巨細胞性動脈炎
GLM	golimumab	ゴリムマブ
GPA	granulomatosis with polyangiitis	多発血管炎性肉芽腫症
GVHD	graft versus host disease	移植片対宿主病
HCQ	hydroxychloroquine	ヒドロキシクロロキン
HHV	human herpesvirus	ヒトヘルペスウイルス
HIV	human immunodeficiency virus	ヒト免疫不全ウイルス
HLH	hemophagocytic lymphohistiocytosis	血球貪食性リンパ組織球症
HPS	hemophagocytic syndrome	血球貪食症候群
HUS	hemolytic uremic syndrome	溶血性尿毒症症候群
IFX	infliximab	インフリキシマブ
IGR	iguratimod	イグラチモド
IL	interleukin	インターロイキン
ILD	interstitial lung disease	間質性肺疾患

略　語	フルスペル	対応する日本語
ITP	immune thrombocytopenia	免疫性血小板減少性紫斑病
IVCY	intravenous cyclophosphamide	シクロホスファミド大量静注療法
IVIG	intravenous immunoglobulin therapy	免疫グロブリン大量静注療法
JAK	Janus kinase	ヤヌスキナーゼ
JIA	juvenile idiopathic arthritis	若年性特発性関節炎
LEF	leflunomide	レフルノミド
MAS	macrophage activating syndrome	マクロファージ活性化症候群
MCP	metacarpophalangeal	中手指節
MCTD	mixed connective tissue disease	混合性結合組織病
MMF	mycophenolate mofetil	ミコフェノール酸モフェチル
MMT	manual muscle test	徒手筋力テスト
MPA	microscopic polyangiitis	顕微鏡的多発血管炎
MRA	malignant rheumatoid arthritis	悪性関節リウマチ
MTP	metatarsophalangeal	中足趾節
MTX	methotrexate	メトトレキサート
MZR	mizoribine	ミゾリビン
NSAIDs	non-steroidal anti-inflammatory drugs	非ステロイド性抗炎症薬
OA	osteoarthritis	変形性関節症
PAN	polyarteritis nodosa	結節性多発動脈炎
PBC	primary biliary cirrhosis	原発性胆汁性胆管炎
PEF	peficitinib	ペフィシチニブ
PIP	proximal interphalangeal	近位指（趾）節間
PJP	*Pneumocystis jirovecii* pneumonia	ニューモシスチス肺炎
PM	polymyositis	多発性筋炎
PMR	polymyalgia rheumatica	リウマチ性多発筋痛症
PsA	psoriatic arthritis	乾癬性関節炎

略　語	フルスペル	対応する日本語
PSC	primary sclerosing cholangitis	原発性硬化性胆管炎
PSL	prednisolone	プレドニゾロン
RA	rheumatoid arthritis	関節リウマチ
ReA	reactive arthritis	反応性関節炎
RF	rheumatoid factor	リウマトイド因子
RPGN	rapidly progressive glomerulonephritis	急速進行性糸球体腎炎
RTX	rituximab	リツキシマブ
SAR	sarilumab	サリルマブ
SASP	salazosulfapyridine	サラゾスルファピリジン
SJIA	systemic juvenile idiopathic arthritis	全身型若年性特発性関節炎
SjS	Sjögren's syndrome	シェーグレン症候群
SLE	systemic lupus erythematosus	全身性エリテマトーデス
SNSA	seronegative spondyloarthropathy	血清反応陰性脊椎関節症
SpA	spondyloarthritis	脊椎関節炎
SSc	systemic sclerosis	全身性強皮症
Tac	tacrolimus	タクロリムス
TCZ	tocilizumab	トシリズマブ
THA	total hip arthroplasty	人工股関節形成術
TKA	total knee arthroplasty	人工膝関節形成術
TMA	thrombotic microangiopathy	血栓性微小血管障害症
TNF	tumor necrosis factor	腫瘍壊死因子
TOF	tofacitinib	トファシチニブ
tsDMARDs	targeted synthetic DMARDs	分子標的型合成抗リウマチ薬
TTP	thrombotic thrombocytopenic purpura	血栓性血小板減少性紫斑病
UPA	upadacitinib	ウパダシチニブ
VEGF	vascular endothelial growth factor	血管内皮細胞増殖因子

I

基本的アプローチ

関節所見の取り方

- 関節リウマチをはじめとする自己免疫疾患においては，関節炎を高頻度に伴うため，関節の診察は必須である．
- 関節所見の取り方次第では，疾患活動性の評価が異なることになり，必然的に治療方針が変わり，ひいては患者の予後にも影響を与える結果となるため，必ず患者の関節をきちんと触診するべきである．
- 関節所見を取る前に集めることができる情報も多くあり，以下に関節所見を取るまでの流れを要約する．

a 生活動作の状況把握

- 関節所見を取る前に，外来診察室入室時または病棟での動作状況から種々の情報を得ることが可能である．
- 体動状況と表情で大まかな良し悪しの予測がつく．関節の腫れや痛みが残っていても改善傾向にある場合や，新たな痛みを自覚している場合に表情に反映される．
- 歩き方や履いている靴の状態により下肢関節の，扉の開閉時の動作により上肢関節の疼痛が予測可能である．

b 問　診

- 関節痛の性状や発症様式が重要である．
- 自身の関節が痛ければどのような情報が重要であるかを考えておき，患者からそれらを抽出する．
- 個々により表現が異なることがあるため注意が必要である．そのため，以下の使い分けを意識するとよい．

  - open question：患者自身が自由に喋りやすい質問
  - closed question：特定の情報のみについて yes/no で答えてもらう質問

c 視 診

- 他の自己免疫疾患を合併することもある関節リウマチでは，皮膚に副作用や合併症を示唆する所見の有無を確認し，他疾患の合併の可能性や疾患活動性評価が必要であるかを判断する．
- その後，関節所見を取る手はじめとして視診からはじめる．
- 手指，膝，足関節が視診の対象であり，顎，肩，股，足趾は触診しなければわからないことが多い．
- 特に，日常生活動作の中で最も酷使することで増悪しやすい手指関節を視診し，利き腕の酷使による左右差や関節周囲の発赤の有無を確認する．
- 関節の外見上の腫脹による輪郭変化，皮膚伸展による皺や光沢の変化も参考になる．
- また，下肢観察の中では，どのような靴を履いていて，その靴がどのような状態にあるかを確認する．

d 触診（関節所見の取り方）

- 大切なことは患者に肩の力を抜いて楽な肢位を取らせることである．
- 基本的には母指・示指・中指でそれぞれの関節をつまむような要領で診察する．
- 関節の圧痛は検者の爪床が白くなる程度の圧で評価し，どの患者にも常に一定の圧となるように留意する．
- また，肩，肘，膝などの大関節は片手または両手で包み込むようにすることで所見が取りやすくなる．
- 外来診療で時間が限られていても，少なくともDAS28を算出できる28ヵ所の関節所見［⇒付録②参照，p364］に足関節，中足趾節（MTP）関節を加えた40関節はどのような条件下においても診察すべきである．

1）手関節および手指関節

- まず，両手の視診で左右差を確認し，痛みや腫れが少ないほうから行うとよい．

a 手関節

- 両手で包むように持ち，両母指を用いて背側から関節を軽く押さえ，0〜20°の範囲で掌側と背側に屈曲させながら腫脹と圧痛を確認する．
- 尺骨頭部は腫れや痛みを自覚していることが多く，第4，第5指伸筋腱断裂の原因ともなるため，注意する必要がある部位である．

b 指関節

- 中手指節（MCP）関節は屈曲位で，近位指節間（PIP）関節および遠位指節間（DIP）関節は伸展位で，両母指・示指でつまむような動作で腫脹・圧痛の有無を確認する．
- MCP関節は背側に両母指，掌側に両示指，PIP関節およびDIP関節は一方で掌背側，もう一方で側方の4点から触診する．

2）肘関節

- 70〜80°に屈曲させ，右肘は右手で，左肘は左手で包み込むようにして熱感，腫脹の有無を確認し，肘頭と外側上顆間の腫脹と圧痛の有無を母指で確認する．

3）肩関節

- 肩関節を片手で包むようにして母指で関節の腹側を軽く押さえ，腫脹の有無を確認し，0〜50°の範囲で外転させながら他動的疼痛や圧痛の有無を確認する．

4）顎関節

- 比較的忘れられがちな関節であり，問診では会話や食事時の痛み，関節雑音の有無につき確認しておく．
- 耳珠前方の顎関節部に軽く示指・中指をあて，開閉口させ，圧痛の有無を確認する．

5）股関節

- 歩行動作に与える影響が大きく問診時より注意する．
- 自発痛または圧痛を認める場合には，原病以外の原因（大腿骨頭壊死など）を除外することも重要である．

6）膝関節

- 関節液貯留により膝蓋上嚢部が腫れやすく視診で確認可能である．

- 伸展位にて膝蓋跳動（膝蓋上嚢中枢部を押さえて関節液を末梢側に押しやり，もう一方の示指で膝蓋骨の浮遊感を確認）により関節腫脹を，母指・示指で内外側関節裂隙の圧痛を確認する．

7) 足・足趾関節

- 足関節は両手で包むようにして腫脹と熱感を確かめ，関節裂隙を母指で軽く押さえながら圧痛の有無を確認する．
- MTP と近位趾節間（PIP）関節および遠位趾節間（DIP）関節は手指同様，両母指・示指で腫脹と圧痛を確認する．

B リウマチ性疾患の皮膚所見

- リウマチ，膠原病には多彩かつ特徴的な皮疹をきたす疾患が多い．皮疹から診断，治療につながることもあり，皮膚科と協力しての診療が重要である．
- 皮膚所見が特に重要な全身性エリテマトーデス（SLE），皮膚筋炎，全身性強皮症（SSc），血管炎，成人発症 Still 病の各疾患，その他の重要な皮疹につき概説する．

a 全身性エリテマトーデス（SLE）

- エリテマトーデス（LE）は皮疹の診断名であり，全身の臓器障害を伴うと SLE となる．
- LE は急性，亜急性，慢性に大別され，SLE には急性の LE を伴うことが多い．慢性の LE の中には皮膚のみに限局し SLE とはならないものも存在する．

1) 頬部紅斑（図 1a）

- 蝶形紅斑としても知られる SLE に特異的な皮疹．約 5～6 割に認められる急性の皮疹で疾患活動性を反映する．分類基準にも含まれている．
- 鼻背を中心に両頬部に対称性に広がる浮腫性の紅斑で鼻唇溝は越えないのが特徴である．
- 非典型的なものや他疾患（酒皶，脂漏性皮膚炎，丹毒，皮膚筋炎など）との鑑別が困難な場合もあり注意する．

2) 円板状皮疹（図 1b）

- SLE の約 15％に合併する慢性の皮疹である．疾患活動性との関連は低い．
- 表面に鱗屑（角質が厚く白くなった状態）が付着した類円形の境界明瞭な紅斑である．
- 瘢痕や色素脱失（周囲は色素沈着）を伴うことが多く，表皮が萎縮する．

3) 手掌紅斑

- 不整型の浮腫性の紅斑である．

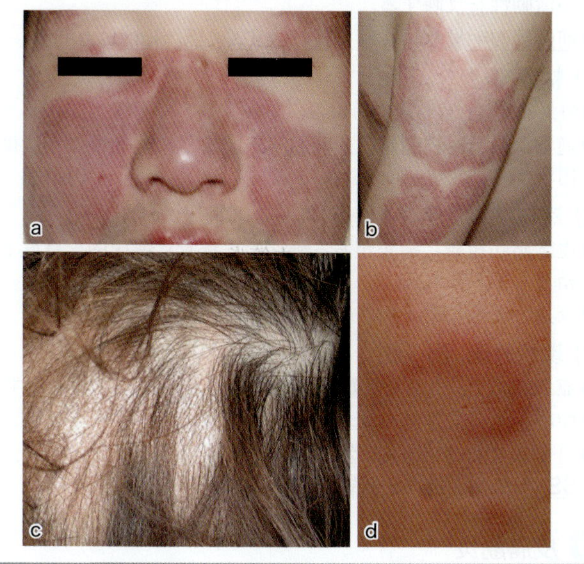

図１　SLEの皮膚症状

a：蝶形紅斑，b：円板状皮疹，c：脱毛，d：環状紅斑

［慶應義塾大学病院皮膚科 谷川瑛子先生のご厚意による］

- びまん性紅斑が，手掌のうち特に母指球や小指球に生ずる．

4）爪囲紅斑

- 爪周囲にみられる紅斑である．SLE以外に皮膚筋炎や混合性結合組織病でもみられる．
- 疾患活動性とは相関せず，治療後も残存することがある．

5）凍瘡状エリテマトーデス

- 寒冷時に手指に出現する暗赤色調の丘疹・局面である．SLEの疾患活動性との関連性は低い．
- 特発性の凍瘡よりも暖かい季節まで持続しやすい．

6）脱毛（図1c）

- 急速，かつびまん性に非瘢痕性の頭髪の脱毛がみられ，SLE

の活動性を反映する．
- 前頭部の毛髪が短く細く折れやすくなる（lupus hair）．

7) 粘膜疹
- SLE の約 40％に認められる．
- 通常，口唇，口腔粘膜，咽頭，喉頭などに無痛性の小潰瘍が出現する．

8) 深在性エリテマトーデス
- 皮下脂肪組織に病変がある慢性の皮疹で，臨床的には皮下硬結としてみられる．
- 経過とともに皮下脂肪組織が線維化し，陥没する．

9) 環状紅斑（図 1d）
- 亜急性の LE であり，数週間で消褪するが出没を繰り返す．
- 中心退色傾向を持つ環状の紅斑を呈する．
- 日本人では Sjögren 症候群に伴って生じることが多く，抗 SS-A 抗体，抗 SS-B 抗体との関連が指摘されている．

b 皮膚筋炎
- 初発症状として皮膚症状を認めるものや筋症状に乏しい病型もあり皮疹の観察が重要である．
- 皮疹は瘙痒感を伴うこともある．分布に特徴が認められる．

1) Gottron 徴候（図 2a）
- 皮膚筋炎に特異的で手指や肘，膝などの関節背面に限局する角化性紅斑である．鱗屑，浮腫，白色萎縮化などの二次性変化を伴う．
- Gottron 丘疹：手指関節背側の扁平隆起性丘疹であり，Gottron 徴候とは区別して表記される．
- 手指の関節屈側に存在する紅斑は逆 Gottron 徴候と呼ばれ，これも皮膚筋炎に特徴的である．逆 Gottron 徴候は急速に進行する間質性肺炎との関連が報告されている．

2) ヘリオトロープ疹（図 2b）
- 皮膚筋炎に特異的で疾患活動性と相関することが多い．
- 両上眼瞼の紫色の浮腫性紅斑であるが，日本人の場合，色調は茶褐色であることのほうが多い．

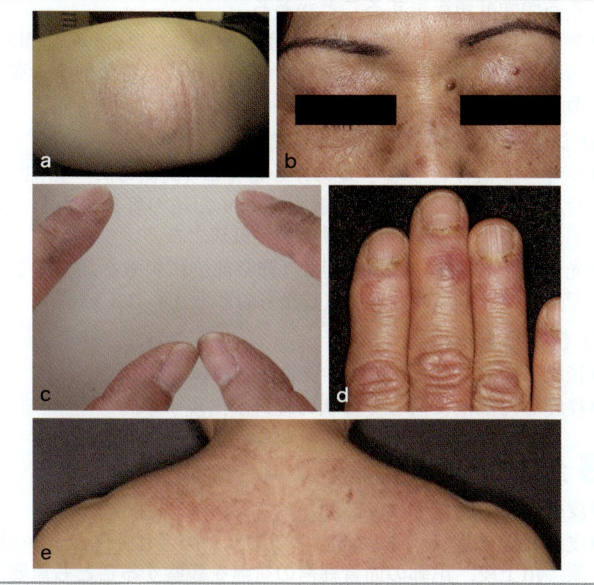

図 2 皮膚筋炎の皮膚症状

a：Gottron 徴候，b：ヘリオトロープ疹，c：機械工の手，d：爪囲紅斑，爪上皮出血点，e：ショール徴候

3）機械工の手（mechanic's hand）（図 2c）

- 抗 ARS 抗体陽性患者に特徴的である．
- 第 1 指の尺側面や第 2 指の橈側面など摩擦のある指の側面に好発する，強い手荒れ様の皮疹である．
- 角化によりざらざらとした触感がある．

4）爪囲紅斑，爪上皮出血点（図 2d）

- 爪囲紅斑は SLE に，爪上皮出血点は SSc にも同様の皮疹が認められ，肉眼的には区別がつかない．
- 皮膚筋炎の爪上皮出血点は SSc と異なり疾患活動性を反映することが多い．

5）顔面紅斑

- 急性期皮疹で疾患活動性を反映し，SLE の頬部紅斑と類似する顔面紅斑を呈することがある．

- 顔面紅斑が額，内眼角，鼻翼基部に出現した場合，耳介周囲，側頬部，側頸部に出現した場合は皮膚筋炎に特徴的な分布である．

6）ショール徴候（図 2e），V 徴候

- ショール徴候はショールのかかる位置（両側の肩，頸部）に分布する紅斑，V 徴候は前胸部の V 領域の紅斑であり，いずれも瘙痒の強いびまん性浮腫性紅斑となる．
- 光や摩擦による Köbner 現象（健常部位に刺激を加えることで病変が生じる現象）で生じたものと考えられている．

7）むち打ち様紅斑

- 搔爬により生じた Köbner 現象といわれている．
- 搔爬した部位に沿って線状の紅斑が出現する．

c 全身性強皮症（SSc）

- 皮膚硬化の所見のみで診断ができる．
- 皮膚硬化が進行する以前の早期診断をめざし，Raynaud 現象，爪上皮，爪郭の血管異常の有無を観察することも重要である．

1）皮膚硬化

- 四肢末端からはじまり次第に近位に移動する．顔面や体幹にも出現しうる．

2）爪上皮出血点（図 3a，矢印）

- SSc や混合性結合組織病（MCTD）の 70％以上に検出される．
- 爪上皮（いわゆる爪の甘皮）の点状，黒色の出血点である．
- 皮膚硬化を呈していない段階で検出されうるため，軽症例や早期例の発見に有用である．

3）爪郭毛細血管異常

- 爪上皮のすぐ中枢側，爪郭の毛細血管は capillaroscopy を用いて肉眼的に観察できる．
- 爪郭毛細血管の拡張，巨大化，出血などが認められ，進行すると毛細血管が消失する．
- 初期の変化は皮膚硬化を呈していない段階で検出されうるた

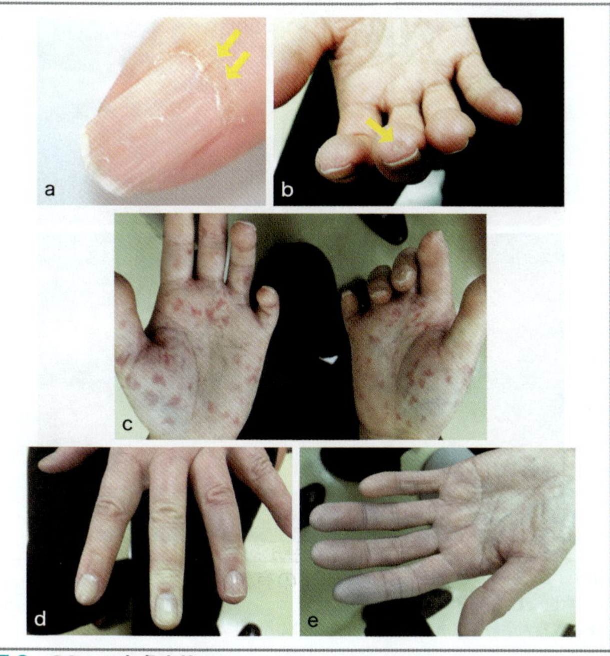

図 3　SSc の皮膚症状

a：爪上皮出血点，b：指尖部虫喰状瘢痕，c：毛細血管拡張，d，e：Raynaud 現象

め，軽症例や早期例の発見に有用である．

4）指尖部虫喰状（陥凹性）瘢痕，潰瘍（図 3b）

- 指尖部虫喰状瘢痕は皮膚硬化が軽症でもみられることがある．
- 末梢循環障害が進行すると指尖部の潰瘍や壊疽となる．

5）毛細血管拡張（図 3c）

- 軽症例や不全型を診断する際に有用なことがある．
- 1 mm 程度のごく小さいものもあるため注意が必要である．

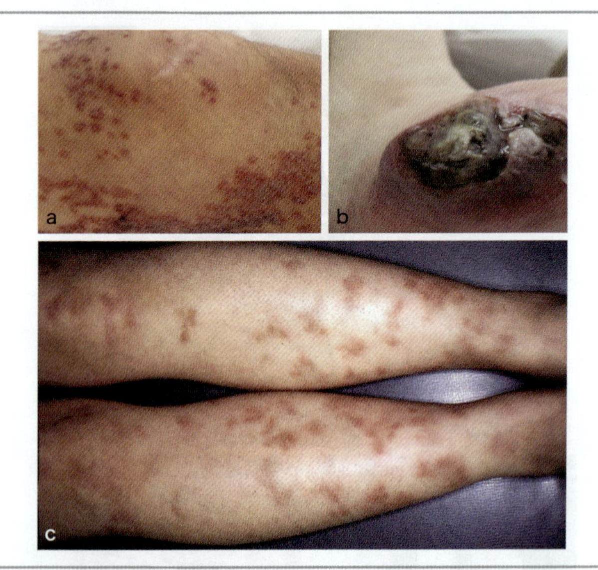

図4　血管炎の皮膚症状

a：紫斑，b：皮膚潰瘍，c：網状皮斑

［慶應義塾大学病院皮膚科 谷川瑛子先生のご厚意による］

6) Raynaud 現象（図 3d，e）

- 寒冷刺激によって誘発される皮膚の色調変化.
- 典型的には白，紫，赤の 3 相性，少なくとも 2 つ以上の色調変化を取る.
- SSc に特異的ではなく SLE や MCTD などでも起こるが，SSc の初発症状であることが多く重要である.

d 血管炎

- 皮膚組織において侵される血管径により所見が異なる.
- 時に皮疹の皮膚生検から血管炎の診断につながるため，皮疹の観察は重要である.

1) 紫斑（図 4a）

- 血管炎のために皮膚の小血管壁が破綻し赤血球が血管外に漏

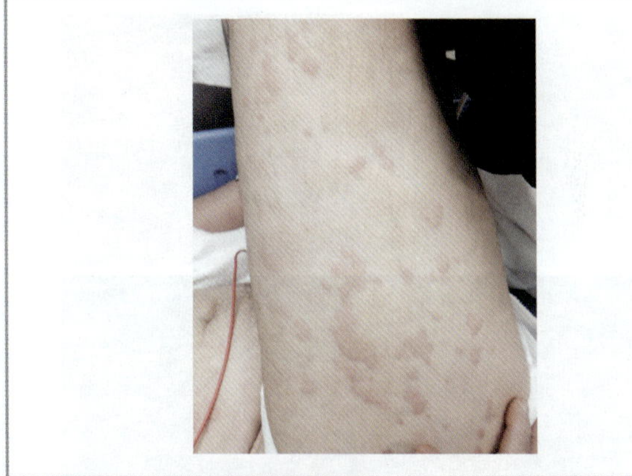

図 5　成人発症 Still 病の皮膚症状

出するために起こる．

- 紅斑は血管拡張による色調変化のため圧迫すると消褪するが，紫斑は圧迫しても色調は消褪しない．
- 血管炎により生じる紫斑は，一般的には浸潤を触れる紫斑（palpable purpura）である．

2）皮膚潰瘍（図 4b）

- 主に中型の血管炎により，皮膚が栄養されずに生じる．打ち抜き様の深い潰瘍を呈する．

3）網状皮斑（図 4c）

- 真皮と皮下組織の境界部における小動脈の閉塞によって生じる網目状の皮疹である．
- 抗リン脂質抗体症候群でも認められる所見である．
- 大理石様皮膚（いわゆる火だこ）も網状の皮疹をきたすが，これは病的変化ではない．
- 網状皮斑は網目の環が閉じず，大理石様皮膚は網目の環が閉じるため両者を区別できる．

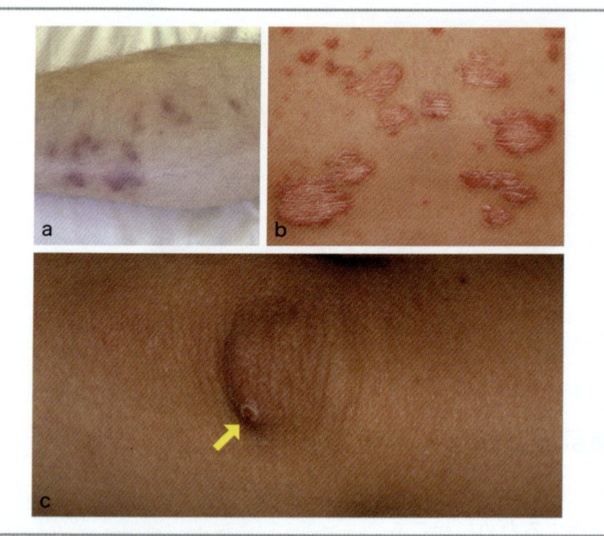

図6　その他の疾患の皮膚症状
a：結節性紅斑，b：乾癬，c：リウマトイド結節
［慶應義塾大学病院皮膚科 谷川瑛子先生のご厚意による］

e 成人発症 Still 病

1）定型疹（図5）

- 小豆大までの淡い紅斑が癒合しながら多発する．
- 色調が淡い紅斑のためサーモンピンクと形容され，発熱とともに出現，解熱とともに消褪する．

2）非定型疹

- 多彩な非定型疹をきたすこともあり注意が必要である．
- 解熱とともに消褪しない浮腫性紅斑，色素沈着を残す紅斑，数日持続する丘疹などが非定型疹として知られる．

f その他の重要な皮疹

1) 結節性紅斑（図 6a）

- 皮下脂肪組織の炎症により，典型的には下腿伸側の表面に，鶏卵大までの大きさで有痛性の紅色結節をきたす．
- Behçet 病では結節性紅斑様皮疹が認められる（肉眼的には区別できないが，病理学的に血管周囲の細胞浸潤や血管炎を認めることがある）．
- Behçet 病の結節性紅斑様皮疹は 1 cm 程度と小型であり，1 週間程度で消褪する．
- サルコイドーシスでは結節性紅斑，結節性紅斑様皮疹（肉眼的には結節性紅斑であるが，病理学的に類上皮細胞肉芽腫を認めるもの）の両者をきたす．

2) 乾癬（図 6b）

- 境界明瞭な扁平に隆起した紅色局面で，典型的には銀白色の厚い鱗屑が付着する．
- 肘関節や膝関節の伸側など擦過部位に皮疹が認められる．爪病変（粗造化，点状陥凹など）を呈することもある．
- 15% 程度に血清反応陰性（リウマトイド因子陰性，抗 CCP 抗体陰性）の関節炎を合併する．

3) リウマトイド結節（図 6c，矢印）

- 関節リウマチの関節外症状の 1 つ．関節リウマチ診断に対する特異度は高いが，感度が低い．
- 固い皮下結節で前腕伸側に好発する．

1 関節痛・関節腫脹

まず考えるポイント

☑ 関節痛と関節炎を区別する.
☑ 関節炎の数, 分布, 時間経過を把握し, そのパターンから鑑別を進める.
☑ 単関節炎では, まず感染性関節炎を除外する.

- 関節痛・関節腫脹は日常診療において高頻度で遭遇する主訴であると同時に, 一般的な病歴聴取や身体診察において常に検索されるべき所見である.
- 十分な問診による病歴の正確かつ漏れのない理解と, 丁寧な身体診察から得られた情報を統合することで, 多くは診断に結びつく.
- **網羅的な血清学的検査の提出は, 偽陽性により鑑別を複雑化させる可能性があり, 必要項目を慎重に吟味する.**

a 病歴のチェック

- **痛み, 腫れ, こわばりなどの自覚症状を, 洗顔や衣類の着脱といった日常生活動作における弊害を含め聴取する.**
- **疼痛部位は患者自身に示してもらい, 疼痛の及ぶ範囲も聴取する.**
- 骨や骨膜の疼痛は局所に限局する一方, 関節や関節周囲の疼痛は比較的広範囲に及ぶ.
- 発症経過, 症状の性質や強さ, 持続時間, 増悪・寛解因子, 関連する症状につき問診する. また, 体重減少, 高熱, 神経症状など重篤な疾患を示唆する症状に注意する.

確認しておくと役立つ問診ポイント

①家族歴：強直性脊椎炎（AS），痛風，乾癬，変形性関節症（OA），全身性エリテマトーデス（SLE）の他，結核など慢性感染性疾患の鑑別において重要である

②旅行歴：腸炎後の反応性関節炎（ReA）やリケッチア症などを念頭に問診する

③性交歴：クラミジアによる ReA や淋菌，ヒト免疫不全ウイルス（HIV）による関節炎を念頭に問診する

④職業歴：手の酷使を疑う手がかりとなる

- 関節外症状の同定が診断を助けるため，システムレビューは必須である．眼症状，口腔内症状（乾燥，潰瘍，口内炎），皮疹，Raynaud 現象，呼吸器症状（咳，血痰，胸膜痛），消化器症状，筋症状，神経症状などに注意する．

b 身体診察

- 関節の腫脹，圧痛の有無より関節炎の有無を評価し，その数と分布をみる．
- 個々の関節を可動域内で動かし，自動ないし他動運動で疼痛が増強するか観察する．関節病変は両者で増強する一方，関節周囲病変（腱鞘炎，滑液包炎）では他動時痛に乏しい．
- 全身性疾患の徴候（心雑音，爪周囲の異常，皮膚病変など）を検索する．

c パターンの認識

1）本当に関節炎なのか？

- 全身症状（発熱，倦怠感），朝など関節を使わない時間帯に悪化する疼痛やこわばり，関節炎の身体所見（腫脹，圧痛など）の存在は「炎症性疾患」を，関節への過剰な負荷と関連する場合は「非炎症性疾患」を考慮する．
- 炎症性疾患として，関節リウマチ（RA）をはじめとする膠原病，感染症，結晶誘発性関節炎などがあげられる．
- 非炎症性疾患として，OA，肥厚性骨関節症，無腐性壊死（AVN），腫瘍などがあげられる．

表 1　単関節炎のタイプと臨床的特徴

タイプ	特　徴
感染性関節炎	皮膚が損傷を受けている場合はブドウ球菌や連鎖球菌が多く，関節穿刺による起因菌の同定が必須である
結晶誘発性関節炎	急性発症で著明な疼痛や全身症状を伴いやすい．関節液鏡検で尿酸ナトリウム結晶（痛風）やピロリン酸カルシウム結晶（偽痛風）を検出する
全身性疾患の単関節炎の発症	他の原因が除外される時は RA，SLE，ReA などを考慮する
外傷性	病歴から骨折，関節血症などを疑う

表 2　多関節炎のタイプと臨床的特徴

タイプ	特　徴
RA	手指，手首や足趾の小関節を主体とし，膝，足なども含めた対称性の末梢関節炎
成人発症 Still 病，SLE，Sjögren 症候群，SSc，PM/DM など	特異抗体や関節外の臓器病変の検索が必要である
脊椎関節炎（AS，ReA，乾癬性関節炎，腸炎関連関節症）	脊椎および仙腸関節の炎症，付着部炎に加え，しばしば皮膚，眼，消化器症状を合併する．HLA-B27 との強い関連が認められる
ウイルス性	パルボウイルス B19，HIV，B 型および C 型肝炎ウイルスなどが原因となりうる
淋菌感染症	指，膝，足の移動性多関節痛，膿疱性皮疹，腱鞘滑膜炎などがみられる
スピロヘータ	第 2 期梅毒や，旅行歴があれば Lyme 病が関節炎をきたす
その他	サルコイドーシスやアミロイドーシス，血管炎，感染性心内膜炎，内分泌疾患など

SSc：全身性強皮症，PM/DM：多発性筋炎/皮膚筋炎

2) 単関節炎か，多関節炎か？

● 炎症性疾患のうち，単関節炎，多関節炎の鑑別を**表 1，2** に示す．永続的な機能障害や敗血症を引き起こしうる感染症の除外が最も重要である．

3) 分布はどうか？

● 脊椎，仙腸関節，胸鎖関節の炎症は AS をはじめとする脊椎関節炎に特徴的である．

- 手の関節では，遠位指節間（DIP）関節病変はOAや乾癬性関節炎にみられるがRAでは頻度が低い．逆に，中手指節（MCP）関節病変は，RAでしばしば罹患するがOAでは起こりにくい．

4）経過は急性か，慢性か？

- 急性関節炎は，感染性や結晶誘発性の可能性が高い．RAをはじめ膠原病に伴うものは，6週間以上の慢性の経過をたどることが多い．

d 検査のポイント

- 血算，肝腎機能，ALP，CRP，赤沈，リウマトイド因子（RF），抗核抗体，B型・C型肝炎ウイルス，パルボウイルスB19，HIV，梅毒，甲状腺機能検査，検尿に加え，疑われる疾患の特異的検査を検討する．
- 単純X線検査は，RA，OA，外傷，結晶誘発性関節炎などを疑う時に撮影する．
- 関節穿刺による関節液分析は診断に非常に有用であり，白血球数，白血球分画，グラム染色，培養，結晶の有無を調べる．その結果に応じ，非炎症性，炎症性，化膿性に分類する［⇒「Ⅱ-B. 関節液検査」表1参照，p59］．
- 関節MRI，関節エコーなどの高感度画像診断もしばしば有用である．

2 不明熱

まず考えるポイント

- ☑ 原因としては膠原病などの非感染性炎症性疾患，感染症，悪性腫瘍が主要な３大グループである．
- ☑ 感染性心内膜炎や結核といった治療方針が大きく異なり，見逃すと予後不良な疾患から除外を試みる．
- ☑ 薬剤熱が疑われる症例では，まず被疑薬の中止を行う．
- ☑ 抗菌薬や抗炎症薬の経験的治療は診断を困難にすることが多く，安易に行うべきではない．

- 不明熱は 1961 年に Petersdorf らにより，「38.3℃以上の発熱が３週間を超えて続き，１週間の入院精査でも原因不明な状態」として定義された．
- HIV 感染症や好中球減少患者の増加から 1991 年に Durack らにより，精査期間は「入院３日間または外来での３回の精査」となり，従来の古典的不明熱に加え，院内不明熱，HIV 関連不明熱，好中球減少性不明熱が定義された．
- 海外渡航者の増加に伴い，海外渡航関連不明熱という分類も提唱されている．

1 古典的不明熱

a 熱　型

- 古典的には表１のように分類される．

b 原因疾患（表２）

- 原因疾患は，感染症と炎症性疾患が 25%ずつ，悪性腫瘍が 15%程度に認められると報告されている．

表 1 古典的不明熱の分類

稽留熱（日内変動が 1℃以内のもの）	肺炎球菌性肺炎，中枢神経系病変，オウム病，腸チフスなど
弛張熱（日内変動が 1℃以上で最低値が 37℃以上のもの）	感染性心内膜炎，成人発症 Still 病，悪性腫瘍など
間欠熱（日内変動が 1℃以上で最低値が 37℃以下のもの）	熱帯熱マラリア，結核，胆道感染症など
波状熱（有熱期と無熱期が区別されるもの）	ブルセラ症，Hodgkin リンパ腫，熱帯熱以外のマラリアなど

表 2 古典的不明熱の原因疾患

非感染性炎症性疾患*	成人発症 Still 病，SLE，PMR，PM/DM，Behçet 病，血管炎，自己炎症性疾患，炎症性腸疾患，サルコイドーシス，痛風，偽痛風など
感染症	膿瘍，感染性心内膜炎，結核，骨髄炎，EBV 感染症，CMV 感染症，HIV 感染症など
悪性腫瘍	血液腫瘍（悪性リンパ腫，白血病），腎細胞癌，肝細胞癌など
その他	薬剤，甲状腺機能亢進症，深部静脈血栓症など

* RA，SSc，Sjögren 症候群は不明熱の原因になりにくい．
PMR：リウマチ性多発筋痛症，EBV：Epstein–Barr ウイルス，CMV：サイトメガロウイルス

c 問診のポイント

- 発熱の発症時期，熱型，随伴症状，既往歴，家族歴，海外渡航歴，職業，在宅環境/職場環境，ペット飼育歴，性交歴，内服歴，アレルギー歴を問診する．
- 幼少期から繰り返す場合は，自己炎症性疾患も考慮する．
- 結核の家族歴は公衆衛生的な面からも重要である．
- 性交歴は HIV をはじめ性感染症の重要な情報である．
- 過敏性肺炎などを疑う場合は発熱の季節や周辺環境なども聴取する．
- 薬剤熱の原因は，抗てんかん薬や抗菌薬（特にβラクタム系），抗真菌薬（アムホテリシン B）が多い．一般的に薬剤熱は被疑薬の中止後 72 時間以内には解熱する．CAR-T 細胞療法や免疫チェックポイント阻害薬による発熱も報告されている．

d 身体所見

- 頭頸部：眼球結膜充血や耳鼻科的な症状がないかを調べる．眼底出血や視神経炎などは眼科コンサルトにて気づかれる場合もある．側頭動脈圧痛，拍動，口腔内アフタ，甲状腺腫大の有無を調べる．頸動脈雑音が大動脈炎症候群の手がかりになることもある．頸部に圧痛がある場合には，Lemierre 症候群や歯原性膿瘍も鑑別にあがる．
- 胸部：心雑音は感染性心内膜炎や粘液腫の存在を示唆する可能性がある．新規に出現した心雑音は中でも重要である．心音・呼吸音減弱例では漿膜炎も念頭におく．
- 腹部：肝脾腫，叩打痛の有無を確認する．幼少期から発熱とともに腹痛を認める症例では家族性地中海熱も鑑別にあがる．
- 背部：肋骨脊椎角（CVA）叩打痛や脊椎叩打痛の有無を確認する．
- 四肢：筋力低下や把握痛がないか，把握痛がある場合には PMR，PM/DM，血管炎，静脈血栓症も考慮する．
- 皮膚：皮疹の有無，種類は非常に重要である．皮疹は耳介から爪先まで確認する．爪周囲の毛細血管拡張や出血点が膠原病を示唆することや，爪下線状出血が感染性心内膜炎の存在を教えてくれる場合もある．ダニ刺されの跡は，ダニ媒介感染症の手がかりになる．
- 関節：関節炎の分布，数（単関節/多関節），経過（急性/慢性）が重要である．
- リンパ節：発熱に伴う反応性腫大も多い．全身性か局所性か，性状（大きさ，部位，硬さ，圧痛，癒着，増大速度），生検による病理学的評価が必要な場合もある．

e 臨床検査

- 血算，血液塗抹，生化学（肝機能，腎機能，甲状腺，CRP），赤沈，凝固，フェリチン，抗核抗体，RF，抗好中球細胞質抗体（ANCA），補体，アンジオテンシン変換酵素（ACE），蛋白電気泳動，EBV-IgM 抗体，CMV-IgM 抗体，HIV 抗体，インターフェロン γ（IFN-γ）遊離試験（IGRA），尿検査．

- 血液培養3セット，喀痰培養（一般細菌・抗酸菌），尿培養，便潜血なども検査する．
- 免疫学的検査は膠原病の鑑別に有用であるが，単独で決定的なものはなく臨床像全体からの検討が必要である．
- IGRA（QFT検査，T-スポット検査）は患者リンパ球を結核特異抗原によって刺激し，産生されるIFN-γを定量する検査であるが免疫抑制例での偽陰性に注意が必要である．診断のゴールドスタンダードは結核菌の証明であり，補助的に使用する．
- 血液培養は起因菌から感染臓器を想定できるケースもあり，非常に有用である．感染性心内膜炎では3セットの採取にて感度は95%程度とされる．

f 画像検査

- 胸部X線，造影CT/MRI，ガリウムシンチグラフィ，FDG-PET，心エコー，下肢静脈エコー，側頭動脈エコーなど．
- 歯原性膿瘍，深頸部膿瘍，咽後膿瘍など頭頸部の病変もあり，造影CTは頸部から骨盤部を含める．
- 感染性心内膜炎に対し経胸壁心エコーは感度60%程度であり，陰性でも疑った場合は経食道エコーを検討する．
- FDG-PETは悪性腫瘍のスクリーニングに優れている．
- 巨細胞性動脈炎では頭蓋外の大血管炎の併発も多く，近年FDG-PETの有用性が報告されている．

g 組織生検

- 側頭動脈：巨細胞性動脈炎が疑われる場合に重要である．生検部位の決定に側頭動脈の超音波検査が有用である．
- リンパ節：悪性リンパ腫や結核が疑われる病変があれば積極的に考慮する．
- 骨髄：血液腫瘍が疑われる場合に適応がある．血算，血液塗抹に異常がある場合に考慮する．
- 皮膚：浸潤を触れる皮疹は生検の適応となる．血管内リンパ腫を疑う場合はランダム皮膚生検の適応になる．
- 肝臓：肝胆道系酵素の上昇などを認め，自己免疫性肝炎や原発性胆汁性胆管炎（PBC），原発性硬化性胆管炎（PSC）などが疑われる場合に考慮される．

- 腎臓：尿所見異常やクレアチニン上昇などがある場合に考慮する．
- 筋肉：筋痛，筋力低下，筋原性酵素上昇，筋電図変化，MRI所見などで筋炎が疑われる場合に考慮する．

2 院内不明熱

- 院内不明熱では留置カテーテルを代表とするデバイス感染，薬剤熱，偽膜性腸炎，深部静脈血栓（DVT）などに注意する．外科処置後には同部位の膿瘍，血腫，感染などに留意する．

3 HIV関連不明熱

- HIV感染症自体が発熱の原因となりうる．
- 原因の80％以上は感染症が占める：CMV感染症，結核，非結核性抗酸菌症，クリプトコッカス症，ニューモシスチス感染症，ヒストプラズマ症，トキソプラズマ症など．
- 薬物や悪性リンパ腫なども重要な原因である．

4 好中球減少性不明熱

- 細菌感染症（ブドウ球菌，腸内細菌，緑膿菌），深在性真菌症，また肛門周囲膿瘍にも注意が必要である．
- 本カテゴリーの不明熱で50〜60％に感染症が関与し，20％が菌血症を起こしているとの報告もある．
- 広域抗菌薬による経験的治療が必要となる場合が多い．

5 海外渡航関連不明熱

- マラリア，腸チフス，レプトスピラ症，デング熱，リケッチア症など輸入感染症が主な原因である．
- 海外渡航歴がある場合には，渡航先の感染症流行状況を確認し，必要に応じて感染症専門施設と連携を取りながら対応する必要がある.

6 精査後も原因が不明な症例

● 診断未確定例では陽性症状の出現を慎重に経過観察とする. 精査を行ったが原因不明であったものに関しては比較的予後良好であるとする報告もある.

3 筋　痛

まず考えるポイント

- ☑ 病歴と身体所見から大半は鑑別できる.
- ☑ 全身性か，局所性かを考える．1ヵ所だけであれば自己免疫疾患の可能性は低い.
- ☑ 採血項目は検査前確率を考えて選ぶべきである.

a 診　察

- 発症様式が急性/慢性かなどの病歴，疼痛部位，随伴症状が鑑別を絞るうえで重要である.

b 鑑別の考え方（図 1）

- 全身性の筋痛：感染性，リウマチ性疾患，線維筋痛症，薬剤性，代謝性，内分泌性から考えていく.
- 熱や上気道症状など感染を疑う病歴：突然発症の筋肉痛は感染症を示唆する．インフルエンザ/エコー/コクサッキー/Epstein-Barr ウイルス（EBV）などウイルス性が多いが，レジオネラや黄色ブドウ球菌，A 群・B 群連鎖球菌などの細菌性，結核性も念頭におく.
- 高齢者における突然発症の近位筋の筋肉痛：PMR を考える.
- 急性〜亜急性の近位筋の筋力低下や皮疹，関節痛，下気道症状など：筋炎を鑑別にあげる.
- 皮疹や局所の神経障害，下気道症状，腎障害：血管炎を疑う．筋に限局する血管炎の場合は筋痛のみのこともある.
- 皮膚筋炎で特徴的な皮疹（Gottron 徴候/丘疹，ヘリオトロープ疹など：⇒「I-B. リウマチ性疾患の皮膚所見」図 2 参照，p9）や紫斑，関節炎などが鑑別に重要になるため，注意深く皮膚の診察を行うことが重要である.
- 薬剤歴：必ず聴取すべきである．スタチン系，抗菌薬，ビス

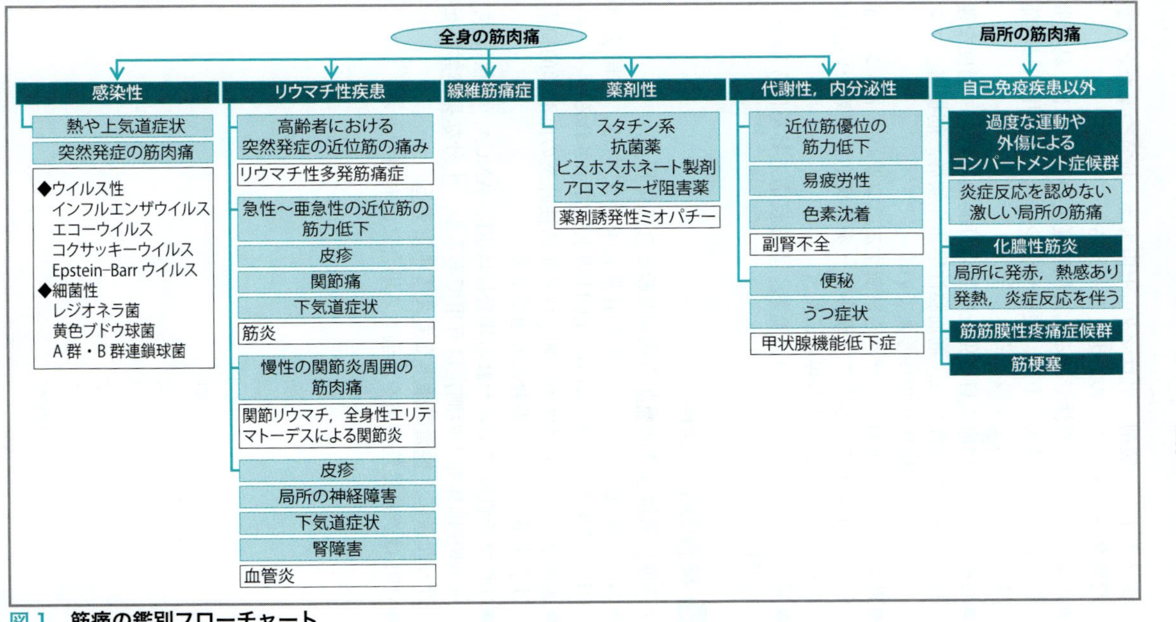

図 1　筋痛の鑑別フローチャート

ホスホネート製剤，アロマターゼ阻害薬，抗うつ薬などは薬剤誘発性ミオパチーの原因となりうる．

- 代謝性：概して慢性である．近位筋優位の筋力低下，易疲労性，色素沈着は副腎不全，便秘やうつ症状などは甲状腺機能低下症の可能性を示唆する．
- 局所のみの筋肉痛：自己免疫疾患の可能性は低い．過度な運動，外傷，化膿性筋炎，筋筋膜性疼痛症候群，筋梗塞，コンパートメント症候群から考えていく．
- 外傷や過度な運動：病歴から診断する．コンパートメント症候群は外傷後に起きることが多く，炎症反応を認めない激しい局所の筋痛を訴える場合に疑う．
- 局所に発赤，熱感があり，発熱，炎症反応上昇を伴う場合：化膿性筋炎を考える．

c 検査のポイント

- 各種検査は身体所見から鑑別を絞った後に行う．
- CRP，赤沈は炎症の存在の有無に有用である．筋障害はCK，アルドラーゼ，AST，LDHの上昇で示される．
- 血液培養，パルボウイルス，ウイルス性肝炎の血清学的検索は感染症を疑った場合に有用である．
- リウマチ性疾患が疑われる場合にはRF，ANCA，抗核抗体，抗ARS抗体などの測定は有用であるが，十分な身体診察を行った後に，検査前確率を考えて測定する．
- MRIは炎症性筋疾患を評価する場合には有用である．

4 筋力低下

まず考えるポイント

- ☑ 病変の分布と部位を把握する.
- ☑ 筋痛を伴う場合は筋炎を疑う.
- ☑ 筋炎の鑑別には筋電図，MRI，筋生検が有用である.

a 診　察

- 筋力低下は徒手筋力テスト（MMT）を用いて評価する.
- 神経学的検査で上位神経由来か末梢神経由来かを予測する.
- 障害部位はつま先歩きが困難や握力低下を訴える場合は遠位筋，Gowers 徴候や階段の降りにくさを訴える場合は近位筋と予測できる.

b 鑑別の考え方

- 全身性であれば，筋痛を伴う場合は筋炎を，筋痛を伴わない場合は重症筋無力症や周期性四肢麻痺を考える.
- 周期性四肢麻痺の鑑別には血中カリウム濃度の測定が有効である.
- 局所性の場合，非対称性であれば神経障害や重症筋無力症，廃用症候群などを考える.
- 対称性であれば近位筋優位か遠位筋優位かによって鑑別していく．概して神経原性は遠位筋優位である.
- 近位筋優位であれば筋原性を疑い，ミオパチー，筋ジストロフィー，重症筋無力症を考える．筋ジストロフィーは発症年齢や遺伝学的検索から診断する.
- ミオパチーには，PM/DM，封入体筋炎などの炎症性筋疾患，内分泌性，代謝性，薬物性，感染性がある．筋肉痛を伴う場合は筋炎を疑う．内分泌性は甲状腺疾患や Cushing 症候群など，代謝性筋疾患には各種の電解質異常，糖原病，脂質代謝異常症，ミトコンドリア病などがある．

- 皮膚筋炎で特徴的な皮疹（Gottron 徴候/丘疹，ヘリオトロープ疹など：⇒「I-B．リウマチ性疾患の皮膚所見」図2参照，p9）や紫斑，関節炎などが鑑別に重要になるため，注意深く皮膚や関節の診療を行うことが重要である．

C 検査のポイント

- 前角細胞，下位神経，神経筋接合部，筋肉のいずれで障害されているかを調べるには筋電図が有用である．
- 筋疾患では，筋原性酵素の上昇，ミオグロビン尿を認める．筋炎を疑う際は抗核抗体，抗 ARS 抗体が参考になる．
- 甲状腺・副腎ホルモン・副腎皮質刺激ホルモン（ACTH）の測定で内分泌性ミオパチーの鑑別を進める．電解質異常も必ず除外しておく．
- 筋炎では MRI T2 強調画像，脂肪抑制併用 T2 強調画像で炎症部位に高信号を認める．
- 筋炎の鑑別としては筋生検が有用である．DM では CD4 陽性 T 細胞が血管周囲に，PM では CD8 陽性 T 細胞が筋線維に浸潤する．封入体筋炎では筋内膜周囲に CD8 陽性 T 細胞が浸潤し，封入体が観察される．

5 乾燥症状

まず考えるポイント

- ☑ 乾燥症状（ドライアイ，ドライマウス）は，他の症候に比べて，主訴として聞き出せない可能性が高いため，積極的に問診を行う．
- ☑ 乾燥症状＋抗 SS-A 抗体陽性または抗 SS-B 抗体陽性，あるいは抗セントロメア抗体陽性である場合は，Sjögren 症候群の可能性を考えて追加検査を行う．
- ☑ 乾燥症状に伴う合併症に注意する．
- ☑ 眼科医，口腔外科医へのコンサルトを適切に行う．

1 ドライアイ（乾性角結膜炎：keratoconjunctivitis sicca）

- ドライアイとは，「さまざまな要因による涙液および角結膜上皮の慢性炎症であり，眼不快感や視機能異常を伴う」と定義されている（ドライアイ研究会，2006 年）．

ドライアイの診断

①自覚症状
②涙液異常
③角結膜上皮障害
上記のうち 2 項目で「疑い」，3 項目で「確定」となる

- 原因は，①涙液産生の低下と②蒸散の亢進の大きく 2 つ（表 1）．
- 診察においては涙腺腫大の有無をチェックする（患者は「まぶたのむくみ」と表現する）．
- 眼科へのコンサルトとともに，以下の追加検査を行う．
- 涙液検査［シルマーテスト，涙液層破壊時間（BUT）］．
- 角結膜上皮障害の検査（フルオレセイン染色，ローズベンガ

表1　ドライアイの原因

涙液産生低下	Sjögren 症候群，IgG4 関連疾患，加齢，涙腺閉塞（トラコーマなど），サルコイドーシス，悪性リンパ腫，慢性 C 型肝炎，移植片対宿主病（GVHD），糖尿病，薬剤性など
蒸散亢進	マイボーム腺の機能低下，閉眼障害，瞬目の減少，顔面神経障害，アレルギー性眼症，コンタクト装着，角膜術後など

ル染色）．

- MRI や超音波検査による眼窩内構造物の評価．
- 血液検査（抗核抗体，抗 SS-A 抗体，抗 SS-B 抗体，抗セントロメア抗体，高γグロブリン血症，IgG4）．

2　ドライマウス（口腔乾燥症：xerostomia）

- 口腔乾燥による症状は，嚥下困難や味覚変化など多様である．
- 鑑別としては，Sjögren 症候群，IgG4 関連疾患，アミロイドーシス，ヘモクロマトーシス，慢性 C 型肝炎，糖尿病，放射線治療後，慢性移植片対宿主病（GVHD），脱水，精神的ストレス，薬剤性など．
- 問診と診察から鑑別に必要な検査を行う．
- 唾液腺（顎下腺・耳下腺）の腫脹を伴う場合：その性状（急性/慢性，左右差，圧痛，硬さ）に注意する．
- 反復性，持続性の場合：自己免疫疾患も鑑別にあげる．疼痛を伴い急性に増大する場合は唾液腺の閉塞や感染症が疑われる．
- 左右非対称で急性に増大し硬結を触れる場合：リンパ腫などの悪性腫瘍が示唆される．
- 口腔外科にコンサルトし，刺激唾液検査（ガムテスト，サクソンテスト）で唾液量の評価を行う．
- Sjögren 症候群を疑う場合には，唾液腺シンチグラフィ，口唇生検などの追加検査を検討する．口唇生検は IgG4 関連疾患の診断にも有用な場合がある．
- ドライマウスの合併症として，う歯や口腔カンジダ症などに注意する．

6 皮膚硬化・手指腫脹

まず考えるポイント

☑ 皮膚硬化・手指腫脹をきたす疾患は多岐に渡る.
☑ 鑑別すべき疾患として膠原病およびその類縁疾患，糖尿病，先天性疾患などがあげられる．問診，身体所見，検査により鑑別を進めていく.
☑ 問診および身体所見のポイントに留意する．個々の疾患の詳細および検査については，それぞれの章を参照されたい.

a 鑑別すべき疾患（表 1）

表 1 皮膚硬化をきたす疾患

膠原病	全身性強皮症（SSc），混合性結合組織病（MCTD），皮膚筋炎（DM）/多発性筋炎（PM），全身性エリテマトーデス（SLE），関節リウマチ（RA）
膠原病類縁疾患	好酸球性筋膜炎，ヒトアジュバント病，好酸球増多筋痛症候群，RS3PE 症候群
糖尿病関連	成年性浮腫性硬化症，糖尿病性リポイド類壊死症
先天性	Werner 症候群
その他	限局性強皮症，慢性移植片対宿主病（GVHD），うっ滞性皮膚炎，硬化性粘液水腫，POEMS 症候群，慢性放射線皮膚炎，晩発性皮膚ポルフィリン症，萎縮性硬化性苔癬など

b 問診のポイント

- 手・手指の腫脹を示すエピソード：今まで入っていた指輪が入らなくなった，いつから腫れが不可逆性となったかなどを確認する.
- Raynaud 現象の有無：特に SSc や MCTD との関連性があるかを注意して問診する.
- 朝のこわばりや，関節痛の有無：RA などの関節炎でも手の腫脹を伴うことがある.

- 形成手術の既往：ヒトアジュバント病の可能性を考え，シリコン使用の形成手術の既往を聞く必要がある．
- 職業による有機溶媒への曝露：有機溶媒への曝露によりSScが誘発されることもある．
- 糖尿病：糖尿病に関連した成年性浮腫性硬化症やリポイド類壊死症でも皮膚硬化を呈することがある．
- 健康食品の使用：ダイエット食品に含まれていたL-トリプトファンで好酸球増多筋痛症候群が発症したことが知られている．
- 放射線照射の既往：放射線性障害でも皮膚硬化が生じる．

c 診察のポイント

- 手の腫脹・皮膚硬化の有無：指や手の背面の皮膚をつまむことにより皮膚の厚みを観察する．
- 皮膚硬化の診察ではmodified Rodnan total skin thickness scoreを参考とする．左右の「手指，手背，前腕，上腕，大腿，下腿，足背（計14ヵ所）」と顔面，前胸部，腹部の計14ヵ所で皮膚硬化の程度を0～3のスコアで表す（表2）．
- 手の腫脹の対称性：非対称性の場合，蜂窩織炎などの感染症や関節炎などの可能性も考える．
- 各疾患に特徴的な皮膚所見の確認：
  - ➤ 爪上皮出血点：SScやMCTDで70％以上に認められるが，DMで約50％に観察される他，Raynaud現象を伴うSLEやRAでもみられ，特異度は低い．
  - ➤ 毛細血管拡張，指尖の陥凹性瘢痕・潰瘍，手指の屈曲拘縮，

表2 modified Rodnan total skin thickness score

皮膚硬化	大きくつまみ上げる	小さくつまみ上げる	大きくつまみ上げた時の皮膚の厚み
0 なし	できる	できる	厚くない
1 軽度	できる	できる	厚い
2 中等度	できる	できない	さらに厚い
3 高度	できない	できない	—

0は正常皮膚で，皮膚硬化を認める場合にはさらに軽度（1），中等度（2），高度（3）の3段階に分ける（最高点は51点）．

［Clements P et al：J Rheumatol **22**：1281-1285, 1995より引用］

皮膚のびまん性色素沈着および脱失：SSc に特徴的である［⇒ MEMO：「強皮症」の鑑別について，下記参照］.
- 手指関節背面の紅斑，ヘリオトロープ疹，Gottron 徴候：皮膚筋炎に特徴的である.
- 手の凍瘡様紅斑，蝶形紅斑，耳介の凍瘡様紅斑：SLE に特徴的である.

MEMO

「強皮症」の鑑別について

- **鑑別上，特に問題となるのは限局性強皮症，好酸球性筋膜炎**である．これらは内部臓器病変を伴わない．皮膚所見からの鑑別のポイントは，**①対称性か，②手以外に皮膚硬化が存在した場合，手指にも皮膚硬化が認められるかどうか，③境界は明瞭か，④硬化の深さ**などである.
- 限局性強皮症は非対称性，SSc，好酸球性筋膜炎は対称性であることが多い.
- 限局性強皮症は皮膚硬化のみで Raynaud 現象も伴わず，予後もよい疾患であるが，時に抗核抗体陽性となり SSc と鑑別がむずかしいことがある.
- 限局性強皮症では境界は明瞭で，強指症はない．好酸球性筋膜炎ではその境界は不明瞭で，前腕・下腿に限局し，強指症はない.
- 好酸球性筋膜炎硬化も皮下深部に存在し，皮下板状硬結として触れる.
- 皮膚硬化が下腿のみにみられる場合は，うっ滞性皮膚炎を考える．静脈うっ滞による線維化である.
- 膠原病の**臓器病変として肺，消化器，筋肉などの症状も検索する**.

7 検査異常（RF 陽性，ANA 陽性）

1 リウマトイド因子（RF）陽性

まず考えるポイント

- ☑ RF は，変性した IgG の Fc 部分に対する自己抗体である．
- ☑ RF は RA の約 80%で陽性となり，免疫異常を示唆する，代表的な検査項目の 1 つである．
- ☑ 健常人でも 5%以下の頻度で陽性になり，加齢とともに健常人の RF 陽性率は増加することにも留意が必要である．RF 陽性＝RA，ではない．RF が陽性になる疾患をイメージしながら，身体所見をしっかり取ることが重要である．

a 検査のポイント

- あくまで，「RF が陽性になる自己免疫疾患」を疑った際に検査する．
- RF の基準値は一般に健常成人の測定値の 95%が含まれる値として求められていることにも留意する．

b RF が陽性になる疾患 [⇒「Ⅱ-A. 血液検査」表 1 参照，p40]

- 膠原病では RA，Sjögren 症候群，SLE などで陽性になる．
- 非自己免疫疾患でも肝疾患や悪性腫瘍，一部の慢性感染症でも陽性になることに留意する．

c RFが陽性の場合，さらに進めるべき検査

- RF 以外の RA の免疫マーカー：抗 CCP 抗体
- 他の膠原病の可能性：抗核抗体（ANA）
- Sjögren 症候群に着目：抗 SS-A 抗体，抗 SS-B 抗体
- 他の膠原病が示唆される所見あり：疾患特異的抗体
- 肝疾患を考えて：肝機能，肝炎マーカー
- 感染症，悪性腫瘍のチェック

- 身体診察や臓器障害評価の結果，特定の疾患に分類されない場合も多く，この場合は陽性所見の出現がないか経過観察を行う．

2 抗核抗体（ANA）陽性

まず考えるポイント

☑ 膠原病は自己抗体産生を特徴とする．自己抗体は疾患や臨床症状と関連し，診断，病態の把握，治療効果の判定，予後の推定に有用である．

☑ ANA 検査は自己抗体のスクリーニング検査であり，抗体価，染色型を参考にして，疾患標識自己抗体の検索を進める．

☑ RF 同様，健常人や膠原病以外の疾患でも陽性になること，加齢で陽性頻度が増加することに留意する．ANA 陽性＝膠原病，ではない．

☑ ANA 陽性になる疾患をイメージしながら，しっかり身体所見を取ることが重要である．

a 検査のポイント

- 測定法：間接蛍光抗体法が広く普及している．
- ANA 抗体価：血清の希釈倍率によって示される．40 倍以上を陽性とする施設が多い．
- 40 倍をカットオフとした場合，健常人の 10～20%が陽性となることに留意する．160 倍以上で膠原病（特に SLE）に

対する特異度が上昇する．

- ANAの抗体価はほとんど変動せず疾患活動性を反映しないため，短期間に繰り返し測定することは避ける．
- 染色型：対応抗原が推定できる．主な染色パターンには，均質型，辺縁型，斑紋型，核小体型，セントロメア型，細胞質型などがある［⇒「II-A．血液検査」表3参照，p43］．

b 膠原病以外に検出される疾患

- 健常人（高齢者で比較的高頻度に陽性）
- 肝疾患：自己免疫性肝炎，慢性肝炎，PBC
- 呼吸器疾患：特発性間質性肺炎
- 臓器特異的自己免疫疾患，ウイルス感染症
- 高γグロブリン血症をきたす疾患

c さらに進めるべき検査

- 先述のANAの染色型，身体所見や臓器障害評価をもとに，想定される疾患特異抗体の測定を行う．
  - ➢身体診察や臓器障害評価の結果，特定の疾患に分類されない場合も多く，この場合は陽性所見の出現がないか経過観察を行う．

II

リウマチ・膠原病領域の主要検査

A 血液検査

1 リウマトイド因子（RF）

a 概　説

- RFは糖鎖が欠損した変性IgGのFc部分に対する自己抗体である．RFにはIgG/A/M/D/Eの各クラスがあるが，一般に検査で検出されるRFといえばIgM-RFである．

b RF陽性となる疾患と陽性率（表1）

- 関節リウマチ（RA）以外の疾患でも陽性になるため注意が必要である．
- 健常人でも5%以下の頻度で陽性になり，加齢とともに健常人のRF陽性率は増加することに留意する．
- 「RF陽性」→「RA，膠原病」は誤り．

表1　RF陽性となる疾患と陽性率

健常人	健常人でも5%程度は基準値を超えることに留意
膠原病	
関節リウマチ（RA）	60〜80%
全身性エリテマトーデス（SLE）	20%
混合性結合組織病（MCTD）	50%
Sjögren症候群（SjS）	75%
結節性多発動脈炎　など	20%
肝疾患	
慢性肝炎	30%
肝硬変	50%
慢性感染症	10〜50%
悪性腫瘍	20%

［大曽根康夫：日内会誌 **92**：1916-1920，2003より引用］

c RAにおけるRF陽性の意義

- RF陽性のRAはRF陰性のRA（seronegative RA）に比して関節予後が不良であることが知られている.

2 抗シトルリン化ペプチド抗体（抗CCP抗体）

a 概　説

- RA患者ではシトルリン化された蛋白に対する自己抗体（anti-citrullinated protein antibodies：ACPA）の産生が増加していることが知られ，RA発症に関与していると考えられている.

b RAと抗CCP抗体

- わが国で使用される抗CCP抗体検出用キットのRA診断に対する感度は87.6%，特異度は88.9%と良好である.
- 抗CCP抗体はRA発症に先行して陽転化することが知られている.
- 肺結核や乾癬性関節炎でも抗CCP抗体が一定率で陽性になるため注意が必要である.

3 matrix metalloproteinase-3（MMP-3）

a 概　説

- MMP-3は，主に滑膜表面細胞により産生される蛋白分解酵素である.
- RAの疾患活動性の評価や関節破壊の予後予測に有用であると考えられている.
- 外傷や感染などの外的因子にはあまり影響されない.

b MMP-3 偽陽性となる疾患

- 全身性エリテマトーデス（SLE）などの膠原病，リウマチ性多発筋痛症（PMR），乾癬性関節炎，ステロイド投与でも陽性となるため，RA に対する特異度は高くない．

4 抗核抗体（ANA）

a 概　説

- 抗核抗体はいずれの膠原病に対しても特異的ではないため，臨床所見から膠原病が疑われる際以外には検査すべきでない．
- 健常人の染色パターンは，homogeneous あるいは speckled であることが多い．
- 一般的に抗核抗体の抗体価は疾患の活動性とは相関しない．
- 抗 Jo-1 抗体や抗 ARS 抗体の対応抗原は通常核外に存在するため，抗核抗体は陰性になる（細胞質で陽性になる）ので注意が必要である．
- 加齢により抗核抗体の陽性率は上昇する．

b 抗核抗体の各膠原病における陽性率（表 2）

- この他にもウイルス感染症などの免疫系が活性化される病態では陽性となりうる．

表 2　各膠原病における抗核抗体の陽性率

疾　患	陽性率
SLE	95～100%
SSc	83%
PM/DM	55%
MCTD	99～100%
SjS	76%
RA	41%

SSc：全身性強皮症，PM/DM：多発性筋炎/皮膚筋炎

［和田　攻，他（編）：臨床検査ガイド 2009-2010，文光堂，東京，2009 より引用］

c 抗核抗体の染色パターンと対応する抗体および疾患（表3）

表3　抗核抗体の染色パターンと対応する抗体および疾患

染色パターン	対応する抗体	対応する疾患
homogeneous pattern（均質型）	抗 ssDNA 抗体	SLE，薬剤性ループス
	抗 dsDNA 抗体	SLE
	抗ヒストン抗体	SLE，薬剤性ループス
peripheral pattern（辺縁型）（rimmed あるいは shaggy pattern とも）	抗 dsDNA 抗体	SLE
speckled pattern（斑紋型）	抗 RNP 抗体	MCTD，SLE，SSc
	抗 Sm 抗体	SLE
	抗 Scl-70 抗体	SSc（dcSSc）
	抗 SS-A/抗 Ro 抗体	SjS，RA，SLE
	抗 SS-B/抗 La 抗体	SjS
nucleolar pattern（核小体型）	抗 RNA ポリメラーゼIII抗体	SSc（dcSSc, 腎クリーゼ）
	抗リボゾーム P 抗体	SLE（中枢神経ループス）
centromere pattern（中心体型）あるいは discrete speckled pattern	抗セントロメア抗体	SSc（lcSSc）
cytoplasmic pattern（細胞質型）*	抗 Jo-1 抗体などの抗 ARS 抗体	PM/DM，抗 ARS 抗体
	抗ミトコンドリア抗体	PBC
	抗ミトコンドリア M2 抗体	PBC

* cytoplasmic pattern（細胞質型）は対応抗原の局在が核ではないため，狭義の抗核抗体には含まれない．

dcSSc：diffuse cutaneous SSc，lcSSc：limited cutaneous SSc，PBC：原発性胆汁性胆管炎

5 抗 dsDNA 抗体

a 概　説

● 抗 DNA 抗体は dsDNA，二本鎖および一本鎖（ds/ss）DNA，さらに ssDNA に対する抗体に大別されるが，native DNA に対する抗体を抗 dsDNA 抗体としている．

b 疾患ごとの抗 dsDNA 抗体の陽性率

- 抗 dsDNA 抗体の SLE に対する感度は 40～70％程度であるが，特異度は 95％以上と高い．
- SLE の活動期には 80％以上が陽性になる．

c SLE における抗 dsDNA 抗体陽性の意義

- 抗 dsDNA 抗体価は SLE の疾患活動性に平行して変動し，治療効果判定マーカーとしても有用である．
- ループス腎炎の組織への沈着が証明されている．

6 抗 U1-RNP 抗体

a 概　説

- RNP は ribonucleoprotein の略である．
- small nuclear RNP に属する U1，U2，U4，U5，U6 の共通蛋白に対する抗体が抗 Sm 抗体であり，U1 のみ存在する蛋白に対する抗体が抗 U1-RNP 抗体（抗 RNP 抗体）である．

b 抗 U1-RNP 抗体の陽性率（表 4）

表 4　抗 U1-RNP 抗体の陽性率

疾　患	陽性率
MCTD	100%
SLE	30～40%
SSc	10～15%
PM/DM	10%
SjS	10%

［高崎芳成：分子リウマチ治療 **6**：147-150，2013 より引用］

c 抗 U1-RNP 抗体陽性の意義

- 抗 U1-RNP 抗体陽性は，混合性結合組織病（MCTD）厚生労働省基準において分類の必須項目である．
- 抗 U1-RNP 抗体の陽性例は他の多くの疾患でもみられるが，こうした症例では Raynaud 現象など MCTD に共通する臨床所見が高率でみられる．

- SLE においては抗 U1-RNP 抗体と無菌性髄膜炎発症との関連があり，腎障害の頻度が低いとされる．
- 全身性強皮症（SSc）においては，limited cutaneous SSc（lcSSc）の病型と関連し，肺高血圧症と相関するとされる．

7 抗 Sm 抗体

a 概　説

- 通常，抗 Sm 抗体が陽性の場合は，抗 U1-RNP 抗体も陽性判定となる．

b 抗 Sm 抗体陽性の意義

- SLE における本抗体の陽性率は，15〜30％程度とされる．
- SLE に対する特異度は 95％程度と高い．

c 抗 Sm 抗体陽性 SLE 患者の特徴

- 抗 Sm 抗体陽性の SLE は低補体血症の頻度が高い．
- 抗 Sm 抗体が陽性の場合は，腎症が遅れて出現する傾向がみられ，中枢神経ループスとの関連もあるとされる．

8 抗トポイソメラーゼ I 抗体（抗 Scl-70 抗体）

a 概　説

- Scl-70 はトポイソメラーゼ I の分解産物であることが明らかになり，抗トポイソメラーゼ I 抗体とも呼ばれる．

b 抗 Scl-70 抗体陽性の意義

- 抗 Scl-70 抗体は 20〜30％の頻度で SSc 患者に特異的に検出される．

- その他のSScの特異抗体と同時に検出されることは，ほぼない.
- 抗Scl-70抗体はSScの中でもdiffuse cutaneous SSc (dcSSc) の病型と関連し，間質性肺疾患の出現頻度も有意に高率となる.

9 抗RNAポリメラーゼIII抗体

a 概　説

- 抗RNAポリメラーゼIII抗体はSScにきわめて特異性が高く，2013年に発表された新しいSSc分類基準にも抗RNAポリメラーゼIII抗体の項目が加えられた.

b 抗RNAポリメラーゼIII抗体陽性の意義

- 抗RNAポリメラーゼIII抗体は，日本人のSSc患者の5〜10%程度にみられる.
- 抗RNAポリメラーゼIII抗体はSScの中でもdcSScの病型と関連し，陽性例では腎クリーゼの発症リスクが高いことが知られている.
- また，急速進行性の皮膚硬化とも関連がある.
- 一方で，間質性肺疾患や末梢循環障害の程度は軽いことが多い.

10 抗セントロメア抗体

a 概　説

- 特異な染色像を示す抗核抗体として報告された.
- 対応抗原はセントロメア（中心体）の紡錘糸が染色体に付着する部分であり，SScの中でもlcSScに関連する.

b 抗セントロメア抗体陽性の意義

- 抗セントロメア抗体はSSc患者全体の15%程度で検出され，

lcSScではさらに高い頻度で認められる.

- 原発性胆汁性胆管炎（PBC）やSjögren症候群，慢性甲状腺炎の症例でもしばしば検出される.
- 抗セントロメア抗体陽性のSSc患者では間質性肺疾患の合併が少なく，また重症化しない症例が多い.

11 抗SS-A抗体/抗SS-B抗体

a 概　説

- 通常，抗SS-B抗体陽性例では抗SS-A抗体も陽性となり，抗SS-B抗体単独で検出されることはまれである.

b 抗SS-A抗体陽性の意義

- Sjögren症候群の50〜70%程度で出現するが，SLEなどでも検出頻度が高く疾患特異的な自己抗体ではない.
- 抗SS-A抗体陽性患者の妊娠時には胎児の1〜5%程度で完全房室ブロックが生じる．これは通常の合併率（0.005%）の約1,000倍である．産婦人科医，小児科医の連携下で妊娠管理が必要である.

c 抗SS-B抗体陽性の意義

- Sjögren症候群の20〜30%程度で出現し，陽性頻度は低いが，Sjögren症候群に特異性が高く診断的意義が高い.

12 抗ARS抗体（抗Jo-1抗体など）

a 概　説

- ARSはamynoacyl transRNA synthetaseの略称である.
- ARSはATPの存在下でアミノアシルtRNAを合成する反応を触媒する酵素であり，すべてのアミノ酸に対応する20種類のARSが細胞質内に存在し，現在8種類の抗ARS抗体が同定されている.

- 抗ARS抗体は筋炎の他に間質性肺炎，多発関節炎，Raynaud現象，機械工の手（mechanic's hand）と密接に関連し，抗ARS抗体症候群と呼ばれる一病型を形成する．
- わが国においては，抗Jo-1抗体に抗PL-7抗体，抗PL-12抗体，抗EJ抗体，抗KS抗体の4つを加えた計5つの抗ARS抗体を測定可能なキットが2014年より保険適用された．

b 抗ARS抗体の対応抗原と臨床的意義（表5）

表5　抗ARS抗体の対応抗原と臨床的意義

抗ARS抗体	対応抗原	筋炎での出現頻度	臨床的意義
Jo-1	histidyl tRNA synthetase（50 kDa）	10〜30%	PMでの陽性が多い 成人例>小児例 間質性肺炎との関連
PL-7	threonyl tRNA synthetase（80 kDa）	5〜10%	比較的PMでの陽性が多い SScとの重複例 軽症の筋炎
PL-12	alanyl tRNA synthetase（110 kDa）	<5%	筋炎（−）の間質性肺炎 CADMとの関連
EJ	glycyl tRNA synthetase（75 kDa）	5〜10%	筋炎（−）の間質性肺炎 DM > CADM > PM
KS	asparaginyl tRNA synthetase（65 kDa）	<5%	筋炎（−）の間質性肺炎

13 抗MDA5抗体（抗CADM-140抗体）

a 概　説

- 臨床的に筋炎所見に乏しい皮膚筋炎（clinically amyopathic dermatomyositis：CADM）患者の血清中の140 kDa蛋白を認識する自己抗体である．対応抗原はmelanoma differentiation associated gene 5（MDA5）である．
- 2016年10月より保険適用．

b 臨床的意義

- 抗 MDA5 抗体は CADM 患者に見出されることが多い.
- 抗 MDA5 抗体陽性例では急速進行性の間質性肺炎が高頻度にみられ (50%), 関連性が重要視されている.

14 抗 Mi-2 抗体

a 概 説

- 抗 Mi-2 抗体は皮膚筋炎において報告された筋炎特異的自己抗体で, 対応抗原はヌクレオソームのリモデリングに関わる Mi-2 分子である.
- 皮膚筋炎の患者の 5〜10%において検出される.
- 2016 年 10 月より保険適用.

b 臨床的意義

- 抗 Mi-2 抗体陽性患者では, 皮膚筋炎に特徴的な皮疹を呈するが, 間質性肺炎や悪性腫瘍の合併は少ない.
- 陽性者ではステロイドへの治療反応性が良好であることが知られている.

15 抗 TIF1-γ 抗体

a 概 説

- 転写関連核蛋白である transcriptional intermediary factor 1-γ (TIF1-γ) を対応抗原とする, 皮膚筋炎に特異的な自己抗体である.
- 2016 年 10 月より保険適用.

b 臨床的意義

- 悪性腫瘍関連の皮膚筋炎と関連している.
- 抗 TIF1-γ 抗体陽性の皮膚筋炎患者の約 70%に悪性腫瘍が

あったとする報告がある．

- 陽性者では筋炎は軽度で，皮膚筋炎に特徴的な皮疹が高頻度に認められ，間質性肺炎の合併頻度は低いとされる．

16 抗 SRP 抗体

a 概　説

- 細胞質の小胞体に位置する SRP (signal recognition particle) 複合体を対応抗原とする．
- 2023 年 1 月現在，保険適用外だが受託検査することが可能．

b 臨床的意義

- 頸部筋低下や嚥下困難を伴う重症の筋力低下を伴い，筋酵素の著明な上昇を伴う（CK ＞ 10,000 となることもある）免疫介在性壊死性ミオパチー（immune-mediated necrotizing myopathy：IMNM）と関連している．
- わが国のコホートでは IMNM 症例の 39%で検出．

17 抗 HMGCR 抗体

a 概　説

- 細胞質の小胞体に位置する HMGCR（3-hydroxy-3-methylglutaryl-coA reductase）を対応抗原とする．
- 2023 年 1 月現在，保険適用外だが受託検査することが可能．

b 臨床的意義

- スタチン誘発性の IMNM と関連している．
- わが国のコホートではIMNM症例の 26%で検出．

18 抗好中球細胞質抗体 (ANCA)

a 概 説

- 染色パターンから細胞質型（cytoplasmic ANCA：c-ANCA）と核周辺型（perinuclear ANCA：p-ANCA）に分類される.
- 前者が多発血管炎性肉芽腫症（GPA）（旧称 Wegener 肉芽腫症：WG）に，後者が顕微鏡的多発血管炎（MPA）に高率に検出される.
- c-ANCA の対応抗原は proteinase 3（PR3），p-ANCA の対応抗原は myeloperoxidase（MPO）であることが明らかになっている.

b 臨床的意義

- PR3-ANCA は GPA（WG）に対し 60～70％の感度，特異度は 80～90％程度と良好な感度/特異度を示す.
- MPO-ANCA は MPA に対し 50～80％の感度，好酸球性多発血管炎性肉芽腫症（EGPA）（旧称 Churg-Strauss 症候群）に対し 50％の感度で，それぞれに対し特異度は 90％程度と良好な感度/特異度を示す.
- **蛍光抗体間接法（FA 法）を組み合わせることにより特異度が上昇する**ことが知られている.
- ANCA 関連血管炎例の **70％程度で力価が疾患活動性と相関して変動する傾向を示すが，30％程度に疾患活動性と無関係に ANCA 力価が変動することに注意**する.

C ANCAが血管炎を誘発するメカニズム（図1）

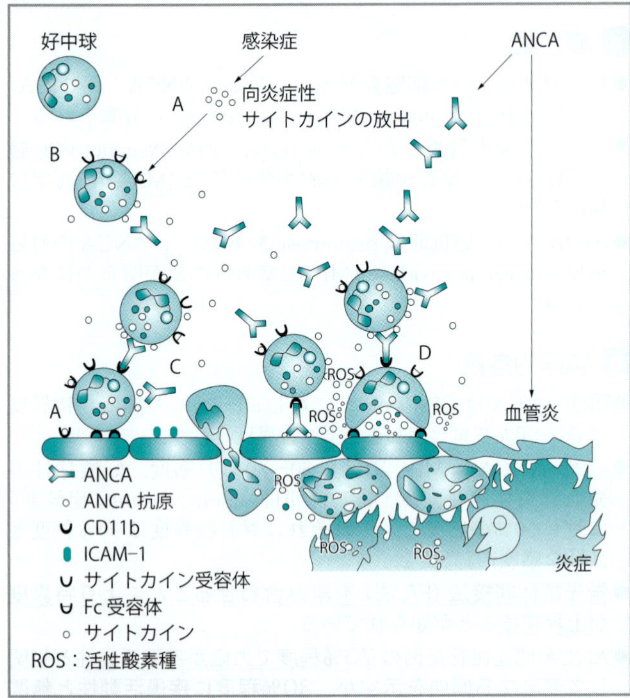

図1　ANCAによる血管炎誘発メカニズム

①感染症などを契機として炎症性サイトカインが誘導される．
②好中球表面に露出した顆粒成分にANCAが結合する．
③好中球はANCAを介して血管内皮細胞と結合・血管壁外に浸潤する．
④血管外に浸潤した好中球は活性酸素種（ROS）を放出して血管外の組織を傷害する．

［Kallenberg CG：Curr Opin Rheumatol **19**：17-24，2007より引用］

19 IgG4

a 概 説

- IgG4関連疾患（IgG4-related disease：IgG4-RD）は，わが国で疾患概念が形成された．

b IgG4陽性の意義

- IgG4-RDの改訂包括診断基準［⇒付録①参照，p359］，IgG4-RDの疾患概念［⇒「Ⅳ-H-2. IgG4関連疾患」参照，p247］については該当ページを参照のこと．
- 高IgG4血症は血清IgG4≧135 mg/dLと定められている．
- 多中心性Castleman病などの他疾患でもIgG4高値を示すため，IgG4-RDの診断は病理学的，血清学的所見，組織学的所見から総合的に行うことが必要である．
- 治療前の血清IgG4値は，症例間の比較においてIgG4-RDの重症度を判定しない．

20 抗リン脂質抗体（aPL）

a 概 説

- 現在，わが国において抗リン脂質抗体（antiphospholipid antibodies：aPL）として測定可能な抗体は，「ループス抗凝固因子（lupus anticoagulant：LA）」，「抗カルジオリピン（CL）・β_2GP Ⅰ複合体抗体」，「抗カルジオリピン抗体（aCL）」の3つである．

b 臨床的意義

- 抗リン脂質抗体陽性のみで，抗リン脂質抗体症候群（APS）に合致する臨床徴候が存在しない場合にはAPSと診断できない．
- 複数のaPLが同時に検出される場合の血栓リスクは，単一の抗リン脂質抗体が検出される場合よりも高い．

1) LA

- LA は「*in vitro* において APTT などのリン脂質依存性凝固反応を阻害する免疫グロブリン」と定義される.
- まず，LA に高感度の APTT で凝固時間をスクリーニングし，延長があれば LA 確認試薬キットを用いることが推奨される.

2) 抗 CL・β_2GP Ⅰ複合体抗体

- cofactor である β_2GP Ⅰの存在下で抗体活性が上昇する IgG 抗体である．aCL よりも APS に対する特異度が高いと考えられている.

3) 抗カルジオリピン抗体（aCL）

- β_2GP Ⅰの存在下で抗体活性が上昇するものと低下する IgG 抗体の 2 種類を合わせて検出する.

4) aPL パネル

- 2020 年 7 月から保険適用.
- 4 種（抗 CL IgG，抗 CL IgM，抗 β_2GP Ⅰ IgG，抗 β_2GP Ⅰ IgM）の抗リン脂質抗体を同時に計測.

※医療保険上,「aCL」と「CL・β_2GP I 複合体抗体」,「aPL パネル検査」の 2 つ以上を併せて実施した場合は，主な項目の実施料のみ算定されるため注意する．同時に測定するのは 1 項目のみ.

21 補体（C3，C4，CH50）

a 概　説

- 補体系には，大きく以下の 3 経路が存在する.

> ①古典経路：免疫複合体により活性化
> ②マンノース結合レクチン（mannose-binding lectin：MBL）経路：微生物の分子末端にあるマンノース基により活性化
> ③副経路：微生物あるいは腫瘍細胞によって活性化

- ①～③における共通系である終末経路は，膜侵襲複合体

(membrane attack complex：MAC)を形成して細胞溶解させる.

b CH50, C3, C4 変化のメカニズムと考えうる疾患(表 6)

表 6 CH50, C3, C4 変化のメカニズムと考えうる疾患

CH50	C3	C4	メカニズム	疾患
↑	↑	↑	• 炎症性病態	感染症(特に重篤な感染症), 血管炎(大血管), PAN, RA, 妊娠, 悪性腫瘍(癌腫)
→	→	→	正常	正常
↓	↓	↓	• 古典的経路の活性化 • 補体の産生低下	慢性肝疾患, SLE, MCTD, MRA, DIC/MOF, 膜性増殖性糸球体腎炎
↓	↓	→	• 副経路の活性化 • C3 の欠損	急性糸球体腎炎, 膜性増殖性糸球体腎炎, 血液透析, C3 欠損症, C3NeF
↓	→	↓	• 古典的経路の弱い活性化 • C4 欠損	血管神経性浮腫(遺伝性・後天性), C1 抑制因子欠損, C4 欠損症, C4NeF
↓	→	→	• C3, C4 の低下する疾患の回復期 • 補体の cold activation • C3, C4 以外の補体の欠損	C3, C4の低下をきたす疾患の回復期, 補体のcold activation, C3, C4 以外の補体の欠損

PAN：結節性多発動脈炎, MRA：悪性関節リウマチ, DIC/MOF：播種性血管内凝固症候群/多臓器不全, C3NeF：C3 腎炎性因子, C4NeF：C4 腎炎性因子

22 免疫複合体

a 概　説

- 免疫複合体の測定法は, ① C1q を固相化した C1q-EIA(酵素免疫)法と, ②モノクローナルリウマトイド因子(mRF)を用いる EIA 法の 2 つがある.
- 現状では C1q-EIA 法が主流である.

b 臨床的意義

- 免疫複合体は SLE の疾患活動性を反映する．
- 悪性関節リウマチや溶連菌感染後の糸球体腎炎，B 型肝炎ウイルス感染後の血管炎など，その他の病態でも陽性になるため，SLE に特異的というわけではない．

23 クリオグロブリン

a 概　説

- クリオグロブリンは温度依存性があり，低温（4℃）で白色沈降し，37℃に加温すると溶解する性質を持つ異常グロブリンである．
- クリオグロブリンの測定は，Raynaud 現象，紫斑などの皮膚症状，末梢神経障害などの神経症状，腎障害といったクリオグロブリン血症の病態を呈する症例において行うことが勧められる．

b クリオグロブリンの分類と疾患，臨床的意義（表 7）

- クリオグロブリン血症においては本態性が 10％，続発性が 90％である．

表 7　クリオグロブリン血症の分類

	I 型	II 型	III 型
構成要素	単一型 単クローン（IgG，A，M） Bence Jones 蛋白	混合型 単クローン（IgM＞IgG，A）＋多クローン（主に IgG）	混合型 多クローン（主に IgG）＋多クローン（主に IgM）
頻　度	25％	25％	50％
疾　患	リンパ増殖性疾患 多発性骨髄腫 マクログロブリン血症（原発性，Waldenströme 型）	本態性 C 型肝炎 リンパ増殖性疾患 RA SjS	本態性 SLE PAN RA ウイルス/細菌感染

B 関節液検査

a 関節穿刺の適応/方法

- 急性かつ炎症性の単関節炎：感染性か，結晶性なのかを確認する．
- 外傷後関節炎と外傷後関節血腫の鑑別：関節液貯留か血腫かを鑑別する唯一の方法が関節液検査である．
- 関節内の血液はすみやかに癒着し関節可動性を制限するため，すべての関節内血腫は治療的関節穿刺の適応である．
- 化膿性関節炎に対する治療的意義：化膿性関節液中に分泌された酵素はそれ自体が軟骨に障害を与えうるため，これを除去する目的で関節穿刺を行う場合がある．

b 関節液の色調/混濁

- 正常の場合は無色透明である．
- 炎症性関節炎患者の関節液が黄色を呈するのは，病的滑膜から関節腔に漏出する赤血球中のヘム分解を反映していると考えられている．
- 滑液混濁の程度は白血球数によって規定される．
- 黄色透明：変形性関節症，半月損傷/靱帯損傷の慢性期．
- 混濁した膿性：化膿性関節炎，関節リウマチ（RA），結晶誘発性関節炎，結核性関節炎．
- 結核性関節炎患者の関節液はしばしば血性である．
- 反復性の関節血症では抗凝固療法の有無を確認し，血友病やvon Willebrand病などの凝固系疾患を検索する．
- 色素性絨毛結節性滑膜炎（PVS）の関節液は，ほぼ常に血性または黄色である．

c 粘稠度

- 炎症性関節症では関節液内のヒアルロン酸（粘着性を形成する）が分解されるため，関節液の粘稠度が低下する．

- 注射器から関節液を 1 滴垂らすと，垂れた液は「糸を引く状態」となる．これをムチンクロットテストと呼ぶ．
- 正常では，糸の長さ≒約 10 cm まで伸びる．
- 炎症性関節液では，糸の長さ＜5 cm となる．
- 甲状腺機能低下症では関節液の粘稠度が高くなり，糸の長さも非常に長くなる．

d 細胞数と分画

- 白血球数と分画は関節液検査の最も有用な項目である．
- 正常な関節液の白血球数は 200/μL未満，非炎症性関節症の白血球数は 2,000/μLまでである．
- 非感染性炎症性関節症の関節液では，白血球数は 2,000〜7.5 万/μLと広い範囲に渡る．
- 白血球数が 10 万/μLに近づけば近づくほど，化膿性関節炎の可能性が増大する．ただし，白血球数が 10 万/μL未満であっても，感染の可能性は否定できない．
- RA でも白血球数は 10 万/μLを超える可能性があるが，こうした患者では微生物学的データによって感染が除外されない限り，抗菌薬治療を行うべきである．
- 化膿性関節液では多核白血球の割合が 75%を超える．
- 結晶誘発性関節症，あるいは RA でも多核白血球の割合が 90%以上となる．
- 非炎症性関節症では多核白血球の割合は 50%未満となる．

e 関節液中の結晶成分

- 関節液中の結晶は採取後，数日間は確認できるが，最適な観察タイミングは採取直後である．
- 偏光顕微鏡を用いた際の結晶誘発性関節炎の診断感度は，80〜90%とされる．
- 尿酸ナトリウム結晶は一般に針状結晶であり，強い負の複屈折性を持つため偏光顕微鏡では黄色くみえる．
- ピロリン酸カルシウム（CPP）結晶は短く，菱形をしており弱い正の複屈折性を持つため，偏光顕微鏡では青色にみえる．
- 白血球貪食像が得られれば病的意義は強まる．

- 関節液中の結晶の存在は，必ずしも病的意義があるとは限らない（特にCPP結晶は高齢者では炎症のない関節にもよく観察される）.

f 関節液の培養

- 炎症性単関節炎は，その他の疾患が証明されるまでは感染性とみなすべきである.
- 抗菌薬加療は白血球数，分画，グラム染色の結果に基づいて開始するべきである.
- チョコレート寒天培地を用いても，淋菌性関節炎においてはその2/3以上が培養陰性となることなど，ある種の感染源は培養困難であり，培養陰性であっても感染を否定できないものもあることに注意が必要である.
- 抗酸菌性および真菌性関節感染症は，時に滑膜生検材料からのみ検出される.

g 関節液の性状比較表（表1）

表1　関節液の性状比較表

	正　常	非炎症性	炎症性	化膿性	血　性
色　調	無色透明	淡黄色	黄色～白色	黄色～膿性	赤色
透明度	透明	透明	半透明～混濁	混濁	不透明
粘稠度	高い	高い	一定しない～低い	低い	N/A
白血球数（/μL）	＜200	200～2,000	2,000～7.5万	5万～>10万	N/A
多核白血球の分画割合	＜25%	＜25%	＞50%	＞75%	N/A
培　養	陰性	陰性	陰性	陽性	一定しない

N/A：不明

h 関節液分類における診断表（表2）

表2　関節液分類における診断表

非炎症性（class I）	炎症性（class II）	化膿性（class III）	血性（class IV）
変形性関節症 外傷性関節炎 骨壊死 Charcot 関節 アミロイドーシス PMR ステロイド性関節炎	RA/early RA SLE PM/DM Behçet 病 再発性多発軟骨炎 痛風 / 偽痛風 サルコイドーシス リウマチ熱 ウイルス性関節炎 真菌性関節炎	細菌性関節炎 結核性関節炎	脂肪滴（+）： 関節内骨折 脂肪滴（−）： 色素性絨毛結節性滑膜炎 血友病性関節症 結核性関節炎 悪性腫瘍 凝固障害

PMR：リウマチ性多発筋痛症，SLE：全身性エリテマトーデース，PM/DM：多発性筋炎 / 皮膚筋炎，RA：関節リウマチ
［日本リウマチ学会（訳）：リウマチ入門，第12版，2003より引用］

i その他の関節液の生化学検査

- 白血球数，分画，結晶検査，グラム染色，培養以上に有用な情報を与えてくれないため，グルコースや蛋白の測定はあまり勧められない．

C 画像診断

- 単純X線，MRI，超音波検査による関節画像診断は，診断，経過観察，治療の効果判定に重要である．
- 単純X線像は古くから用いられており，評価方法が確立しており，簡便で汎用性が高い．
- 生物学的製剤の登場により，関節リウマチ（RA）治療のパラダイムシフトがもたらされ，早期診断の重要性が上昇し，より鋭敏かつ正確な評価法が求められるようになった．
- 発症早期の活動性炎症や，臨床的寛解後の残存病変をよく検出できるMRI，関節エコーが新しいモダリティとして注目されている．
- 設備・撮像条件による影響，検査時間や費用，評価関節数，評価方法の標準化などの問題があり，臨床状況に応じて適切な画像検査法を選択することが重要である．
- リウマチ診療に用いられる関節画像診断法の特徴を表1にまとめる．

表1 代表的な画像診断法の特徴とRAの特徴的所見の描出能

	単純X線	MRI	超音波検査
画像検査の特徴			
検査の簡便性（検査時間，必要設備，持ち運びなど）	○	×	○
撮影部位	複数部位検査可	1部位のみ	複数部位検査可
検査費用	○	×	○
RAに特徴的所見の描出能			
炎症性変化：滑膜炎，腱鞘滑膜炎	×	○	○
骨変化：骨髄浮腫（骨炎）	×	○	×
骨びらん	○	◎	○
軟骨破壊：関節裂隙狭小化など	○	△	○

1 単純X線

- 単純X線は，骨・軟骨破壊，変形などの関節の構造的変化，多関節を網羅的に評価可能であるため，病変の分布を把握することに適している．
- 簡便，安価で，被曝量も少ないため，繰り返し検査をすることができ，診断，経過観察，治療効果判定などに有用である．
- 滑膜炎などの炎症性病変の直接的な検出は困難である．骨びらんの検出感度もMRIや超音波に比べて低いため，構造的変化の乏しい早期例や，残存する炎症病変の評価には不向きである．
- 関節リウマチ（RA）の手のX線所見を理解するため，その背景となる病理学的変化の理解が重要である（表1）．

a 骨病変

1）関節周囲骨萎縮（傍関節領域の限局性骨粗鬆症）

- 比較的早期から傍関節領域の骨密度低下を認める．

2）骨びらん（骨増生を伴わない，辺縁型骨びらん）

- RAでは関節辺縁の軟骨で覆われていない部分（bare area）から骨破壊が認められる．
- RAでは骨増生を伴わないことが特徴である．

表1 RAの病理学的変化とX線所見

病理学的変化	X線所見
①滑膜の炎症性増殖，関節液貯留，周囲軟部組織の浮腫	対称性，紡錘状の軟部組織腫脹，濃度上昇
②滑膜炎による反応性充血	関節周囲骨萎縮（限局性骨粗鬆症）
③bare areaから生じる骨破壊	辺縁型骨びらん
④関節軟骨の破壊	均一な関節裂隙狭小化
⑤軟骨下骨の破壊	関節面全体のびらん，軟骨下嚢胞
⑥関節包，靱帯の弛緩	変形，亜脱臼，骨折，骨断片化
⑦線維性・骨性強直	関節強直

表2 RAの骨びらんと鑑別を要する疾患の特徴

	RA	PsA	OA（特にEOA）
骨びらんの部位	辺縁	辺縁	中央
骨びらんの形態	明瞭	不明瞭（mouse ear）	明瞭（gull wing）
好発部位	MCP，PIP	DIP，PIP	DIP，PIP
骨増殖	（－）	（＋）	（＋）
関節周囲骨萎縮	（＋）	（－）	（－）

a RAと鑑別を要する骨びらん（表2）

①乾癬性関節炎（PsA）

- 罹患関節は遠位指節間（DIP），近位指節間（PIP）関節が主である．
- 辺縁型の骨びらんと，周囲の骨増殖（mouse ear sign）が特徴的である．
- 進行すると，びらんにより近位骨端が先細りした鉛筆様変形，遠位骨端は骨増殖を伴いキャップ様に変形し，pencil in capと呼ばれる．

②変形性関節症（OA）（特にびらん性変形性関節症：EOA）

- 罹患関節はDIP，PIP関節が主である．
- 関節中央部の軟骨菲薄部から生じ，gull wing signと形容される．
- 骨増殖に伴う軟骨下骨硬化（骨密度上昇），骨棘の形成が特徴的である．

b 軟骨病変

- 関節裂隙狭小化：関節軟骨が破壊され，PAでは均一に関節裂隙が狭小化することが特徴である．
- 撮像時の手の位置など，X線のあたる方向によって狭小化が強くみえることがあり注意を要する．

c 関節変形，強直

- 表3にRAに特徴的な変形をまとめる（図1）．
- RAの進行例においては，関節包や靱帯の弛緩に加えて筋収縮が生じることにより関節変形，亜脱臼が生じる．

表 3　RA に特徴的な変形

発症関節	変　形
MCP 関節	尺側偏位
手関節	橈側偏位
PIP 関節（過伸展），DIP 関節（過屈曲）	スワンネック変形
PIP 関節（過屈曲），DIP 関節（過伸展）	ボタン穴変形
母指の MCP 関節（過屈曲），IP 関節（過伸展）	Z 字変形
関節面，周囲支持機能の消失，骨間距離の動揺性離開	ムチランス変形

MCP：中手指節，IP：指節間

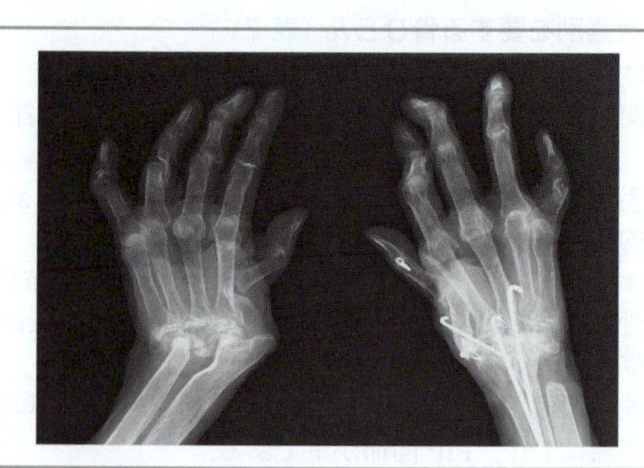

図 1　RA の代表的な X 線像

- X 線では，アライメントの変化として変形を評価することができる．
- 病理学的に関節に線維性・骨性強直を生じると X 線で関節強直が認められる．

d　RA 頸椎病変の X 線診断のポイント（図 2）

- RA において，滑膜の存在する上位頸椎病変は高頻度に認められ，生命に関わりうる．
- 正面，側面像は必須であるが，開口位正面，屈曲・伸展位側面像なども必要に応じて撮影することで頸椎不安定性を評価できる．
- 側面像における環椎前弓後縁と環椎歯突起前縁との距離

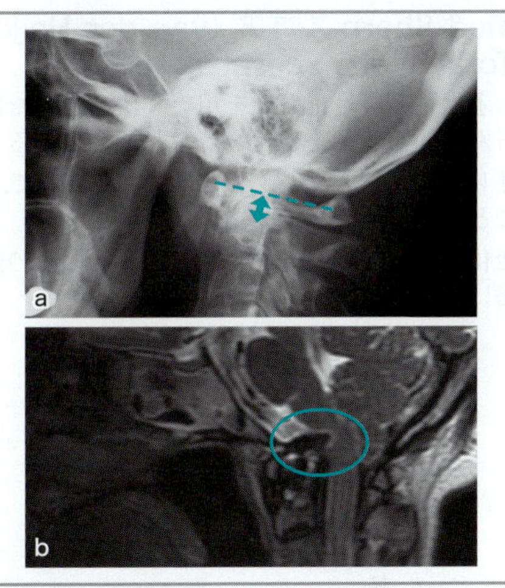

図2 RA 頸椎病変の画像所見

a：環軸椎の垂直亜脱臼を認める（Ranawat 法 ≦ 13 mm，矢印）.
b：同症例の MRI では，軸椎先端が延髄を圧迫している様子（◯部分）がみられる.

(atlanto-dental interval：ADI）が 3 mm を超える場合，環軸椎の前方亜脱臼が示唆される.

- Ranawat 法は環軸椎垂直亜脱臼の X 線評価法であり，環椎前後弓の中心線と，軸椎椎弓根の中心点を結ぶ距離が 13 mm を下回る場合，垂直亜脱臼と診断する.

e X 線による関節破壊の評価法

1）Steinbrocker の Stage 分類

- 最も関節破壊が強い関節の所見で，I～IV までの Stage に分類する半定量法である［⇒付録②参照，p363］.
- わが国では日常診療で広く用いられている.
- Stage 分類の他，より詳細な Larsen のグレード分類が用いられることもある.

2) modified Sharp スコア (van der Heijde modified Total Sharp Score : mTSS)

- 手関節～手指正面，足正面像を用い，決められた部位について骨びらん，関節裂隙狭小化を点数化し評価する．
- 2時点間（治療前後での比較など）の⊿mTSSで，進行を評価することが実用的である．
- 経時的変化，薬剤の治療効果判定として，多くの臨床試験で最も頻繁に使用されている．

C. 画像診断

2 MRI

- MRIは，微小な骨びらんや炎症を感度よく検出でき，滑膜・腱鞘，滑液包など軟部組織の炎症を可視化できる．
- 骨髄浮腫はMRIでのみ観察可能であり，RAにおいては将来の骨破壊のリスクとされる．
- 早期例で診断に迷う症例などで有用である．
- 一方で，検査時間やコスト，機器による感度の違い，造影剤の必要性，1回の検査における撮像範囲が限られることから，頻回の経過観察には不向きである．
- 撮像シークエンスはT1強調画像（骨びらん），脂肪抑制T2強調画像（骨髄浮腫や滑液貯留，滑膜炎），ガドリニウム造影脂肪抑制T1強調画像（滑膜炎）でルーチンの検査を行う．

a MRIにおける代表的なリウマチ性疾患の所見

1）炎症性病変

a 滑膜炎，腱鞘滑膜炎

- 滑膜肥厚は，T1強調画像で低信号，T2強調画像で等～高信号として描出される．
- ガドリニウム造影により造影効果を示す．造影効果を示さない関節液との区別のため，造影はほぼ必須である．

b 滑液包炎

- 関節周囲の滑液包は，内面を滑膜が裏打ちするため，滑膜肥厚，滑液貯留を呈する．
- 肩関節，膝関節の滑液包炎を高感度で検出可能である．

c 腱・靱帯・付着部炎

- 主に脊椎関節炎（SpA）でみられる．付着部周囲の骨びらんや，軟部組織の造影効果を認める．

2）骨変化

a 骨髄浮腫（骨炎）

- 骨髄内の水分増加を示す所見で，外傷，物理的ストレス，炎症などにより生じる．

- T1 強調画像で低信号，脂肪抑制 T2 強調画像で高信号を示す，骨内の境界不明瞭な異常信号として認められる．
- RA では骨破壊の進行を予測可能で，診断未確定関節炎では RA への移行を予測できる所見である．

b 骨びらん

- T1 強調画像で骨皮質の欠損，その近傍の骨髄における限局性の異常信号を伴う（T1 低信号，T2 高信号）．
- 単純 X 線と比して，約 3 倍の感度がある．
- 手根骨などでは，正常な栄養血管孔と紛らわしいこともあり注意が必要である．
- 正常血管孔は，周囲に滑膜炎および骨髄浮腫を伴わないため，境界が明瞭であることで区別される．

b MRI による炎症，骨破壊の評価法（図 1）

1）Rheumatoid Arthritis MRI Score（RAMRIS）

- 片手の造影 MRI で滑膜炎，骨髄浮腫，骨浸食，腱鞘滑膜炎，関節裂隙狭小化の所見をスコアリングする．

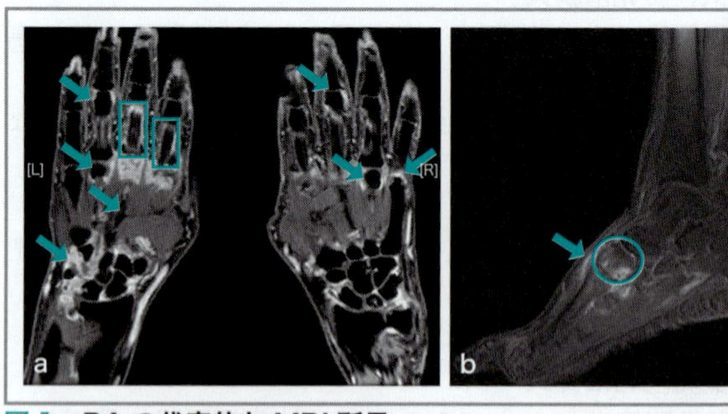

図 1　RA の代表的な MRI 所見

a：手指，手関節に対称性に多発する滑膜炎（矢印），および腱鞘滑膜炎（四角）．

b：足根骨（楔状骨）の骨髄浮腫（骨炎）所見（○部分）．近傍の Lisfranc 関節に活動性滑膜炎を認める（矢印）．

3 関節エコー

- 滑膜炎などの軟部組織の描出ができ，パワードプラによって血流を評価可能である．
- 解像度が高く，微小な骨びらんも感度よく検出できる．
- 複数の関節を頻回に検査することが可能である．
- 関節穿刺，注射などの処置をエコーガイド下で安全に行うことができる．
- 早期例の診断や，炎症の局在鑑別，治療強化の判断に迷う場合など，さまざまな場面で応用が利く検査である．
- 検者の経験により，正確性や検査時間に変動があること，エコーが届きにくい大関節では感度が低下すること，標準化がむずかしいことなどが課題である．

a 関節エコーにおける代表的な所見（図1）

- 検査方法にはBモード（グレースケール），パワードプラ法がある．
- Bモードで滑膜肥厚，滑液貯留を確認し，パワードプラで血流シグナルを確認する．
- 血流シグナルをみる時は，ゼリーをプローブに厚く塗り，関節に軽くあて，強く押さえないようにする．

1）炎症性病変

a 滑膜炎

- 滑膜肥厚はBモードで，移動性，圧縮性のない低エコー域として描出される．
- 炎症による血流増加を反映し，ドプラシグナルを示す．
- 膝，肩関節など大関節の深部では，ドプラシグナルがみられないこともある．
- 滑液貯留の多くは無エコー域で，移動性かつ圧縮性があり，ドプラシグナルがない点で滑膜肥厚と区別される．

b 腱鞘滑膜炎，腱炎

- 腱周囲（腱鞘）に滑膜肥厚，液体貯留を示す．

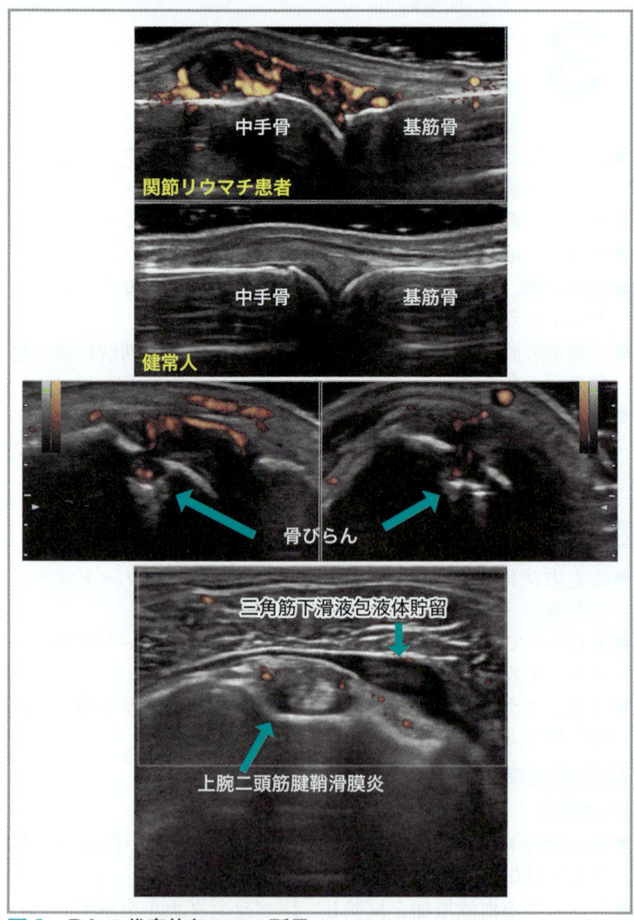

図 1　RA の代表的なエコー所見

- 腱炎の場合，線維束間の開大や，腱自体にドプラシグナルを呈することがある．

c 付着部炎

- 腱または靱帯の骨付着部にみられる，異常な低エコーあるいは肥厚で,時にドプラシグナル,石灰化,骨表の不整像を伴う.

2) 骨病変

a 骨びらん

- 骨表面は明瞭な線状の高エコー像として描出される.
- エコーにおいて骨びらんは縦断・横断の2平面で観察される関節内の骨表の不連続点と定義される.
- X線で検出できない初期の骨びらんを観察可能である.

b 骨棘

- 表面不整な骨隆起が観察される.

3) 軟骨

- 関節軟骨(硝子軟骨)は低エコー像,半月板などの線維軟骨は不均一な高エコー像として描出される.
- OAでは,関節軟骨の摩耗を反映し,エコーでみえる軟骨厚が減少し,表面の不整を捉えることができる.
- 痛風では関節軟骨の表面に,偽痛風では関節軟骨内に結晶沈着を示す点状〜線状の高エコー病変を認める(図2).

b 関節エコーの臨床的な評価法

▶滑膜肥厚,パワードプラシグナルの半定量スコア

- 滑膜肥厚,パワードプラシグナルは,それぞれグレード0〜3の4段階でスコアリングする半定量評価方法が一般的である.
- 最も所見の強い撮像面で評価を行うことが原則である.

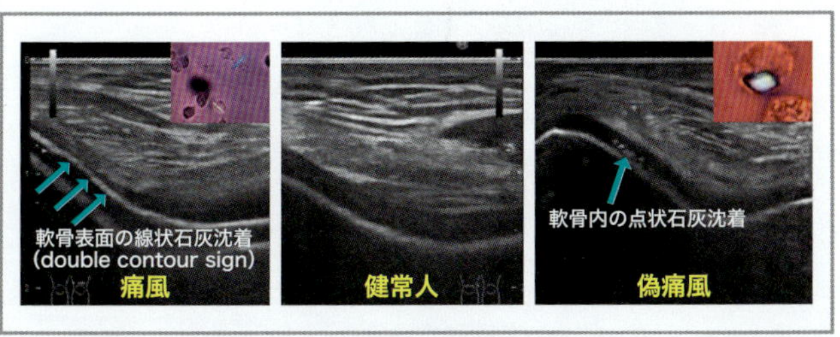

図2 痛風,偽痛風における結晶沈着部位の違い

III

主要な治療法・治療薬

1 免疫抑制療法実施にあたっての注意点

a スクリーニング検査

- 免疫抑制薬の投与開始前に，禁忌・慎重投与の有無や副作用のリスク因子などの評価，疾患活動性や予後の評価に必要な検査項目をチェックする（表1）.
- B型肝炎ウイルス（HBV）陽性の際は，消化器内科専門医に相談する.
- また，HBVが存在しない（HBs抗原陰性，HBV-DNA検出感度以下）が，他のデータからHBV既感染患者と考えられ，免疫抑制薬投与の有益性がリスクを上回る場合，消化器内科専門医と連携しながら『B型肝炎治療ガイドライン』に従い慎重に投与する.
- 治療開始前に間質性肺病変，感染症の有無を把握するのと同時に，治療中に呼吸器合併症が発生した場合に比較するのに有用であるので，胸部X線は必ず検査する.

表1 投与開始前検査項目

血液検査	
すべての患者	末梢血検査，生化学検査（血糖，肝腎機能，IgG，IgA，IgMなど），HBs抗原，HCV抗体，TP抗体
肝炎・キャリアの家族歴，肝炎の既往歴，輸血歴などがある場合	HBe抗原，HBs抗体，HBc抗体，HBV-DNA定量
尿検査	蛋白，糖，ウロビリノーゲン，尿沈渣
肺疾患関連検査	
すべての患者	胸部X線検査
間質性肺病変および呼吸器合併症（一般感染，活動性/潜在性肺結核，日和見感染症など）のスクリーニング	経皮的酸素分圧（SpO_2），胸部HRCT，肺線維化マーカー（KL-6, SP-D），喀痰培養検査（一般細菌，抗酸菌），血中β-D-グルカン，インターフェロンγ遊離試験（クォンティフェロン，T-SPOT），ツベルクリン反応検査

b 免疫抑制療法中のモニタリング

- 免疫抑制薬の投与開始後，安全性と有効性のモニタリングを行う（表 2）.
- 安全性モニタリングでは，重篤になりやすい副作用と頻度の多い副作用への対応が重要である．主な免疫抑制薬の副作用を表 3 に示す.
- 有効性モニタリングでは，炎症反応などの検査，疾患活動

表 2　投与中の安全性モニタリング

安全性モニタリング	検査項目	頻　度
一般身体所見	脱水症状，咳嗽，息切れ，発熱など	2～4 週ごと（投与開始後）4～8 週ごと（その後）
血液検査	末梢血検査，生化学検査（血糖，肝腎機能，IgG，IgA，IgM など）	
尿検査	蛋白，糖，ウロビリノーゲン，尿沈渣	
肺疾患関連検査すべての患者	胸部 X 線検査	無症状なら年 1 回
胸部疾患合併例	胸部 X 線検査　経皮的酸素分圧（SpO_2），胸部 HRCT，肺線維化マーカー（KL-6，SP-D），喀痰培養検査（一般細菌，抗酸菌），血中 β-D-グルカン	適宜

表 3　主な免疫抑制薬の副作用

免疫抑制薬	AZP	CY	MTX	MZR	CyA	Tac
骨髄抑制	＋＋	＋＋	＋＋	＋	＋	±
感染症	＋	＋	＋	＋	＋	＋
肝障害	＋	＋	＋＋	＋	＋	±
腎機能障害	－	－	－	－	＋＋	＋＋
出血性膀胱炎	－	＋	－	－	－	－
高血糖	－	－	－	－	＋	＋＋
間質性肺炎	＋	＋	＋＋	－	－	－
脱毛	＋	＋＋	＋	－	－	－
多毛	－	－	－	－	＋	－
無精子症	－	＋＋	＋	不明	－	－
排卵障害	－	＋＋	＋	不明	－	－

AZP：アザチオプリン，CY：シクロホスファミド，MTX：メトトレキサート，MZR：ミゾリビン，CyA：シクロスポリン，Tac：タクロリムス

［橋本博史：免疫抑制薬．全身性エリテマトーデス臨床マニュアル，第 3 版，日本医事新報社，東京，2017 より引用］

性評価法（DAS28，SLEDAIなどの指標）［⇒付録②参照，p364，370］を用いて総合的に判断する．

c 一般感染症への対応

- ステロイド，免疫抑制薬，生物学的製剤の使用においては，頻度が高く重篤な副作用として，感染症がある．
- 易感染性のため，一般の感染症だけでなくニューモシスチス感染症やサイトメガロウイルス（CMV）感染症，結核・非結核性抗酸菌（NTM）症など日和見感染症を考慮する．
- ステロイドおよび免疫抑制薬投与中の好発感染症は，呼吸器感染症と尿路感染症である．
- また，生物学的製剤使用中の感染症発現部位は，呼吸器が最多であり，次に皮膚・軟部組織が多い．
- 特に，呼吸器感染症は直接死因になりうるため，適切な鑑別診断と治療が重要である．図1，2に呼吸器感染症に対する治療の流れを示す．
- 呼吸器感染症の細菌感染に対する治療としては，一般的な起因菌に加え，特に緑膿菌をカバーした治療戦略が必要である．

d COVID-19，および帯状疱疹ワクチン

1）COVID-19ワクチン

- 欧州，米国においては，リウマチ性疾患患者に対するCOVID-19ワクチンは強く推奨されている．
- わが国においても同様だが，ワクチン接種は強制ではなく，患者の併存疾患によって重症化リスクはそれぞれ異なり，感染リスクも感染の流行状況によって変動するため，リスクベネフィットを勘案したうえで接種の可否を判断する．
- 有効性：メトトレキサート（MTX），アバタセプト（ABT），ミコフェノール酸モフェチル（MMF），免疫抑制薬の複数使用あるいはRTX/IVCYを投与中のリウマチ性疾患患者では，抗ウイルス抗体価の上昇が有意に少ないことが報告されている．
- 安全性：4～10％程度で関節炎などの悪化が報告されており，接種前半年以内の原病再燃歴などが関連する．
- 米国リウマチ学会のガイダンスでは，各免疫抑制薬の休薬

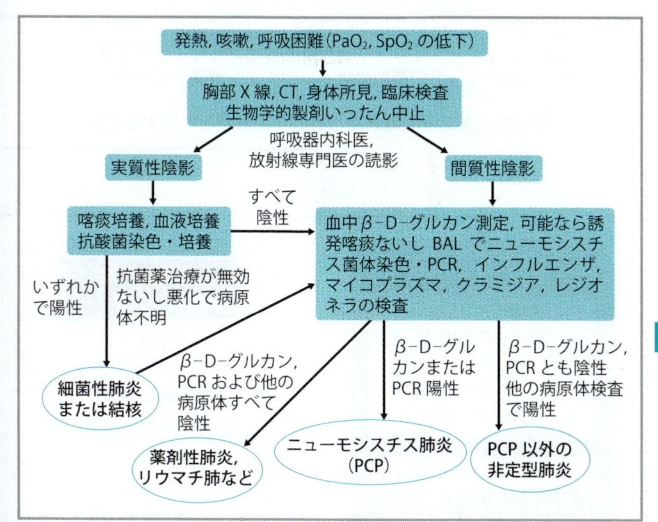

図 1　生物学的製剤投与中における発熱・咳・呼吸困難に対するフローチャート

BAL：気管支肺胞洗浄

［徳田　均：細菌感染症．生物学的製剤と呼吸器疾患・診療の手引き，日本呼吸器学会生物学的製剤と呼吸器疾患・診療の手引き作成委員会（編），日本呼吸器学会，東京，p38，2014 より引用］

期間の目安が示されている（［日本語訳］：https://www.ryumachi-jp.com/information/medical/covid-19/）．

- MTX 休薬により，ワクチンの抗体価上昇を認める一方で，リウマチの疾患活動性の増悪した例も報告されており，患者とよく相談のうえで免疫抑制薬の休薬を検討することが望ましい．

2) 帯状疱疹ワクチン

- 神経節に潜伏した水痘帯状疱疹ウイルスが再活性化し，帯状疱疹を発症する．
- 関節リウマチでは，0.91/100 人・年，特に JAK 阻害薬である TOF 使用患者では 9.2/10 人・年と一般人口より発症頻度が高い．

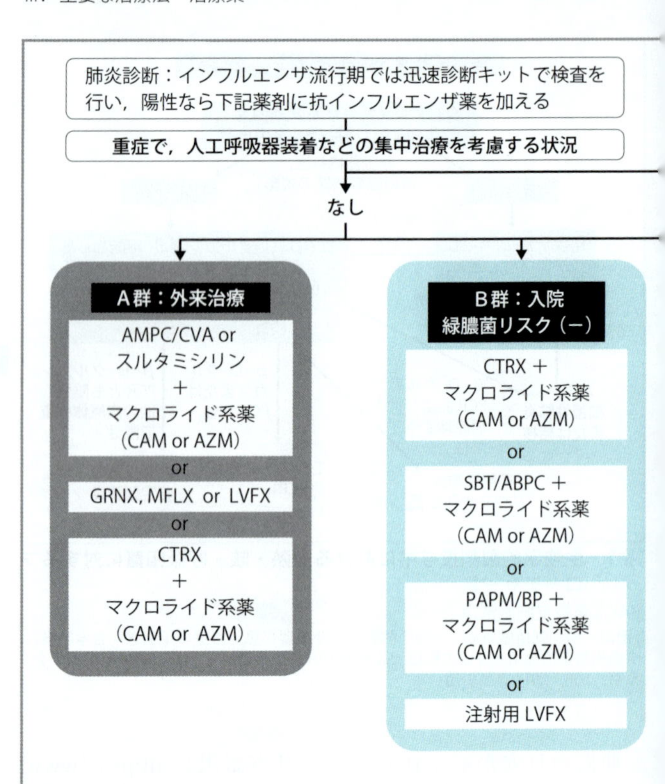

図2　生物学的製剤投与中の肺炎における抗菌薬選択の実際

AMPC/CVA：アモキシリン/クラブラン酸，CAM：クラリスロマイシン，AZM：アジスロマイシン，GRNX：ガレノキサシン，MFLX：モキシフロキサシン，LVFX：レボフロキサシン，CTRX：セフトリアキソン，SBT/ABPC：スルバクタム/アンピシリン，PAPM/BP：パニペネム/ベタミプロン，TAZ/PIPC：タゾバクタム/ピペラシリン，IPM/CS：イミペネム/シラスタチン，MEPM：メロペネム，DRPM：ドリペネム，CFPM：セフェピム，CPR：セフピロム，CPFX：シプロフロキサシン，PZFX：パズフロキサシン

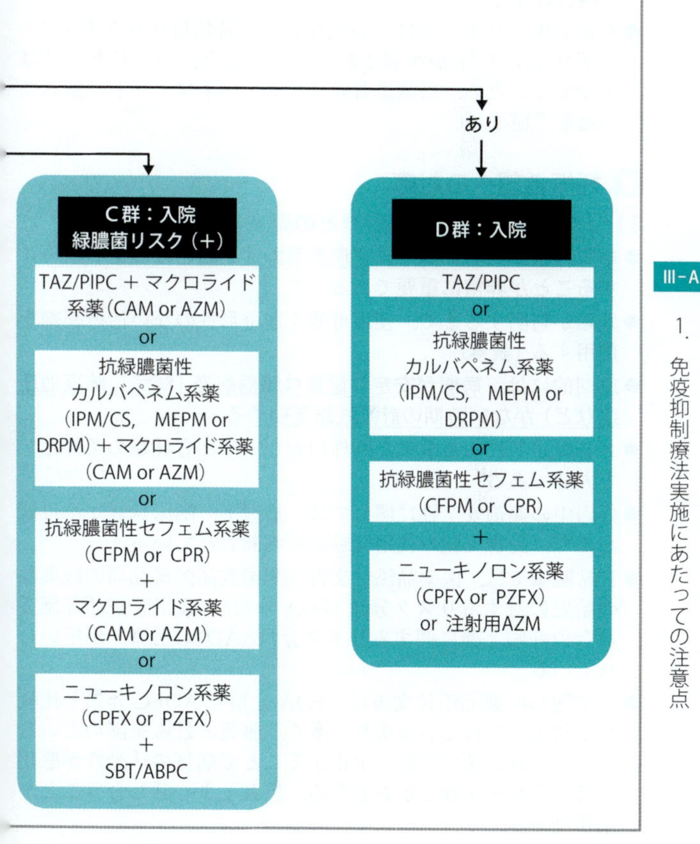

［徳田 均：細菌感染症．生物学的製剤と呼吸器疾患・診療の手引き，日本呼吸器学会生物学的製剤と呼吸器疾患・診療の手引き作成委員会（編），日本呼吸器学会，東京，p38，2014より引用］

- 乾燥弱毒生水痘ワクチンはPSLや免疫抑制薬を使用している場合は禁忌である．
- 近年，生ワクチンではない乾燥組換え帯状疱疹ワクチン（シングリックス®）が承認されており，安全性のエビデンスは十分でないため，当該患者のリスク・ベネフィットに鑑みて使用を考慮する．

e 妊娠希望への対応

1）リウマチ・膠原病の治療との両立

- 挙児希望の患者には，まず疾患活動性を適切にコントロールすることが非常に重要である．
- 妊娠が判明するまで，使用可能な催奇形性のない治療薬剤を使用する（表4）．
- 原則的には，病態が安定し重篤な臓器病変（腎症，肺高血圧症など）がない時期の計画妊娠を勧める．
- ステロイドによる重篤な副作用がないことも妊娠の条件として大切である．
- 妊娠中の薬剤安全性に関しては，倫理上，臨床試験が不可能なので，動物実験や使用経験から判断されている．
- 日常臨床では，医薬品添付文書，米国食品医薬品局の医薬品の胎児に対するリスク分類（FDA分類），豪州医薬品評価委員会の妊娠と薬に関するリスク分類（ADEC分類）が用いられている．
- わが国の医薬品添付文書は，FDA分類やADEC分類と比較して禁忌とされている薬剤が多く，服薬で妊娠を諦めているケース，妊娠希望で薬を中止することで病気の活動性が悪化しているケースなどがあるため，患者とよく話し合うことが重要である．

2）妊娠前評価・治療（pre-conceptional care）

- 計画妊娠・避妊：MTX，レフルノミド（LEF）などの胎児毒性が強い薬剤を使用している際には，患者に避妊を勧める．
- 内科的評価：肥満・高血圧・糖尿病など，妊娠結果に悪影響を与える内科的因子の評価を行い，必要があれば治療を行う．
- 原病に関連した評価：抗リン脂質抗体［抗カルジオリピン抗

表4 妊娠と各薬剤の安全性

妊娠計画時に中止および変更を推奨する薬剤
ミコフェノール酸モフェチル，シクロホスファミド，メトトレキサート，ミゾリビン，レフルノミド，イグラチモド，トファシチニブ，バリシチニブ，ペフィシチニブ，ウパダシチニブ，フィルゴチニブ
妊娠中であっても継続使用が可能であると考えられる薬剤
グルココルチコイド，タクロリムス，シクロスポリン，アザチオプリン，ヒドロキシクロロキン，インフリキシマブ（MTX 非併用），エタネルセプト，アダリムマブ，ゴリムマブ，トシリズマブ，アバタセプト，リツキシマブ
妊娠中の再燃（中等度～重度）の際に使用する薬剤
メチルプレドニゾロンパルス療法，免疫グロブリン静注療法，シクロホスファミド（妊娠中期，後期）
授乳中に児に影響がみられた報告がある，ないしは影響が不明のために授乳中の使用をさける薬剤
メトトレキサート，ミコフェノール酸モフェチル，シクロホスファミド

1）厚生労働科学研究費補助金難治性疾患等政策研究事業　自己免疫疾患に関する調査研究（自己免疫班），ほか（編）：全身性エリテマトーデス診療ガイドライン 2019，南山堂，東京，2019
2）日本リウマチ学会（編）：関節リウマチ診療ガイドライン 2020，診断と治療社，東京，2020
［1，2）を参考に筆者作成］

体（aCL）-IgG，aCL-IgM，β_2GP I-aCL，ループス抗凝固因子］を測定する．これらの抗体陽性の場合でも，動静脈血栓症，習慣性流産や妊娠中期以降の流死産の既往などの臨床症状がなければ，妊娠中の低用量アスピリンやヘパリンによる薬物療法は必ずしも推奨されない．

- 抗 SS-A 抗体，抗 SS-B 抗体を測定し，新生児ループス（ループス様皮疹，完全房室ブロックなど）のリスクを評価する．
- 甲状腺機能（TSH，FT_4），甲状腺自己抗体も測定し，甲状腺機能異常の有無を評価する．
- 長期にステロイドを使用している場合は，骨密度の低下の有無を評価する．
- 婦人科的評価：妊娠が可能か，妊娠前に治療しておくべき婦人科的疾患の有無の評価を行い，治療を要すれば行っておく．

f 手術時/高度侵襲時などの状況への対応

1) ステロイドカバー

- 健常人では，精神的・身体的ストレス下でグルココルチコイド（GC）産生量が上昇する．
- たとえば，手術後なら24時間程度，敗血症や多発外傷の場合は数日間，血清コルチゾールが50 μg/dL程度維持される（非ストレス下では5〜20 μg/dL）．
- 長期間GC服用患者ではこの正常反応が起こらないため，周術期や敗血症性ショックなどに際し，相対的副腎不全状態に陥る危険があることから，いわゆる「ステロイドカバー」が必要になる（**表5**）．
- 手術侵襲の程度により，ステロイドカバーの量が異なる．

2) 経口投与が不可となった際の点滴での投与量

- ステロイドの薬理作用の用量依存性が，最も安定して得られるルートは，経口投与といわれる．
- 経口不能または腸管浮腫などの消化管病変がある場合，経静脈的投与が必要になる．ステロイド経口量と静注量の換算式は，静注では1.2倍程度とする説もあるが，成書や文献に記載されておらず，実臨床の現場では，経口摂取量と同じ量の点滴静注量を使用することも多い．

表5　長期GC服用患者における周術期ステロイドカバー

	手術手技	ステロイドカバー
minor	局所麻酔下での手術，内視鏡，体表面での手術など	入室時にヒドロコルチゾン25 mg，あるいはメチルプレドニゾロン5 mgを静注
moderate	胆囊摘出術，結腸半側切除術，腹腔内手術，整形外科的手術，脳神経外科手術など	入室時にヒドロコルチゾン50〜75 mg，あるいはメチルプレドニゾロン10〜15 mgを静注，その後1〜2日間かけて術前GC服用量に漸減
major	心臓/胸部手術，大血管手術など	入室時にヒドロコルチゾン100〜150 mg，あるいはメチルプレドニゾロン20〜30 mgを静注，その後1〜2日間かけて術前GC服用量に漸減

［Coursin DB et al：JAMA **287**：236-240，2002より引用］

3) 周術期の薬物療法

● 周術期において，リウマチ・膠原病の活動性を抑制することは術後リハビリテーションを円滑にするために大切である．表6に周術期の処方を示す．

表6　周術期におけるリウマチ・膠原病の処方調整

	薬　剤	最終投与から手術までの間隔
周術期も投与継続される薬剤	**疾患修飾薬（DMARDs）** ・メトトレキサート（リウマトレックス） ・サラゾスルファピリジン（アザルフィジン） ・レフルノミド（アラバ） ・ヒドロキシクロロキン（プラケニル） ・アプレミラスト（オテズラ） ※イグラチモド，ブシラミンなどのcsDMARDsも，周術期における休薬などの規定はない．	投与継続
周術期に中止する薬剤	**① 生物学的製剤** 抗TNF-α，抗IL-6受容体， 抗CD80/86， 抗IL-17, IL-12, IL-23, IL-1β阻害など	各薬剤の投与間隔＋1週を目安に手術計画
	② JAK阻害薬	4日間
原則中止するが，重症例では投与継続を検討する薬剤（リウマチ・膠原病医に要コンサルト）	**① 免疫抑制薬** ・ミコフェノール酸モフェチル（セルセプト） ・アザチオプリン（イムラン，アザニン） ・シクロスポリン（ネオーラル） ・タクロリムス（プログラフ）	1週間 （投与継続も検討）
	② 一部の生物学的製剤 ・リツキシマブ（リツキサン）	7ヵ月 （4～6ヵ月も検討）
	・ベリムマブ（ベンリスタ）	皮下注射：2週間 （投与継続を検討） 点滴投与：5週間 （4週間も検討）
	・アニフロルマブ（サフネロー）	5週間 （4週間も検討）

［Goodman SM et al：Arthritis Care Res (Hoboken) **74**：1399-1408，2022を参考に作成］

参考文献

1) B型肝炎治療ガイドライン第4版，日本肝臓学会（編），東京，2022
2) 橋本博史：免疫抑制薬．全身性エリテマトーデス臨床マニュアル，第3版，日本医事新報社，東京，2017
3) 徳田　均：細菌感染症．生物学的製剤と呼吸器疾患・診療の手引き，日本呼吸器学会生物学的製剤と呼吸器疾患・診療の手引き作成委員会（編），日本呼吸器学会，東京，p38，2014
4) Connolly CM et al：Disease flare and reactogenicity in patients with rheumatic and musculoskeletal diseases following two-dose SARS-CoV-2 messenger RNA vaccination. Arthritis Rheumatol **74**：28-32，2022
5) Araujo CSR et al：Two-week methotrexate discontinuation in patients with rheumatoid arthritis vaccinated with inactivated SARS-CoV-2 vaccine：a randomized clinical trial. Ann Rheum Dis **81**：889-897，2022
6) 村島温子：関節リウマチ患者における妊娠時の注意点は？　分子リウマチ治療 **6**：1，2013
7) 田中菜穂子ほか：関節リウマチ，　膠原病の妊娠時にはどのような薬剤が使用できるか？　分子リウマチ治療 **6**：15，2013
8) Coursin DB et al：Corticosteroid supplementation for adrenal insufficiency. JAMA **287**：236-240，2002
9) Goodman SM et al：2022 American College of Rheumatology/American Association of Hip and Knee Surgeons Guideline for the Perioperative Management of Antirheumatic Medication in Patients With Rheumatic Diseases Undergoing Elective Total Hip or Total Knee Arthroplasty. Arthritis Care Res (Hoboken) **74**：1399-1408，2022
10) 厚生労働科学研究費補助金難治性疾患等政策研究事業　自己免疫疾患に関する調査研究（自己免疫班），ほか（編）：全身性エリテマトーデス診療ガイドライン2019，南山堂，東京，2019
11) 日本リウマチ学会（編）：関節リウマチ診療ガイドライン2020，診断と治療社，東京，2020

2 非ステロイド性抗炎症薬

- 非ステロイド性抗炎症薬（non-steroidal anti-inflammatory drugs：NSAIDs）はシクロオキシゲナーゼ（COX）の酵素活性を阻害することにより，プロスタグランジン（PG）の産生を抑制し抗炎症効果を発揮すること，ブラジキニンの作用を減弱し疼痛を改善することから，鎮痛薬として広く使用されてきた．
- COXは，多くの細胞に恒常的に発現し，PGを誘導して胃や腎などの血流量維持に関与しているCOX-1と，腫瘍壊死因子（TNF）-αやインターロイキン（IL）-1などの炎症性サイトカイン刺激により単球，マクロファージなどの多くの細胞によって一過性に誘導されるCOX-2の2つのアイソザイムからなる．
- 主に，COX-2が炎症・疼痛惹起に関与する．

a 自己免疫疾患におけるNSAIDsの役割

- COX選択性，血中半減期に応じ，大まかに分類される（表1）．
- 血中半減期が長い薬剤は，効果の持続時間が長く副作用の頻度も高い傾向にあり，肝・腎機能低下例や高齢者では副作用を合併することが多くなるため，作用時間が短時間型～中間型のNSAIDsを使用するのが望ましい．
- 内服による消化器症状などの副作用軽減のため，その対策としてプロドラッグ，坐剤，貼付剤・塗布剤などの経皮吸収薬など，複数の剤型・投与法が広く使用されている．

b NSAIDs の分類と用法・用量（表 1）

表 1 血中半減期，COX 選択性による NSAIDs 分類と用法用量

	一般名	半減期（時間）	COX-2 選択性	成人における 1 回最大用量（mg）	用法（1日回数）
短時間作用型	ジクロフェナク	1.3		25	3〜4
	ロキソプロフェン*	1.3		60	3
	イブプロフェン	2		200	3
	ジクロフェナク徐放剤	2		37.5	2
	ロルノキシカム	2.5		4 〜 6	3
	インドメタシン	3		37.5	2
中間型	メフェナム酸	4		250〜500	2
	エトドラク	6〜8	○	200	2
	セレコキシブ	7	◎	200	2
	スリンダク*	11〜15		150	2
	ナプロキセン	14		100 〜 200	2〜3
	メロキシカム	20〜28	○	10 〜 15	1
長時間作用型	ピロキシカム	36〜41		20	1
	アンピロキシカム*	42		27	1
	オキサプロジン	50		400	1〜2

*プロドラッグ

1) 山本相浩ほか：関節リウマチの治療—内科治療—NSAIDs，ステロイド．日臨 **72**［Suppl 3］：436，2014
2) 吉田雄介・杉山英二：NSAID の効果的な使い方．関節リウマチ治療実践バイブル 改訂第 2 版，竹内　勤（編），南江堂，東京，p180-185，2022

［1, 2）より筆者作成］

c 副作用

- NSAIDs は PG 合成を阻害して効果を発揮するが，それに伴う多彩な副作用を起こしうる（**表 2**）．
- 副作用リスク因子を考慮し，適切な NSAIDs を選択する．
- 経口，坐剤，注射による全身性投与の場合は，2 剤以上を併用すべきではない．

1）消化管障害

- PG 産生抑制によるものと，NSAIDs の直接的な曝露の結果として起こるものがある．
- 消化管障害のリスク因子として 3 段階で分類したガイドライ

表 2 NSAIDs の副作用

a. 共通の副作用	b. 製剤・用量・剤型により起こりうる副作用	
• 胃腸障害 • 皮疹 • 肝障害 • 腎障害 • アスピリン喘息 • 造血器障害	アスピリン（薬物濃度に依存）	耳鳴り，難聴
	インドメタシン	ふらつき，めまい，頭痛，パーキンソン症候群の悪化
	イブプロフェン，スリンダク	髄膜刺激症状
	メフェナム酸	溶血性貧血
	phenylbutazone（日本未承認薬）	再生不良性貧血，無顆粒球症
	外用薬	光線過敏症

［吉田雄介・杉山英二：NSAID の効果的な使い方．関節リウマチ治療実践バイブル改訂第 2 版，竹内　勤（編），南江堂，東京，p180-185，2022 より引用］

表 3 NSAIDs による消化管障害のリスク分類

高リスク	1. 合併症を伴う（特に最近の）消化性潰瘍の既往 2. 中リスクに記載のリスク因子が 3 つ以上
中リスク	以下のリスク因子が 1～2 つ • 年齢＞ 65 歳 • 高用量の NSAIDs 使用 • 合併症を伴わない消化性潰瘍の既往 • アスピリン，ステロイド，抗凝固薬の併用
低リスク	上記のリスク因子なし

［Lanza FL et al：Am J Gastroenterol **104**：728，2009］

ンが公表されており（**表 3**），長期継続使用の可能性のある患者には COX-2 に選択性の高い NSAIDs 使用が推奨される．

2）心血管障害

● COX-2 に選択性の高い NSAIDs として，1998 年にセレコキシブ，1999 年に rofecoxib（日本未承認薬）が発売されたが，rofecoxib は心血管障害のリスクが高いという報告がなされ，2004 年に大規模な自主回収が行われた．

3）腎障害

● COX 阻害による PG 産生抑制によるものと，アレルギー性機序による間質・尿細管障害がある．

● COX 選択性と腎毒性に相関はないと考えられており，高齢者や腎・心機能障害のある患者においては半減期の短い NSAIDs の使用や，用量の減量などの注意が必要である．

4) 皮膚障害

- 経皮吸収剤では日光過敏症の報告があり，使用に際し注意が必要である．

d 投与禁忌と中止のタイミング

- 禁忌：NSAIDs に過敏症の既往のある患者，アスピリン喘息の患者，小児．
- 中止のタイミング：リスクが便益を上回ると判断した時．

参考文献

1）山本相浩ほか：関節リウマチの治療─内科治療─NSAIDs，ステロイド．日臨 **72**［Suppl 3］：436，2014
2）吉田雄介・杉山英二：NSAID の効果的な使い方．関節リウマチ治療実践バイブル 改訂第 2 版，竹内　勤（編），南江堂，東京，p180-185，2022
3）消化性潰瘍診療ガイドライン 2020 改訂第 3 版，日本消化器病学会（編），南江堂，p96-155，2020
4）Lanza FL et al：Guidelines for prevention of NSAID-related ulcer complications. Am J Gastroenterol **104**：728，2009

3 ステロイド

- ステロイドは，性ホルモン，鉱質コルチコイド，糖質コルチコイド（GC）に分類されるが，本項ではGCについて解説する．
- そもそも副腎皮質の束状帯で産生されるホルモンで，生体の活動初期に血漿濃度が高値を呈する（ヒトでは早朝）．
- 1948年にHenchらによって，合成コルチゾンが関節リウマチ患者にはじめて投与され劇的な効果を示したが，その後，さまざまな副作用も知られることとなった．
- 血中では大部分がアルブミンなどの血漿蛋白と結合し，10%程度が遊離型として細胞膜を自由に通過し，拡散によって細胞質に移行する．
- GCの生体への作用には，ゲノム作用と非ゲノム作用の2種類がある．
- ゲノム作用として，GCは細胞質内のGC受容体（GR）に結合し，核内移行し標的DNAに結合することで転写調節することに加え，NF-κBなどの転写因子に結合し転写活性を抑制することで，抗炎症作用，免疫抑制作用を発揮する（効果発現まで時間がかかる）．
- 非ゲノム作用の効果発現は比較的早く，細胞質内のGC・GR複合体がホスファチジルイノシトール3-キナーゼ（PI3K）-Akt経路や内皮型一酸化窒素（NO）合成酵素を活性化させる作用や，さらにB細胞や単球などの細胞膜に対する直接作用があり，抗炎症・免疫抑制のみならず，糖新生などの副作用を引き起こす（後述）．
- GCには表1のような種類があるが，個体間でのbioavailabilityのばらつきが少ないため，経験的にプレドニゾロン（PSL）が最も用いられる．

a 用　量（表2）

- 初期投与量は疾患・病態で異なる．
- 少量ではGRの50%までが飽和し，大量ではほぼ100%飽和

表1　GCの種類

一般名	GC作用（ゲノム作用）*	非ゲノム作用**	鉱質コルチコイド作用*	半減期（時）
［短時間作用型］				
ヒドロコルチゾン	1	ND	1	8～12
コルチゾン	0.8	ND	0.8	8～12
［中間型］				
PSL	4	0.3	0.25	12～36
メチルプレドニゾロン	5	1	0	12～36
トリアムシノロン	5	ND	0	24～48
［長時間作用型］				
ベタメタゾン	25	＜0.2	0	36～54
デキサメタゾン	30	1.5	0	36～54

*ヒドロコルチゾンを1とした時の相対値
**メチルプレドニゾロンを1とした時の相対値
ND：no data

表2　PSL投与量の基準

	欧米の基準	日本の基準
少量（low dose）	7.5 mg/日以下	0.3 mg/kg/日
中等量（medium dose）	7.5 mg超～30 mg/日以下	0.5 mg/kg/日
大量（high dose）	30 mg超～100 mg/日以下	1 mg/kg/日
超大量（very high dose）	100 mg超/日以下	—
パルス療法（pulse therapy）	250 mg/日以上	—

する．すなわち，大量投与まではほぼ用量依存的にゲノム作用を発揮する一方，大量以上の投与により非ゲノム作用が発揮される．

- リファンピシンやフェニトインはCYP3A4誘導によってGC代謝を亢進させるため，PSLの場合，同剤との併用の際は用量を2倍にする．

b 投与方法

- 全身投与として経口，静注，局所投与として関節腔内注射，外用，吸入などがある．
- 経口は消化管から100％吸収され，最も安定した投与法である．

- 経口から静注に変更する場合は，用量を1〜1.2倍にする．
- たとえば，経口PSLは30分で吸収され，血中濃度は2時間でピークになり，24時間ですみやかに消失する．
- 炎症が強い場合，分割投与したほうが効きやすいが，副腎抑制の軽減には朝1回投与がよい．
- GCの吸収には食事は影響しない．
- 朝1回内服で夕方や夜に症状が強くなる場合は，朝夕2回や毎食後の3回に分割すると，ステロイド総量は不変のまま症状が軽快することがある．
- GCを夜に投与すると効果が得られやすいのは，IL-6やTNF-αといった炎症性サイトカインが夜中から明け方にかけて増えるという日内変動が存在するためである．
- ステロイドパルス療法では鉱質コルチコイド作用がなく，また，非ゲノム作用が比較的強いメチルプレドニゾロン1,000 mg/日を1時間以上かけて3日間連日で点滴静注することで，通常のステロイド療法では得られない強力かつ速効性のある抗炎症作用と免疫抑制作用が得られる．ループス腎炎，全身性エリテマトーデス（SLE）に伴う中枢神経障害（NPSLE），間質性肺炎急性増悪，肺胞出血などの重大な病態で適応となる．

C 副作用

- GCのゲノム作用，非ゲノム作用は抗炎症・免疫抑制作用のみならず，種々の副作用をもたらす（表3）．
- 重要な副作用として，感染症，糖尿病，高血圧，骨粗鬆症，骨壊死，筋症，白内障，緑内障，皮膚萎縮，精神神経症状などがある．
- これらの副作用はGC製剤投与による概日リズム障害による恒常性の破綻から生じるものもありうる．
- 中等量以上を用いる際は，B型肝炎の再活性化や潜在性結核感染症に注意する．
- GC減量の際，倦怠感，悪心/嘔吐，下痢，脱力感，疼痛閾値の低下などが出現した場合，続発性副腎不全を疑う．
- 副作用が生じた際，GC長期使用中はすぐには減量・中止できないため，対症的に薬物療法などで対処する（高血圧には

表3　GCの主な副作用

感染症	日和見感染症，帯状疱疹
内分泌	糖尿病，視床下部–下垂体–副腎不全
心血管	高血圧，不整脈，動脈硬化
骨	骨粗鬆症，無血管性骨壊死
筋肉	筋症（筋萎縮，サルコペニア）
消化器	胃炎，消化性潰瘍，膵炎，脂肪肝，消化管穿孔
腎臓	低カリウム血症，水分貯留
生殖器	無月経，不妊，子宮内発育不全
精神神経	気分高揚，抑うつ，躁，不眠，精神病，アカシジア
眼	後嚢下白内障，緑内障，眼球突出
皮　膚	Cushing徴候，線条，皮膚菲薄化，脱毛，多毛症，紫斑

降圧薬，高血糖には血糖降下薬など）．

- 骨粗鬆症については，日本骨代謝学会の「ステロイド性骨粗鬆症の管理と治療ガイドライン：2014年改訂版」や米国リウマチ学会のガイドライン2017年版（現在，ガイドラインサマリー公開中．2023年初頭出版予定）を参照し，リスクが高い場合は第1選択薬として経口ビスホスホネート製剤を用いる．

d 禁　忌

- 製剤への過敏症の既往や，感染部位・動揺関節への局所投与を除いて絶対的な禁忌はないが，副作用にあげた項目を有する際は慎重に投与する．
- GC投与中に生ワクチン投与は禁忌である［ただし，米国疾病管理予防センター（CDC）の見解ではPSL 20 mg/日以下では可］．
- アスピリン喘息患者にはコハク酸エステルの静注製剤は避ける（経口製剤は問題ない）．

e 減量のタイミング

- 膠原病などの慢性疾患に対しては初期投与量を2週間投与し，以後1〜2週間で10％程度ずつ減量する．
- RAではGCを可及的速やかに減量して原則3ヵ月以内に中止すべきである．SLEや血管炎などのGC治療が中心となる疾患では可能な限り減量する.

- 減量中に再燃したら，減量直前の量に戻してゆっくりと減量を図る，もしくは再燃時の 1.5〜2.0 倍に増量してやり直すか免疫抑制薬を併用し，GC の漸減を図る.
- 副腎からの生理的な GC 分泌は PSL 換算で 3〜5 mg/日であり，同量以下の場合は続発性副腎不全に留意し，数ヵ月ごとに 0.5〜1 mg/日ずつ減量を図る.

参考文献

1) Hardy RS et al：Therapeutic glucocorticoids：mechanisms of actions in rheumatic diseases. Nat Rev Rheumatol **16**：133-144, 2020
2) Palmowski Y et al：The 70th anniversary of glucocorticoids in rheumatic diseases：the second youth of an old friend. Rheumatology（Oxford）**58**：580-587, 2019
3) American College of Rheumatology：2022 American College of Rheumatology Guideline for the Prevention and Treatment of Glucocorticoid-Induced Osteoporosis <https://www.rheumatology.org/Portals/0/Files/Prevention-Treatment-GIOP-Guideline-Summary.pdf>（最終確認 2023 年 2 月 21 日）

4 免疫調節薬

- 免疫調節薬は炎症自体を抑える作用に乏しいが，免疫異常を改善し，本来の働きを高める作用がある薬剤である．
- わが国で使用可能な免疫調節薬を表1にまとめる．
- 免疫異常を修飾することによって，活動性をコントロールし，多くは関節リウマチ（RA）に対して使われている．
- 免疫調節薬はRAにおいてMTXを使用できない症例に用いられるが，単剤あるいは併用により，MTXと同等程度の効果を認める．
- 効果発現までの期間が比較的長く（遅効性），いったん認められていた効果が減弱することがある（エスケープ現象）．ヒドロキシクロロキンを除き妊娠例には使用しない．

a サラゾスルファピリジン（SASP）

- RA治療においてはMTX使用が困難な症例，腎障害のある症例に使われることが多い．
- MTXとの併用により相乗効果がある．他の免疫調整薬との併用効果も認め，ブシラミン（BUC）と併用されることも多い．

表1　わが国で使用可能な免疫調節薬

一般名（略称）	商品名	投与法	代表的な副作用
サラゾスルファピリジン（SASP）	アザルフィジンEN®	内服	皮疹，胃腸障害，肝障害，血液障害
ブシラミン（BUC）	リマチル®	内服	皮疹，腎障害，血液障害，胃腸障害，間質性肺炎
レフルノミド（LEF）	アラバ®	内服	間質性肺炎，消化器症状，肝機能障害，皮疹
イグラチモド（IGR）	ケアラム®	内服	肝機能障害，血液障害，間質性肺炎，消化性潰瘍
金チオリンゴ酸ナトリウム（GST）［注射金製剤］	シオゾール®	筋注	間質性肺炎，皮疹，口内炎，下痢，腎障害，血液障害
ヒドロキシクロロキン（HCQ）	プラケニル®	内服	眼障害，下痢，頭痛，皮疹

●皮膚，爪，汗，尿やソフトコンタクトレンズが黄色に着色することがある．

1）用法・用量

●500 mg/日から開始し，1回500 mgを1日2回内服．

2）副作用

●皮疹，胃腸障害，肝障害，血液障害，精子数および精子運動性の減少など．

3）禁　忌

●サルファ剤またはサリチル酸製剤に対し過敏症の既往歴のある患者．

b ブシラミン（BUC）

●比較的早期のRAに用いられ，MTXが使用困難な症例に対し使用される．

●一定の経験的評価はあるが，欧米では使用されない薬剤でありエビデンスは乏しい．

●SASPと同様に，MTXとの併用により相乗効果がある．

1）用法・用量

●100 mg/日から開始し，通常200 mg/日．1回100 mgを1日2回内服．

●最大300 mg/日まで使用可能．

2）副作用

●皮疹，黄色爪，腎障害，肝障害，間質性肺炎，血液障害（無顆粒球症），胃腸障害など．

●腎障害として膜性腎症が多く，蛋白尿に注意が必要である．蛋白尿を認めたら，すみやかに使用を中止する．休薬後，6ヵ月程度で尿所見の異常が改善する．

3）禁　忌

●血液障害がある患者，腎障害のある患者．

c レフルノミド（LEF）

●MTXとほぼ同等の効果を認めるが，副作用として重篤な間質性肺炎が散見され，わが国での使用頻度は低い．

●MTXや生物学的製剤が使用困難な症例で，間質性肺炎がなく，活動性の高い症例では治療の選択肢となる．

1）用法・用量

●20 mg/日（維持量として10 mg/日に減量も可能），1日1回内服．

●添付文書上は開始時にLEF 100 mg/日を3日間内服する（ローディング）とされているが，下痢や頭痛が出現するため，ローディングしないことが多い．

2）副作用

●わが国では，間質性肺炎の副作用の発現頻度が海外と比べ60倍多い．

●活性代謝物が腸管循環するため血漿半減期が2週間と長く，副作用発現時にはコレスチラミンの経口投与を行う．

3）禁　忌

●慢性肝疾患のある患者，活動性結核の患者．

d イグラチモド（IGR）

●わが国で創薬され，2012年にRAに対し承認された．

●SASPと同程度の効果を有し，またMTXとの併用効果も認められる．

●プロスタグランジン生合成阻害作用を有し，特にNSAIDs併用時には消化管潰瘍に注意が必要である．

1）用法・用量

●25 mg/日，1日1回朝食後に4週間以上内服．4週以降は50 mg/日に増量可能．

2）副作用

●肝機能障害，黄疸，血液障害，消化性潰瘍，間質性肺炎，感染症など．

●肝機能障害の副作用報告が多く，AST/ALTが100 IU/L以上に増加した場合は投与を中止する．

3）禁　忌

●ワルファリンを投与中の患者（ワルファリンの作用増強），重篤な肝障害のある患者，消化性潰瘍のある患者．

e 金製剤［注射剤：金チオリンゴ酸ナトリウム（GST）］

- RA に対して 1930 年代から使用されていた．
- 症例により MTX とほぼ同等の効果を示すが，MTX や生物学的製剤の登場によりあまり使用されなくなった．
- 間質性肺炎がなく，MTX が使用困難な症例では治療の選択肢となる．

1）用法・用量

- 毎週または隔週で筋注する．
- 第 1～第 4 週：1 回 10 mg，第 5～第 8 週以降：1 回 25 mg.
- 100 mg まで増量可能であるが，10～25 mg を 2～4 週間隔投与で維持するのが一般的である．
- 効果発現には総量 200～300 mg 前後の投与が必要で，2 ヵ月程度の期間がかかる．

2）副作用

- 口内炎，下痢，腎障害，血液障害，間質性肺炎など．
- 重篤な間質性肺炎に注意する．
- 投与直後は全身倦怠感などの副作用が出現する．重篤な副作用は 2～3 ヵ月経過後に出現しやすい．

3）禁　忌

- 腎障害，肝障害，血液障害，心不全，潰瘍性大腸炎のある患者および放射線治療後間もない患者，金製剤による重篤な副作用の既往のある患者，キレート剤（ペニシラミン）を投与中の患者．

f ヒドロキシクロロキン（HCQ）

- 全身性エリテマトーデス（SLE）に対し，2015 年にわが国でも使用が承認された．
- 欧米では 1950 年代から使用されてきたが，類似薬のクロロキンの高用量使用により網膜症が発現したことから，わが国では承認されていなかった．
- 海外では SLE，RA の標準的治療とされている．
- わが国では RA に対する使用は承認されていない．

●1〜2ヵ月後から治療効果を認める．

●服用開始前および服用中は半年から1年に1度，定期的に眼科を受診し，光干渉断層計（OCT）を含む添付文書規定の7項目の検査を行う．

1）用法・用量

●200 mg/日または400 mg/日，1日1回内服．

●200 mg/日，あるいは1日6.5 mg/kgを超えない範囲で使用すれば副作用が少ないと考えられている．

- 女性患者の理想体重（kg）=［身長（cm）− 100］× 0.85
- 男性患者の理想体重（kg）=［身長（cm）− 100］× 0.9

①理想体重が31 kg以上46 kg未満：1日1回200 mg
②理想体重が46 kg以上62 kg未満：1日1回200 mgと1日1回400 mgを1日おき
③理想体重が62 kg以上：1日1回400 mg

2）副作用

●眼障害（網膜症，黄斑症，黄斑変性），下痢，頭痛，中毒性皮疹，蜂巣炎など．

●累積投与量200 g超は網膜症のリスクとされる．

●ヒドロキシクロロキンは，クロロキンに比べて組織親和性が低く，低用量では網膜障害の発現リスクも相対的に低い．眼障害発生時にはすみやかに中止する．

3）禁　忌

●網膜症（SLEの網膜症を除く），または黄斑症，黄斑変性の患者・既往歴のある患者．

参考文献

1）Ichikawa Y et al：Therapeutic effects of the combination of methotrexate and bucillamine in early rheumatoid arthritis：a multicenter, double-blind, randomized controlled study. Mod Rheumatol **15**：323-328, 2005
2）Hara M et al：Efficacy and safety of iguratimod compared with placebo and salazosulfapyridine in active rheumatoid arthritis：a controlled, multicenter, double-blind, parallel-group study. Mod Rheumatol **17**：1-9, 2007
3）Ishiguro N et al：Concomitant iguratimod therapy in patients with active rheumatoid arthritis despite stable doses of methotrexate : a randomized, double-blind, placebo-controlled trial. Mod Rheumatol **23**：430-439, 2013

5 免疫抑制薬

- 免疫抑制薬はステロイドと異なり，より特異的に免疫担当細胞の機能を抑える．
- ステロイドほどの即効性がないことが一般的である．
- ステロイドほど幅広い副作用はないが，薬剤ごとに効果・副作用に特徴がある．
- RA に対する MTX のように単剤で効果を期待できる場合と，ステロイドと併用する場合とがある．
- 特に米国リウマチ学会からは，免疫抑制薬使用下の SLE におけるステロイド減量の方法が論文化されており，参考にする．
- 免疫抑制薬の投与中に生ワクチン接種は避ける．
- わが国で使用可能な免疫抑制薬を**表 1** にまとめる．

a メトトレキサート (MTX)

- 抗悪性腫瘍薬として開発された葉酸代謝拮抗薬である．

表 1 わが国で使用可能な免疫抑制薬

一般名（略称）	商品名	投与法	代表的な副作用
メトトレキサート (MTX)	リウマトレックス®	内服	間質性肺炎，骨髄障害，肝障害
シクロホスファミド (CY)	エンドキサン®	内服 点滴	骨髄障害，出血性膀胱炎
ミコフェノール酸モフェチル (MMF)	セルセプト®	内服	消化器症状，白血球減少，肝機能障害
ミゾリビン (MZR)	ブレディニン®	内服	高尿酸血症，骨髄抑制，食欲不振
アザチオプリン (AZP)	イムラン® アザニン®	内服	肝障害，白血球減少
シクロスポリン (CyA)	ネオーラル®	内服	腎障害，耐糖能異常，高カリウム血症
タクロリムス (Tac)	プログラフ®	内服	腎障害，耐糖能異常，高カリウム血症

- RA 治療におけるアンカードラッグである．
- RA に対する使用については，「関節リウマチ治療におけるメトトレキサート（MTX）診療ガイドライン」（日本リウマチ学会 2016 年改訂版）参照のこと．
- RA 以外にも多くの疾患で，関節炎治療やステロイド減量を目的として使用されることがある．
- 通常は葉酸を併用する．

1）用法・用量

- 1 週間あたりの投与量を 2〜4 回に分割し，12 時間間隔で 1〜2 日間かけて投与する．
- 欧米では週 1 回にまとめて投与することが多い．
- わが国では，原則として 6〜8 mg/ 週から開始し，副作用を確認しながら漸増する．最高用量は 16 mg/ 週である．

2）副作用

a 用量依存的副作用

- 出現時には MTX の減量/中止あるいは葉酸を増量する．
- 口内炎，悪心，肝障害，骨髄抑制，易感染性など．
- 過量内服により重度の骨髄抑制をきたした場合などには，ロイコボリン® レスキュー療法を検討する．

b 用量非依存的副作用

- 肺障害（間質性肺炎）：MTX 中止とステロイド治療が必要になる．ニューモシスチス肺炎との鑑別が重要である．
- MTX 関連リンパ増殖性疾患：MTX の中止のみで軽快する例もあれば，化学療法が必要になる例もある．

3）禁　忌

- 妊娠中（流産リスク上昇，催奇形性）．
- 重症感染症．
- 重大な血液・リンパ系障害を有する患者．
- 肝障害（急性・慢性活動性ウイルス性肝炎，肝硬変など）．
- 高度腎障害（GFR ＜ 30 mL/分/1.73 m^2 相当）．
- 高度呼吸器障害（低酸素血症，% VC ＜ 80%，高度肺線維症）．
- 腹水あるいは胸水が存在している場合．

4) 中止のタイミング

- MTX の投与中止を要する副作用の出現時.
- RA においては，寛解達成後中止や減量の試みが世界的に行われている.

b シクロホスファミド (CY)

- アルキル化薬に分類される抗悪性腫瘍薬である.
- 膠原病領域の使用量では比較的選択的に B 細胞を抑制する.
- 肝臓で代謝を受けて活性体となり，腎臓から排出される.
- 腎機能によって用量調節が必要になる.
- 代謝産物のアクロレインが膀胱粘膜障害を引き起こす.

1) 用法・用量

- 内服の場合と経静脈的投与の場合がある.
- 内服投与では半年から 1 年程度で内服を終了する. 漫然と継続すると副作用のリスクが上昇する.
- 内服投与 (POCY)：50〜100 mg/日を連日内服.
- 経静脈投与 (IVCY)：2〜4 週に 1 回点滴投与.
- ループス腎炎に対する IVCY，Euro-lupus プロトコール：500 mg/回を 2 週間隔で計 6 回投与して終了.
- ループス腎炎に対する IVCY，the National Institutes of Health (NIH) プロトコール：0.5〜1 g/m^2 を 4 週間隔で計 6 回投与.
- 抗好中球細胞質抗体 (ANCA) 関連血管炎に対する IVCY，European League Against Rheumatism (EULAR) recommendation：15 mg/kg を 2 週間ごとに 3 回，その後 3 週間ごとに 3 回投与.

2) 副作用

- 悪心 (IVCY では投与前にセロトニン拮抗薬を使用する).
- 口内炎，脱毛.
- 易感染性.
- 骨髄抑制 (IVCY の場合，投与 1〜2 週で発現する).
- 無月経 (40 歳以上の女性では 80%で無月経になる).
- 出血性膀胱炎 (POCY で多い，膀胱癌のリスクになる，造血幹細胞移植時はメスナを使用し予防する).

- 二次発癌（総投与量 80〜100 g 程度から確実なリスクになる．特に造血器腫瘍，膀胱癌）．

3) 禁　忌

- 重症感染症を合併している場合．
- ペントスタチン投与中の患者（機序不明であるが死亡例あり）．

4) 中止のタイミング

- IVCY は 6 回投与，POCY は半年〜 1 年間で中止し，他の免疫抑制薬へ切り替えることが多い．
- 二次発癌のリスクを減らすために，累積投与量が 10 g を超えないように配慮することが望ましい．

c ミコフェノール酸モフェチル（MMF）

- ミコフェノール酸のプロドラッグであり，bioavailability を改善している．
- イノシン単リン酸脱水素酵素を可逆的，かつ特異的に阻害することで核酸（プリン体）合成を抑える．
- リンパ球の増殖を比較的特異的に抑制する．
- 従来の適応は臓器移植における拒絶反応抑制のみであったが，2015 年にループス腎炎に対し保険適用となった．

1) 用法・用量

- ループス腎炎に対する寛解導入療法：2〜3 g/日を 1 日 2 回に分けて内服する．低体重者では減量も考慮する．
- ループス腎炎に対する寛解維持療法：1〜2 g/日を 1 日 2 回に分けて内服する．
- 副作用，特に消化器症状への忍容性を観察するため，初期は漸増投与する：1 日 500〜1,000 mg 程度から開始し，数日〜 1 週間ごとに漸増する．

2) 副作用

- 消化器症状（下痢，悪心，腹痛など），骨髄抑制，催奇形性，易感染性（特にアジア人で多い傾向がある）など．

3) 禁　忌

- 妊娠中（催奇形性を認める）：妊娠を計画するためには少な

くとも妊娠の 6 週間前から内服を中止する.

4) 中止のタイミング

- 現時点では特に副作用以外で中止は勧められていない.

d ミゾリビン (MZR)

- プリン合成系のイノシン酸からグアニル酸にいたる経路を拮抗阻害する.
- 膠原病領域での適応疾患はループス腎炎, RA である.

1) 用法・用量

- 1 回 50 mg を 1 日 3 回内服.
- 保険用量は分割投与となっているが, 一定量をまとめて内服する方法 (MZR パルス) も提案されている.
- MZR パルスの例 : 1 回 350 mg を 1 日目の朝, 夕, 2 日目の朝に内服し, 1 週間の残りは内服しない.
- 腎排泄されるため, 腎機能低下例では適宜, 量を調節する.

2) 副作用

- 高尿酸血症, 骨髄抑制, 食欲不振, 発疹など.

3) 禁　忌

- 白血球数 3,000/mm^3 以下, 妊娠.

4) 中止のタイミング

- 効果不十分や副作用発現時は他剤を検討する.

e アザチオプリン (AZP)

- プリン代謝拮抗薬で, 核酸合成阻害により免疫抑制効果を発揮する.
- 体内に吸収されると 6-メルカプトプリンへ分解され, 効果を発揮する.
- ループス腎炎や ANCA 関連血管炎に対する IVCY 施行後などに維持療法として使用される.
- 重度の白血球減少症や全脱毛に関連する *NUDT15* 遺伝子多型を投与前に検査することが可能である.

1）用法・用量

- 1日量として50～100 mg/日（1～2 mg/kg）を内服する．

2）副作用

- 高尿酸血症，悪心・嘔吐，肝障害，骨髄抑制（特にアロプリノールとの併用時に注意する）．

3）禁　忌

- 白血球数3,000/mm^3以下．
- フェブキソスタット，トピロキソスタットを投与中（骨髄抑制を増強させる）．
- 以前は，添付文書上，妊娠は禁忌であったがAZPは妊娠・出産合併症のリスクを上げないとする報告が複数あり，有益性投与へ変更となった．

4）中止のタイミング

- 効果不十分や副作用発現時は他剤を検討する．

f カルシニューリン阻害薬（シクロスポリン/タクロリムス：CyA/Tac）

- T細胞に発現するカルシニューリンを阻害し，IL-2の産生抑制により免疫抑制作用を発揮する．
- 移植領域における免疫抑制薬として開発された．
- トラフの血中濃度を測定しながら薬剤量を調節する．
- グレープフルーツは血中濃度を上昇させるため，避ける．

a CyA

- 膠原病領域ではBehçet病（眼症状），ネフローゼ症候群，関節症性乾癬が保険適用となる．
- 神経Behçetを悪化させることが知られており，Behçet病では注意して使用する．
- ループス腎炎や膠原病における間質性肺炎などにも使用されることがある．

b Tac

- Tacはわが国で開発された薬剤であり，開発当時の呼び名であるFK506とも呼ばれることもある．
- 膠原病領域ではRA，ループス腎炎，多発性筋炎/皮膚筋炎に合併する間質性肺炎が保険適用である.

- SLE の血小板減少にも使用されることがある.
- 肝代謝，胆排泄であり，透析中の用量調節の必要はない.

1) 用法・用量

a CyA

- 通常，5 mg/kg/日を1日2回に分けて経口投与する．維持量は3〜5 mg/kg/日を標準とするが，適宜増減する.

b Tac

- 通常，3 mg を1日1回，夕食後に経口投与する．高齢者には1.5 mg から開始し，1日1回3 mg まで増量できる.
- 多発性筋炎・皮膚筋炎に合併する間質性肺炎に対しては，初期には1回0.0375 mg/kg を1日2回，朝食後および夕食後に経口投与する.
- トラフ濃度が10 ng/mL を超えると副作用の発現頻度が高く，これを超えないように用量を調節する.

2) 副作用

a CyA・Tac 共通

- 易感染性.
- 急性腎障害：用量依存的な腎血管収縮作用，あるいは血管内皮細胞に吸収され微小血管障害を引き起こす.
- 慢性腎障害：血管内皮障害による細動脈閉塞，虚血による糸球体の虚脱などを呈する.
- 血圧上昇.
- 可逆性後白質脳症症候群：痙攣，意識障害などを呈する病態で，posterior reversible encephalopathy syndrome（PRES）と呼ばれる.

b CyA

- 神経 Behçet 病の増悪に注意する.
- 高カリウム血症，高尿酸血症，低マグネシウム血症.
- 多毛，歯肉増殖を認めることがある.

c Tac

- 高血糖，糖尿病（CyA でもあるが，Tac のほうが多い）.
- 高カリウム血症.

3) 禁　忌

- 妊娠中：以前は添付文書上，CyA・Tac とも妊娠は禁忌であったが，移植領域では両薬剤を使用しながらの妊娠・出産で一般人口と比較して妊娠合併症が増えなかったとするデータがあり，有益性投与へ変更となった．

a CyA の禁忌

- Tac，ピタバスタチン，ロスバスタチン，ボセンタン，アリスキレン，グラゾプレビル，ペマフィブラートとの併用は相互作用の観点から禁忌である．
- 肝臓または腎臓に障害のある患者で，コルヒチンを服用中の場合（コルヒチンの作用増強のおそれ）．

b Tac の禁忌

- CyA，ボセンタン，カリウム保持性利尿薬との併用は，相互作用の観点から禁忌である．

4) 中止のタイミング

- 効果不十分や副作用発現時は他剤を検討する．

参考文献

1）日本リウマチ学会 MTX 診療ガイドライン策定小委員会（編）：関節リウマチ治療におけるメトトレキサート（MTX）診療ガイドライン 2016 年改訂版，羊土社，東京，p19-33，2016
2）Honda S et al：Association of methotrexate use and lymphoproliferative disorder in patients with rheumatoid arthritis：Results from a Japanese multi-institutional retrospective study. Mod Rheumatol **32**：16-23, 2022

6 生物学的製剤・分子標的治療薬

- 生物学的製剤とは，分子生物学や遺伝子工学の手法で作成された蛋白を利用した薬剤の総称である．
- 炎症性疾患に対し，現在わが国ではTNF阻害薬，IL-6阻害薬，IL-12/23阻害薬，IL-17阻害薬，T細胞共刺激分子阻害薬，B細胞阻害薬などが承認されている（表1）．
- なお，関節リウマチに使用される抗リウマチ作用を持つ生物学的製剤（biologics）を生物学的疾患修飾性抗リウマチ薬（biological disease-modifying antirheumatic drugs：bDMARDs），JAK阻害薬に代表される抗リウマチ作用をもつ分子標的治療薬を分子標的型合成抗リウマチ薬（targeted synthetic DMARDs：tsDMARDs）と呼称する．
- 生物学的製剤の導入にあたり，結核や日和見感染症，ウイルス性肝炎のスクリーニングは必須である［⇒「Ⅲ-A-1．免疫抑制療法実施にあたっての注意点」参照，p74］．
- 潜在性結核の可能性が高い患者では，いずれの生物学的製剤を選択した場合でも開始3週間前よりイソニアジド300 mg/日内服を行う．
- TNFは結核における肉芽腫形成に重要であることから，TNF阻害薬は各種生物学的製剤の中でも結核の顕在化が懸念されている．
- 投与中，インフルエンザワクチン，肺炎球菌ワクチン接種は推奨されるが，生ワクチン接種は原則行わない．
- 生物学的製剤の併用は，効果は変わらず副作用が強いことが示されており，行うべきではない．

1 TNF阻害薬

- 2022年3月現在，5種類が使用可能である（表2）．
- いずれの薬剤も，臨床効果と関節破壊抑制効果における高い有効性と安全性が証明されている．
- RAに対する適応は，既存治療で効果不十分な患者であるが，

表1　リウマチ性疾患で使用可能な生物学的製剤

標　的	サイトカイン・サイトカイン受容体											細胞表面機能分子		
	TNF						IL-6	IL-12/23	IL-17	IL-5	I型IFNα受容体	T細胞共刺激分子	B細胞	BAFF
構　造	キメラ型抗TNFモノクローナル抗体	完全ヒト型抗TNFモノクローナル抗体	完全ヒト型抗TNFモノクローナル抗体	PEG化ヒト化抗TNFモノクローナル抗体	TNF受容体-IgG Fc融合蛋白	ヒト化抗TNF-αモノクローナル抗体（ナノバディ製剤）	ヒト化抗IL-6受容体モノクローナル抗体	ヒト型抗IL-12/23 p40モノクローナル抗体	ヒト型抗IL-17Aモノクローナル抗体/ヒト化抗IL-17Aモノクローナル抗体/ヒト型抗IL-17受容体Aモノクローナル抗体	ヒト化抗IL-5モノクローナル抗体	ヒト抗I型IFNα受容体モノクローナル抗体	CTLA4-IgG Fc融合蛋白	キメラ型抗ヒトCD20抗体	完全ヒト型抗BLySモノクローナル抗体
一般名	インフリキシマブ	アダリムマブ	ゴリムマブ	セルトリズマブ ペゴル	エタネルセプト	オゾラリズマブ	トシリズマブ/サリルマブ	ウステキヌマブ/グセルクマブ/リサンキズマブ	セクキヌマブ/イキセキズマブ/ブロダルマブ	メポリズマブ	アニフロルマブ	アバタセプト	リツキシマブ	ベリムマブ
商品名	レミケード®	ヒュミラ®	シンポニー®	シムジア®	エンブレル®	ナノゾラ®	アクテムラ®/ケブザラ®	ステラーラ®/トレムフィア®/スキリージ®	コセンティクス®/トルツ®/ルミセフ®	ヌーカラ®	サフネロー®	オレンシア®	リツキサン®	ベンリスタ®
関節リウマチ	○	○	○	○	○	○	○					○		
乾癬性関節炎	○	○						○	○					
炎症性腸疾患（一部）	○	○												
血管炎症候群（一部）										○			○	
SLE											○			○

表 2　わが国で使用可能な TNF 阻害薬（2022 年 3 月現在）

生物学的製剤	インフリキシマブ	エタネルセプト	アダリムマブ
標　的	TNF−α	TNF−α，LT−α	TNF−α
構　造	キメラ抗体	受容体−IgG Fc 融合蛋白	完全ヒト型
投与経路	点滴静注	皮下注射	皮下注射
皮下注射製剤の自己注射	—	可	可
半減期（日）	8〜10	3〜5	9〜16
抗薬物抗体，MTX 併用（%）	4.1〜27.3	NA	19.3
抗薬物抗体，MTX 非併用（%）	NA	NA	44.0
投与量（mg）	3〜10/kg	10〜50	40〜80
投与間隔（週）	4〜8	0.5〜1	2

生物学的製剤	ゴリムマブ	セルトリズマブ ペゴル	オゾラリズマブ
標　的	TNF−α	TNF−α	TNF−α
構　造	完全ヒト型	PEG 化ヒト化	ヒト化抗体（ナノバディ製剤）
投与経路	皮下注射	皮下注射	皮下注射
皮下注射製剤の自己注射	不可	可	可
半減期（日）	10〜14	11〜13	約 18
抗薬物抗体，MTX 併用（%）	0	1.2〜8.2	30.8
抗薬物抗体，MTX 非併用（%）	3.3〜4.0	10.8〜29.9	46.8
投与量（mg）	50 〜 100	200	30
投与間隔（週）	4	2〜4	4

アダリムマブとセルトリズマブ ペゴルは関節破壊進行リスクが高い患者に限り，抗リウマチ薬による治療歴がない場合でも使用可能である．

- MTX との併用が望ましい［インフリキシマブ（IFX）では必須］．
- 日本リウマチ学会から，「関節リウマチ（RA）に対する TNF 阻害薬使用ガイドライン」が公表されており，使用時には参考にする．

a インフリキシマブ（IFX）

- TNF-α に対するキメラ型モノクローナル抗体である．可溶性 TNF-α と細胞表面の膜型 TNF-α に結合し，TNF-α 産生細胞の傷害やアポトーシス誘導作用を持つ．
- 中和抗体の出現抑制のためにも，MTX 併用が必須である．
- 効果不十分の際には増量，投与間隔短縮が可能である．
- 後発品であるインフリキシマブバイオシミラーが，より安価に承認されている．

▶用法・用量

- RA：3 mg/kg を 0，2，6 週に投与し，以後は 8 週間隔で投与．効果不十分の際には 10 mg/kg まで増量，4 週間隔までの間隔短縮が可能（上限は 8 週間隔で 10 mg/kg，間隔短縮時は 6 mg/kg）．
- 乾癬性関節炎：5 mg/kg を 0，2，6 週投与し，以後 8 週間隔．
- 強直性脊椎炎：5 mg/kg を 0，2，6 週投与し，以後 6〜8 週間隔．
- 腸管・神経・血管型 Behçet 病：5 mg/kg を 0，2，6 週に投与し，以後 8 週間隔．6 週の投与以降は，10 mg/kg に増量も可能．

b エタネルセプト（ETN）

- 可溶性 TNF 受容体である p75 分子とヒト IgG Fc 領域の融合蛋白で，おとり（デコイ）受容体として作用し，TNF-α と LT-α の両者を阻害する．
- 添付文書では妊娠中は禁忌であると記載されているが，安全性を示す報告が多い．

▶用法・用量

- RA：10〜25 mg を週に 2 回，または 25〜50 mg を週 1 回皮下注．
- 若年性特発性関節炎：0.2〜0.4 mg/kg を週 2 回．

c アダリムマブ（ADA）

- TNF-α に対する完全ヒト型モノクローナル抗体である．

▶用法・用量

- RA：40 mg を 2 週に 1 回，皮下注．効果不十分な場合，1 回 80 mg まで可能であるが，この際には MTX 併用が認められていない．
- 乾癬性関節炎：初回に 80 mg，以後 2 週に 1 回 40 mg を皮下注．効果不十分な場合には 1 回 80 mg まで増量可能．
- 強直性脊椎炎：40 mg を 2 週に 1 回皮下注．効果不十分な場合，1 回 80 mg まで増量可能．
- 若年性特発性関節炎：体重 15 kg 以上 30 kg 未満の場合は 20 mg を，体重 30 kg 以上の場合は 40 mg を 2 週に 1 回皮下注．
- 腸管型 Behçet 病：初回に 160 mg，2 週後に 80 mg，4 週後以降は，40 mg を 2 週に 1 回，皮下注．

d ゴリムマブ（GLM）

- 完全ヒト型モノクローナル抗体で，トランスジェニックマウスから作製されている点から，より免疫原性が少ないと考えられている．

▶用法・用量

- RA：MTX 併用時は 50 mg を 4 週に 1 回，患者の状態に応じて 100 mg を，MTX 非併用時は 100 mg を 4 週に 1 回，皮下注．

e セルトリズマブ ペゴル（CZP）

- 抗 TNF 抗体の IgG Fc 部分を削除し，半減期延長のためにポリエチレングリコール（PEG）処理した PEG 化製剤である．PEG 化によって長期作用に加え，中和抗体や注射部位反応の軽減もあるとされる．
- Fc 領域を有さず，胎盤通過に関与する Fc 受容体の影響を受けないため，胎盤通過がきわめて少なく，妊娠希望の女性に使用されることも多い．

▶用法・用量

- RA：1 回 400 mg を初回，2 週後，4 週後に皮下注．以後 200 mg を 2 週間隔で皮下注．症状安定後には 400 mg を 4 週間隔にしてもよい．

- 関節症性乾癬：1 回 400 mg を 2 週間隔で皮下注．症状安定後は 1 回 200 mg を 2 週間間隔，または 1 回 400 mg を 4 週間間隔で皮下注できる．

f オゾラリズマブ（Ozo）

- 2 つの抗 TNFα ナノボディ® と抗血清アルブミンナノボディ® が融合した三量体構造のヒト化低分子抗体．
- 2022 年 9 月に承認された国内初のナノボディ® 製剤．

▶**用法・用量**

- RA：30 mg を 4 週に 1 回，皮下注射．

g TNF 製剤の副作用

- TNF 阻害薬に共通する副作用として，感染症，結核，投与時反応，脱髄疾患，ループス様症候群などがある．

h TNF 製剤の投与禁忌

- TNF 阻害薬に共通する禁忌として，重篤感染症，活動性結核，多発性硬化症がある．

i TNF 製剤の中止のタイミング

- 有効かつ安全に使用可能な際は継続するが，寛解達成後中止や減量の試みが世界的に行われている．

2 IL-6 阻害薬

- 2022 年 3 月現在，使用可能な IL-6 受容体阻害薬はヒト化抗モノクローナル抗体であるトシリズマブ（TCZ）と完全ヒト型モノクローナル抗体であるサリルマブ（SAR）の 2 種類がある．

a トシリズマブ（TCZ）

- RA 以外に，成人 Still 病，若年性特発性関節炎（JIA），Castleman 病，SARS-CoV-2 による肺炎などで保険適用が認められている．

- 約10％マウス部分が残るヒト化抗体である.
- 点滴静注製剤と皮下注製剤があり選択可能である.
- 日本リウマチ学会から「関節リウマチ（RA）に対するIL-6阻害薬使用の手引き」が公表されており，使用時には参考にする.

▶用法・用量

a 点滴静注製剤

- RA：1回8 mg/kgを4週間隔で点滴静注.
- 成人Still病，全身型JIA，Castleman病：1回8 mg/kgを2週間隔で点滴静注.

b 皮下注製剤

- RA：1回162 mgを2週間隔で皮下注．症状により1週間隔まで短縮可能.

b サリルマブ（SAR）

- 完全ヒト型抗体である.
- 皮下注射製剤のみである.
- 日本リウマチ学会から「関節リウマチ（RA）に対するIL-6阻害薬使用の手引き」が公表されており，使用時には参考にする.

▶用法・用量

- RA：1回200 mgを2週間隔で皮下注．患者の状態により1回150 mgに減量する.

c IL-6阻害薬の副作用

- 感染症，脂質異常症，肝障害，白血球・血小板減少など.
- 消化管穿孔の副作用も報告されており，腸管憩室，憩室炎既往がある場合には注意が必要である.
- IL-6シグナル経路を阻害するため，CRPや赤沈などの炎症反応や，発熱などの全身症状を強力に阻害する.
- **肺炎や消化管穿孔があっても，CRPが上昇しないことも多く，特に救急対応時には十分な注意が必要**である.

d IL-6阻害薬の禁忌

- 重篤感染症，活動性結核，過敏症.

e IL-6 阻害薬の中止のタイミング

- 有効かつ安全に使用可能な際は継続するが，寛解達成後中止や減量の試みが世界的に行われている．

3 T 細胞共刺激分子阻害薬

アバタセプト（ABT）

- 細胞障害性 T リンパ球抗原-4（CTLA-4）細胞外ドメインとヒト IgG Fc 領域の融合蛋白である．
- 抗原提示細胞の CD80/86 に結合し，T リンパ球の CD28 共刺激シグナルを阻害して，T 細胞の活性化を抑制する．
- 効果発現が緩やかで安全性が比較的高いことから，高齢者や合併症のある患者に使用される傾向がある．
- 点滴静注製剤と皮下注製剤がある．
- 日本リウマチ学会から，「関節リウマチ（RA）に対するアバタセプト使用の手引き」が提唱されており，使用時には参考にする．

1）用法・用量

a 点滴静注製剤

- 初回投与後，2 週，4 週時点で投与し，以後 4 週間隔で投与する．用量は体重別に設定されている．

  - 体重 60 kg 未満：投与量 500 mg
  - 体重 60 kg 以上 100 kg 以下：投与量 750 mg
  - 体重 100 kg 超：投与量 1,000 mg

b 皮下注製剤

- 点滴製剤を使用後，同日中に 125 mg の皮下注，その後 125 mg を週 1 回皮下注．点滴静注を使用せず投与することも可能．

2）副作用

- 最も注意すべき副作用は感染症である．

3）禁　忌

- 重篤感染症，活動性結核，過敏症．

4) 中止のタイミング

- 有効かつ安全に使用可能な際は継続するが，寛解達成後中止や減量の試みが世界的に行われている．

4 B細胞阻害薬

a リツキシマブ（RTX）

- B細胞表面に発現するCD20分子に対する特異的抗体であり，結合することでB細胞のアポトーシスを誘導する．
- わが国では，B細胞性non-Hodgkinリンパ腫や顕微鏡的多発血管炎，多発血管炎性肉芽腫症，難治性ネフローゼ症候群，全身性強皮症などに対して承認されている．
- 海外ではRAに対しても広く使用されているが，わが国では適応となっていない．
- わが国での投与経験は限られており，投与例の選択には慎重であるべきある．

1）用法・用量

- 顕微鏡的多発血管炎，多発血管炎性肉芽腫症，全身性強皮症，ネフローゼ症候群を呈する糸球体腎炎に対する用法．
  - 1回量375 mg/m^{2}を1週間隔で4回点滴静注する．
  - 投与時反応（infusion reaction）がみられることが多く，特に初回投与時には，点滴速度は緩徐にはじめ，ゆっくりと早める．

投与量の目安

＊初回投与時

①最初の30分は50 mg/時で開始

②（患者の状態を観察しながら）30分ごとに50 mg/時ずつ早め，最大400 mg/時まで速度を上げることが可能

＊初回投与時の副作用がない，あるいは軽微な場合の2回目以降

①注入開始速度は100 mg/時まで上げて開始

②その後，30分ごとに100 mg/時ずつ上げて最大400 mg/時まで上げることが可能

- ➢投与速度を速める時には特に注意が必要であり，症状がみられた場合には速度を緩めるか中止する．
- ➢投与中止後に再開する場合には，中止時の半分以下の速度で投与を再開する．
- ➢初回時にみられた副作用は2回目より軽減される傾向にあるが，慎重に投与継続することが重要である．

2）副作用

- 初回投与後の24時間以内になんらかの投与時反応（発熱，悪心，頭痛，発疹，咳など）が多い．
- 対策：投与開始30分前に抗ヒスタミン薬，解熱鎮痛薬，副腎皮質ホルモンの前投与を行う．これらの対策を行っても投与時反応がみられることがあるため，患者の状態を慎重に観察することがきわめて重要である．
- B型肝炎キャリアや既往感染者では，B型肝炎ウイルスの再活性化による肝炎が出現することがある．
- 進行性多巣性白質脳症：JCウイルスの再活性化による．頻度は不明であるが致死的であり，中枢神経症状があらわれた際には投与を中止し，診断と適切な処置を行う．

3）禁　忌

- 本剤の成分に対する重篤な過敏症，またはアナフィラキシーの既往歴のある患者．

4）中止のタイミング

- 重篤な副作用が続けてみられる場合，または効果不十分の場合は中止を考慮する．

b ベリムマブ（BEL）

- B細胞活性化因子（BAFF）に対する完全ヒト型モノクローナル抗体である．
- わが国では，既存治療で効果不十分なSLEに対して承認されている．

1）用法・用量

a 皮下注製剤

- 1回200 mgを1週間隔で投与．

b 点滴静注製剤

- 1回10 mg/kgを初回，2週後，4週後に点滴静注，以後4週間隔で投与．

2) 副作用

- 感染症，うつ症状などが出現することがあり，注意が必要である．

3) 禁　忌

- 本剤の成分に対する重篤な過敏症，またはアナフィラキシーの既往歴のある患者．

4) 中止のタイミング

- 重篤な副作用が続けてみられる場合，または効果不十分の場合は中止を考慮する．

5 JAK阻害薬

- JAK阻害薬はサイトカインが細胞内で活性化するJanus kinase（JAK）を標的とした低分子化合物である．
- リウマチ診療では重要な選択肢の1つであるが，投与経験や長期安全性データが限られており，投与例の選択は慎重に行う．
- 日本リウマチ学会の使用ガイドラインに従い，MTX 8 mg/週を超える用量を3ヵ月以上継続してもコントロール不良のRA患者への投与が推奨される．

a トファシチニブ（TOF）

- JAK1～3すべてを阻害する．

▶用法・用量

- 1回5 mgを1日2回経口内服．
- 中等度以上の腎機能障害または中等度の肝機能障害を有する患者では，5 mgを1日1回経口投与する．
- シトクロムP450（CYP）3A4で代謝されるため，CYP3A4を阻害する薬剤（マクロライド系抗菌薬，抗真菌薬，カルシニューリン阻害薬など）で血中濃度は上昇し，CYP3A4を誘導する薬剤（抗てんかん薬，リファンピシンなど）の併用により血中濃度が低下することに留意する．

b バリシチニブ（BAR）

- JAK1, 2を選択的に阻害する．

▶用法・用量

- 1回4 mgを1日1回経口投与．治療により症状が安定した場合には1回2 mg 1日1回への減量を検討．
- 腎機能低下例：30 ≦ eGFR＜60では，1回2 mgを1日1回経口投与．eGFR＜30では投与しない．
- プロベネシド併用時には本剤のAUC（area under the curve）が2倍に増加したため，1回2 mgに減量するなど注意が必要．

c ペフィシチニブ（PEF）

- 全JAK（JAK1/JAK2/JAK3/TYK2）を阻害する．

▶用法・用量

- 150 mgを1日1回食後経口投与．患者の状態に応じて100 mgを1日1回．
- 中等度の肝機能障害を有する場合には，50 mg 1日1回とする．

d ウパダシチニブ（UPA）

- JAK1への強い阻害作用を有する．
- 関節リウマチ以外にも，乾癬性関節炎，アトピー性皮膚炎に適応がある．

▶用法・用量

- 関節リウマチ：15 mgを1日1回経口投与．患者の状態に応じ7.5 mgを1日1回．
- 乾癬性関節炎：15 mgを1日1回経口投与．
- CYP3A4で代謝されるため，CYP3A4を阻害する薬剤（マクロライド系抗菌薬，抗真菌薬，カルシニューリン阻害薬など）で血中濃度は上昇し，CYP3A4を誘導する薬剤（抗てんかん薬，リファンピシンなど）の併用により血中濃度が低下することに留意する．

e フィルゴチニブ（FIL）

- JAK1を選択的に阻害する．

▶用法・用量

- 200 mg を 1 日 1 回食後経口投与．患者の状態に応じて 100 mg を 1 日 1 回とする．
- 腎機能障害患者：15 ≦ eGFR＜60 では 100 mg を 1 日 1 回，eGFR＜15 では投与しない．

f JAK 阻害薬の副作用

- 帯状疱疹，リンパ球減少，鼻咽頭炎，血栓症などがあげられる．
- TOF を用いた市販後調査 ORAL surveillance の結果を受けて，重症な心疾患，悪性腫瘍，血栓，死亡などのリスクを米国 FDA が勧告している．
- **帯状疱疹の副作用が既存の生物学的製剤と比較して 2 倍多く，さらにわが国では諸外国と比較して 2 倍多い．特に高齢者，ステロイド投与，帯状疱疹の既往歴のある患者で多くみられる**．
- リンパ球数は投与開始後に一時的に増加するが，以後は徐々に減少する．
- 長期の安全性に関しては，データの集積が必要である．

g JAK 阻害薬の投与禁忌

- 重篤な感染症，活動性結核，本剤への過敏症．
- 好中球数＜1,000/μL，リンパ球数＜500/μL，ヘモグロビン＜8 g/dL．
- 妊婦または妊娠している可能性のある婦人．

h JAK 阻害薬の中止のタイミング

- 有効かつ安全に使用可能な際は継続するが，寛解達成後中止や減量の試みが世界的に行われている．

6 IL-12/23 阻害薬，IL-23 阻害薬

- 現在使用可能な薬剤としては，IL-12 と IL-23 に共通する p40 サブユニットに対するヒト型モノクローナル抗体であるウステキヌマブがある．IL-23 の p19 サブユニットに対するモノクローナル抗体であるグセルクマブ，リサンキズマブがある．
- 適応疾患は以下のとおり．

> • ウステキヌマブ：乾癬性関節炎など
> • グセルクマブ：乾癬性関節炎，掌蹠膿疱症など
> • リサンキズマブ：乾癬性関節炎など

a ウステキヌマブ

▶用法・用量

- ウステキヌマブ：1 回 45 mg を初回と 4 週後，以降 12 週間隔で投与する．効果不十分な場合には 1 回 90 mg 可能．

b グセルクマブ

▶用法・用量

- グセルクマブ：1 回 100 mg を初回，4 週後，以降 8 週間隔で皮下投与する．

c リサンキズマブ

▶用法・用量

- リサンキズマブ：1 回 150 mg を初回，4 週後，以降 12 週間隔で皮下投与．患者の状態に応じて 1 回 75 mg を投与することもできる．

d IL-12/23 阻害薬，IL-23 阻害薬の副作用

- 特に注意すべき副作用は，感染症である．

e IL-12/23 阻害薬，IL-23 阻害薬の禁忌

- 重篤な感染症と 活動性結核，本剤に対する過敏症.

f IL-12/23 阻害薬，IL-23 阻害薬の中止のタイミング

- 有効かつ安全に使用可能な際は継続する．中止に明確な基準はない.

7 IL-17 阻害薬

- 現在使用可能な薬剤としては，IL-17A に対するヒト型モノクローナル抗体であるセクキヌマブ，ヒト化モノクローナル抗体であるイキセキズマブ，ヒト型 IL-17 受容体 A モノクローナル抗体ブロダルマブがある.
- 適応疾患は，乾癬性関節炎，強直性脊椎炎，体軸性脊椎関節炎.

a セクキヌマブ

▶用法・用量

- 乾癬性関節炎：1 回 300 mg の皮下投与を 1 週ごとに計 5 回皮下投与した後，4 週間隔で皮下投与する．体重 60 kg 以下の患者では 1 回 150 mg の投与を考慮する.
- 強直性脊椎炎，体軸性脊椎炎関節炎：1 回 150 mg を 1 週ごとに計 5 回皮下投与し，以降 4 週間隔で皮下投与する.

b イキセキズマブ

▶用法・用量

- 乾癬性関節炎：1 回 160 mg の皮下投与，2 週後から 12 週後までは 1 回 80 mg を 2 週間間隔で皮下投与し，以降は 1 回 80 mg を 4 週間隔で皮下投与する．12 週時点で効果不十分な場合には，1 回 80 mg を 2 週間間隔で皮下投与できる.
- 強直性脊椎炎，体軸性脊椎炎関節炎：1 回 80 mg を 4 週ごとで皮下投与する.

c ブロダルマブ

▶用法・用量

- 乾癬性関節炎，強直性脊椎炎，体軸性脊椎炎関節炎：1回210 mgを初回，1週後，2週後に皮下投与し，以降は2週間隔で皮下投与する．

d IL-17阻害薬の副作用

- 注意すべき副作用は，感染症である．
- IL-17はカンジダ感染に対する粘膜防御において重要な役割を果たしており，注意が必要である．

e IL-17阻害薬の禁忌

- 重篤な感染症と活動性結核，本剤に対する過敏症．

f IL-17阻害薬の中止のタイミング

- 有効かつ安全に使用可能な際は継続する．中止に明確な基準はない．

8 IL-5阻害薬

- 現在使用可能な薬剤としては，ヒト化抗IL-5モノクローナル抗体のメポリズマブがある．
- 適応症としては，好酸球性多発血管炎性肉芽腫症，気管支喘息がある．
- 好酸球の細胞表面に発現しているIL-5受容体へのIL-5結合を阻害することでIL-5の好酸球数増加作用を抑制する．

メポリズマブ

1）用法・用量

- 好酸球性多発血管炎性肉芽腫症：1回300 mgを4週ごとに皮下注射．
- 気管支喘息：1回100 mgを4週ごとに皮下注射．

2) 副作用

- 注射部位反応などが起こることがある.

3) 禁　忌

- 本剤への過敏症.

4) 中止のタイミング

- 有効かつ安全に使用可能な際は継続する. 中止に明確な基準はない.

9 抗I型インターフェロン受容体阻害薬

- 現在使用可能な薬剤としては, アニフロルマブがある.
- 適応疾患は既存治療で効果不十分なSLE.
- 既存治療で効果不十分なSLE患者において, 皮膚, 関節など臓器の疾患活動性低下とステロイド減量効果を示した.
- 重症のループス腎炎または中枢神経ループスを有するSLE患者に対する有効性および安全性は検討されていない.

アニフロルマブ

1) 用法・用量

- 1回300 mgを4週間ごとに30分以上かけて点滴静注する.

2) 副作用

- 特に注意すべき副作用は, 感染症である.

3) 禁　忌

- 重篤な感染症と活動性結核, 本剤への過敏症.

4) 中止のタイミング

- 有効かつ安全に使用可能な際は継続する. 中止に明確な基準はない.

10 抗C5a受容体阻害薬

- 現在使用可能な薬剤としては, アバコパンがある.
- 経口投与可能な低分子化合物で白血球などに存在するC5a

受容体を阻害し，白血球の遊走および接着分子の発現誘導を妨げることで，抗炎症作用を呈する．
- 顕微鏡的多発血管炎，多発血管炎性肉芽腫症に適応がある．
- 抗好中球細胞質抗体 (ANCA) 陰性の顕微鏡的多発血管炎，多発血管炎性肉芽腫症を対象とした臨床試験は実施されていない．
- ステロイドに対する非劣性が証明され，ステロイドの副作用軽減が期待される．

アバコパン

1) 用法・用量
- 1 回 30 mg を 1 日 2 回，朝夕食後に経口投与する．

2) 副作用
- 特に注意すべき副作用は，感染症である．

3) 禁　忌
- 本剤への過敏症．

4) 中止のタイミング
- 有効かつ安全に使用可能な際は継続する．中止に明確な基準はない．

11 補体 C5 モノクローナル抗体製剤

- 現在使用可能な薬剤としては，エクリズマブがある．
- 膠原病関連病態では，非典型的溶血性尿毒症症候群 (aHUS) における血栓性微小血管障害 (TMA) の抑制に適応がある．
- 髄膜炎菌感染のリスクが上昇するため，本剤投与の少なくとも 2 週間前に髄膜炎菌に対するワクチン接種を行い，感染徴候がある場合には，ただちに診察し適切な対応を要する．

エクリズマブ

1) 用法・用量・投与方法
- aHUS に伴う TMA の抑制（18 歳以上）：導入期は 1 回 900 mg を週 1 回で計 4 回．維持期は初回投与 4 週後から 1 回 1,200

mg を 2 週に 1 回投与.

2) 副作用

- 補体複合体の形成が阻害されるため，髄膜炎菌への感染リスクが上昇し，感染が成立した場合には致命的な経過をたどることがある.
- 患者にリスクや初期徴候を理解してもらい，副作用出現時にはすみやかに医療機関受診をするように指導する.

3) 禁　忌

- 本剤への過敏症.
- 髄膜炎菌感染症に罹患している患者.

4) 中止のタイミング

- 中止した場合に重度の TMA が発現するおそれがあるため，本剤の投与中止後，最低 12 週間は患者の状態を注意深く観察し，必要に応じて適切な処置を行うこと.

12 PDE4 阻害薬

- 現在使用可能な薬剤としては，アプレミラストがある.
- 適応症としては，乾癬性関節炎，Behçet 病による口腔潰瘍がある.

アプレミラスト

1) 用法・用量

- 1 日目 10 mg/日から開始し，毎日 10 mg ずつ漸増していく（最初 2 週間分の薬がパックになったスターターパックがある）．6 日目以降は 1 回 30 mg を 1 日 2 回，朝夕に経口投与する.

2) 副作用

- 嘔気や下痢，頭痛などが内服開始から 2 週間以内に出現，4 週間以内に治まることが多い.

3) 禁　忌

- 本剤への過敏症.
- 妊娠または妊娠している可能性がある女性.

4) 中止のタイミング

- 有効かつ安全に使用可能な際は継続する．中止に明確な基準はない．

参考文献

1) Kaneko Y et al：Targeted antibody therapy and relevant novel biomarkers for precision medicine for rheumatoid arthritis. Int Immunol **29**：511-517, 2017

7 免疫グロブリン大量静注療法

- 免疫グロブリン大量静注療法（intravenous immunoglobulin therapy：IVIG）には，1,000人超の献血者の血漿から抽出された免疫グロブリンを含む製剤を用いるが，中でもFc活性を有するものが利用される.

1）作用メカニズム

- 十分に明らかとなっているわけではないが，以下のようなメカニズムが想定されている.

①Fcγ受容体を飽和させマクロファージ（Mφ）の活性化を抑制する
②抑制性シグナルを担うFcγ受容体ⅡBを誘導する
③C3bなどの補体成分に免疫グロブリンが結合することによる補体作用の低下
④抗イディオタイプ抗体として作用し，自己抗体の自己抗原への結合を抑制する
⑤免疫複合体の沈着およびクリアランスを阻害する
⑥炎症性サイトカインの制御
⑦顆粒球のアポトーシス誘導

2）膠原病領域におけるIVIGの適応疾患

- IVIGの保険適用となっている疾患は，製剤により記載に違いがあるが，表1のようになっている.
- 好酸球性多発血管炎性肉芽腫症（EGPA）とGuillain-Barré症候群に対する保険適用があるのは献血ベニロン®のみであったが，2015年6月の出荷差し止め以降は献血ヴェノグロブリン®を含むグロブリン製剤の代替使用が可能になっている.

a 用法・用量

- 0.4 g/kg/日を5日間連続で投与する.
- 緩徐に点滴静注することが重要である.
- ショックなどの副作用は初回投与開始の1時間以内，また投与速度を上げた際に起こることがあり，特に注意する．投与

表 1　膠原病領域における IVIG の適応疾患

1. 低または無γグロブリン血症
2. 重症感染症における抗菌薬との併用
3. **免疫性血小板減少性紫斑病（ITP）**（他剤が無効で著明な出血傾向があり，外科的処置など止血管理を必要とする場合）
4. 川崎病の急性期（重症で，冠動脈障害の発生のリスクがある場合）
5. **好酸球性多発血管炎性肉芽腫症（EGPA），旧称：Churg-Strauss 症候群（CSS）/アレルギー性肉芽腫性血管炎（AGA）における神経障害**（ステロイドが効果不十分*な場合）
6. Guillain-Barré 症候群（急性増悪期で歩行困難な重症例）
7. **多発性筋炎/皮膚筋炎**における筋力低下（ステロイドが効果不十分な場合）
8. 慢性炎症性脱髄性多発根神経炎（多巣性運動ニューロパチーを含む）の筋力低下
9. 全身型重症筋無力症（ステロイドまたはステロイド以外の免疫抑制薬が十分に奏効しない場合）

太字：膠原病領域において IVIG の施行が多いもの
* EGPA の末梢神経障害の治療に用いる場合は，ステロイドによる適切な治療（原則として，PSL 換算で 40 mg/日以上のステロイドを 4 週間以上投与）によっても十分な効果の得られない患者を対象とする．

方法は各製剤の添付文書を確認して行うこと．

1）day 1

- 投与開始から 1 時間は 0.01 mL/kg/分（➡体重 50 kg の患者なら 30 mL/時）で投与し，副作用の発現などがなければ，徐々に速度を上げることも可能であるが，最大で 0.03 mL/kg/分（➡体重 50 kg の患者なら 90 mL/時）を超えないようにする．

2）day 2〜5

- 前日に耐容した速度から投与開始可能である．

処方例

- 50 kg の患者に 0.4 g/kg の IVIG で 5%のグロブリン製剤を使用して行う場合：計 400 mL の点滴での経静脈投与が必要である．
- 中年以下の症例では頭痛が起こりやすいため，これを予防するためと血液の高粘稠化を避ける目的で維持補液 500 mL 程度を併用しながら投与する.

具体的な投与方法

- 最初の 1 時間：0.01 mL/kg/分＝30 mL/時
- 副作用がなければ次の 1 時間：0.02 mL/kg/分＝60 mL/時
- 以降も副作用がなければ 0.03 mL/kg/分＝90 mL/時で投与

➡最初の 2 時間と合わせて約 5.5 時間で投与が終了する計算となる

b 副作用

- 軽微な副作用として肝機能障害，頭痛，悪寒，発熱などが比較的多く経験される.
- まれではあるが重大な副作用として，血液粘稠度の増加による血栓症，急速投与に伴う肺水腫，血圧低下やショック，アナフィラキシーが報告されている.
- 点滴速度が副作用の発現に関与する場合もあり，緩徐に点滴することが重要である.
- 副作用の発現時には IVIG の中止，あるいは投与速度をさらに緩徐にするなどの対応が必要である.

c 禁　忌

- 当該製剤に対するショックの既往.
- IgA 欠損症の患者：抗 IgA 抗体を保有する患者では過敏反応を起こすおそれがあるため，添付文書上は禁忌ではないが使用を避けることが望ましい.

d 自己免疫疾患に対する IVIG の効果発現時期

- 免疫性血小板減少性紫斑病（ITP）に対して IVIG を施行した場合，血小板が増加するまで 3～5 日を要する（そのため，緊急を要するには血小板輸血の併用が必要）．血小板増加のピークは約 7 日で 2～6 週で前値に戻る.
- 皮膚筋炎に対する効果は IVIG 後およそ 15 日で認められ，最大効果は 1.5 ヵ月時点で認められたとする研究[1)]がある.

●EGPA の末梢神経障害に対する効果は 1 週程度で認められると考えられている[2)].

文献

1）Dalakas MC et al：A controlled trial of high-dose intravenous immune globulin infusions as treatment for dermatomyositis. N Engl J Med **329**：1993-2000, 1993
2）Taniguchi M et al：Treatment for Churg-Strauss syndrome：induction of remission and efficacy of intravenous immunoglobulin therapy. Allergol Int **56**：97-103, 2007

参考文献

1）Evgeny AE et al：Immunoglobulins with non-canonical functions in inflammatory and autoimmune disease states. Int J Mol Sci **21**：5392, 2020

8 血漿交換療法

- 血漿交換（plasma exchange：PE）は患者から全血を採取し，体外循環装置を用いて血球成分と血漿成分を分離した後に，患者血漿成分を正常ヒト血漿ないし他の適切な置換液と交換する治療法である．

1）作用メカニズム

- 広い分子領域に及ぶ病因物質を除去することで，組織障害の進行を抑制する．この場合の除去対象となる病因物質として，①自己抗体，②免疫複合体，③クリオグロブリン，④多発性骨髄腫の産生する免疫グロブリン軽鎖，⑤エンドトキシン，⑥その他（サイトカインやコレステロール含有リポ蛋白）などが想定される．
- 新鮮凍結血漿（FFP）を置換液に使用した場合には，正常血漿に存在する成分の補給が可能である．
- 血栓性血小板減少性紫斑病（TTP）病態では，ADAMTS13の欠損または活性低下があり，補充の意味合いが重要となるため，置換液はFFPでなくてはならない．

2）膠原病領域における適応疾患

- 悪性関節リウマチでは週1回まで，SLEでは一連につき月4回まで血漿交換の保険適用が認められているが，これらの疾患に対するPEの効果はランダム化比較試験（RCT）で有効性が証明されたものはなく，あっても効果は一時的なものにとどまる．
- 血栓性血小板減少性紫斑病/溶血性尿毒症症候群（TTP/HUS）：総称して血栓性微小血管障害症（thrombotic microangiopathy：TMA）と呼ばれる．一連につき週3回，3ヵ月まで保険適用が認められており，膠原病領域においてはTMA病態に対するPE施行の機会が最も多いと考えられる．
- 近年では抗MDA5抗体陽性皮膚筋炎に伴う急速進行性の間質性肺疾患にも有効性が報告されている．

3) 海外ガイドラインにおけるPE適応

● 海外では以下の膠原病領域の疾患に対しPEが適応であり，わが国では保険適用外であるが，急速進行性や治療抵抗性などを加味した場合には治療選択肢となりうる．

- 抗GBM抗体病（Goodpasture症候群）：透析導入例または肺胞出血例
- ANCA関連血管炎：透析導入例または肺胞出血例
- クリオグロブリン血症：重症病型

● 上記の疾患ではTTP病態と異なり，正常血漿に存在する成分の補給が病態改善に関与するわけではないため，使用製剤はFFPでなくアルブミン製剤などを使用するが，アルブミン製剤ではIgGや凝固因子などが低下することなどに留意し適宜FFPも検討する．

4) TMA（TTP/HUS）に対するPE施行

● TMAの患者血漿中には多量体を形成したvon Willebrand因子（vWF）が存在することが報告され，これがTMAの病態と関連すると考えられている．先天的なTTPではvWFを分解するADAMTS13の欠損が報告され，特発性のTTPではADAMTS13に対する自己抗体の存在が関与していると考えられている．

● TTPはPEの行われなかった1970年代までの死亡率はほぼ100％であったが，PEが施行されるようになってきてからの救命率は改善している．

● 3歳以下の小児で下痢が先行するHUSは，水分バランスの管理と適切な時期での透析施行により予後良好とされるが，この型に対しRCTでPEの有効性を明らかにしたものはない．

● 成人のHUSは時に神経症状がみられ，TTPとの異同が問題になるが，これに対してはPEを施行する．

● TMA病態に対してPEが奏効するメカニズムとしては以下が想定されている．

①ADAMTS13インヒビターの除去
②UL-vWFMの除去
③サイトカインの除去
④ADAMTS13，正常vWFの補充

a 用法・用量

- 置換液はFFPを使用する．国際的には循環血漿量の1〜1.5倍を1回の治療で使用する．
- 循環血漿量＝体重（kg）× 70 mL（/kg）
  × (1−ヘマトクリット（Hct）) ≒ 40 mL/kg.
- FFPは4単位で480 mL.
- 例）50 kg，Hct 40％であるとすると循環血漿量の1倍量で2,100 mL ≒ FFP 18単位が必要である．
- FFP 1倍量を使用すると，交換される血漿量は循環血漿量の60％程度，1.5倍量を使用すれば75％程度である．

b 投与法

- アフェレシス用の中心静脈カテーテルを挿入し，体外循環装置に接続する．
- FFPの使用時には30〜37℃の恒温槽中で急速に融解し，すみやかに（融解後3時間以内に）使用する．
- FFPの融解後にやむをえず保存する場合は，2〜6℃の保冷庫内に保存する．

c 副作用

- FFPではアルブミン製剤などと異なりウイルスの不活化が行われていないため，血液を介する感染症の伝播をきたす可能性がある．
- PE施行前にFFPの色調変化を肉眼で確認する．
- 時にアレルギーあるいはアナフィラキシー反応をきたすことがあるため，特に投与開始後には注意する．
- 体外循環を介するため，血圧低下を伴うこともある．

d 禁　忌

- FFPの成分または含有成分でショックの既往歴，本剤成分または含有成分で免疫学的副作用の既往歴，IgA欠損症，欠損蛋白に対する抗体を保有，血漿蛋白欠損症がある場合には慎重投与を行う．

- IgA欠損症の患者：抗IgA抗体を保有する患者では過敏反応を起こすおそれがあるため，添付文書上は禁忌ではないが使用を避けることが望ましい．

e 中止のタイミング

- TMAの場合，血小板数が10万～15万/μLを上回ったら血漿交換を中止して経過観察し，その後も血小板数が低下してこなければそのまま中止する．このように，臨床パラメータの推移をみて中止を判断する．

参考文献

1) Michael W et al：The effects of plasma exchange in patients with ANCA-associated vasculitis：an updated systematic review and meta-analysis. BMJ **376**：e064604, 2022
2) 草生真規雄ほか：膠原病・リウマチ性疾患における アフェレシスガイドラインの解説．日アフェレシス会誌 **38**：196-219，2019
3) 日本アフェレシス学会（編）：日本アフェレシス学会 診療ガイドライン 2021. 日アフェレシス会誌 **40**：144-145. 2021

1 リハビリテーション

- 膠原病は，寛解と増悪を繰り返し慢性的に経過する疾患である．
- 急性期は安静が重要となるが，過度の安静により廃用症候群に陥ることなく，社会とつながりを持ちつつ療養するためにはリハビリテーションは欠かせない治療の1つで，主な構成要素は有酸素運動，筋力トレーニング，リラクゼーションである．

a 関節リウマチに対するリハビリテーション

- 臨床的寛解にいたるまでの急性期は関節保護とエネルギー節約を目的とした基礎療法が重要である．
- 基礎療法は具体的には，大きな関節を変形しにくい方向で使用する，同一姿勢や不安定な姿勢を避ける，自助具を使うなどであるが，疼痛緩和，関節負担軽減，変形予防に有用である．
- 長期罹病に伴う廃用症候群に対しては，休息と運動のバランスを保ちながら，筋力と可動域維持を目的に運動療法を行う．
- 昨今は生物学的製剤の導入に伴い，臨床的寛解後の過用や誤用により関節変形を招く症例が散見され，それらへの対応が必要となってきている．

b 強皮症に対するリハビリテーション

- 皮膚硬化により生じる関節拘縮予防を目的に，手指のストレッチを指導する．自主トレーニングを継続的に行うことが重要である．
- 個々の症例の皮膚硬化に応じて，顔面，足，膝のストレッチを提案してもよい．
- 皮膚潰瘍のある部位は過度な負荷をかけないことが大切である．
- 間質性肺炎合併例については，運動耐用能低下予防を目的に胸郭ストレッチ, 体幹や下肢筋力トレーニングが有用である. 血中酸素濃度の低下, 自覚症状に注意して行う.

- 肺高血圧症例の心臓リハビリテーション, 呼吸リハビリテーションは, 廃用予防の目的で提案してもよいが, 安全域と有効域の差がないことが予想され, 自覚症状, 心拍数, 血中酸素濃度などを十分にモニタリングしながら注意深く行う必要がある.

c 多発性筋炎・皮膚筋炎に対するリハビリテーション

- 運動療法の導入時期に関しては, CK が正常化するまでは運動負荷をしないという時代もあったが, 現在ではステロイドなどの治療を開始後は適度な筋力トレーニングを開始してもよいと考えられている.
- 慢性期の筋力トレーニングは ADL, 筋力, 体力が向上につながるため, 退院後も継続的に行うことが望ましい.
- 負荷量に関してはいまだ明確なものはなく, 個々の CK の値をモニタリングしながら行う以外にない.

d 血管炎に対するリハビリテーション

- 血管炎に伴う神経障害は運動障害や, 灼熱感などの感覚障害を招く.
- 残存している神経線維数が多い場合は, 最大 80% の神経再支配が見込める.
- 脱神経筋への過度な運動負荷は神経再生を阻害するため, 積極的な補装具処方により機能を補いながら, 神経再支配までの長期不使用を避ける.

参考文献

1) 三森経世：膠原病の診断と治療. Jpn J Rehabil Med **57**：686-692, 2020

B. 非薬物療法

2 生活指導・在宅ケア

●膠原病患者の状態を改善するためには, 薬物療法だけでなく, 増悪因子の回避や安静と運動, 食事, 生活環境, 妊娠など種々の生活上の指導を適切に行い, 積極的に自己管理することが重要である.

a 定期的受診と確実な服薬

●定期的受診をすることにより, 再燃の早期発見・早期治療につながることを理解させる. 患者の理解度に応じて検査成績の意義を伝え, 治療に対し前向きになれるようにサポートする.

●確実な服薬をすることにより, すみやかな寛解導入・寛解維持が得られることを理解させる. 服用薬剤の副作用についても正しく伝え, 必要時に遅滞なく受診するように指導する.

●ステロイドの自己中断は病状を悪化させるだけでなく, 相対的副腎不全により生命の危険に及ぶことを伝えることが重要である.

b 増悪因子の回避

●病状を悪化させる因子(**表1**)は避ける工夫が大切であるが, 患者がおかれた環境に留意し, 個々にきめ細やかな対応をする.

表1 増悪因子

疾患名	増悪因子
SLE	日光, 寒冷, 妊娠, 分娩, 薬物, 感染, 外傷, 手術, 過労
強皮症	寒冷曝露, 過労, 精神緊張, 心身のストレス, 運動不足, 喫煙
多発性筋炎/皮膚筋炎	筋肉疲労, 精神的なストレス
結節性多発動脈炎	過労, 薬剤, 感染
間質性肺疾患	喫煙, 感染, 薬剤

c 安静と運動

- 急性期には安静を保つことが大切である．周囲（家族・職場）の理解が得られるように説明し，必要に応じて診断書作成を行う．
- 適切な運動は必要であるが，過度な負荷は禁物である．大まかな目安としては翌日になって疲労，関節痛，筋肉痛が残るような運動は過剰である．

d 食　事

- 栄養素のバランスのとれた食事を十分摂ることが望ましい．
- 腎症・高血圧・糖尿病・肝機能障害などが併存し，特別食が必要であれば栄養士の助言を求める．
- 食道運動機能がわるい強皮症患者においては1回の食事量を減らして，回数を増やす，胃酸の分泌を促進するアルコール，脂質の多い食物，チョコレートなどを控えるなどの工夫を要する．

e 生活環境

- 冷暖房・加湿の適切な管理により，症状の増悪を防げる可能性がある．寒冷曝露はいずれの疾患においても増悪因子になりうる．特にRaynaud現象が著しい場合は，他人より早めに手袋をするなどの工夫が有用である．加湿はSjögren症候群の乾燥症状を和らげる．
- 特にRaynaud現象や間質性肺疾患を持つ症例は受動喫煙を含めて喫煙は避けるように指導する．
- 感染は自己免疫疾患悪化のトリガーになるため，マスク・うがい・手洗いといった標準予防策を徹底する．

f 社会復帰

- 社会復帰に際しては主治医と個々の状況に応じた相談が必要である．寛解が3～6ヵ月続くことが目安になる．
- 増悪因子が認められる場合は，それらを回避できるように職場に理解を求める必要がある．

g 妊娠・出産

- 症状が十分コントロールされており，なおかつ主治医および産婦人科医による十分な監視があれば妊娠・出産は可能である．
- 胎児に対する安全性が確立されていない薬剤の中止により，症状が悪化する可能性を確認する必要がある．
- 中等量までのステロイド内服は，胎児への影響がほとんどないことを説明する．
- 妊娠中は症状の改善がみられる場合があるが，分娩後は病勢が不安定になり，疾患の活動性が増す場合があることを説明する．
- 分娩直後は家族の協力が必須であり，数ヵ月間は経過を注意深く管理する．

参考文献

1）吉田俊二：自己管理と QOL．日内会誌 **86**：1414-1420, 1997

IV

各疾患へのアプローチ

1 関節リウマチ

- 有病率 0.5〜1.0%，女性に 4 倍多い．人種差は少ない．
- 自己免疫反応を基盤として，慢性破壊性関節炎をきたす．関節症状のみならず，関節外症状も起こす．
- 喫煙と歯周病は生活関連リスク因子の 1 つである．
- 適切に治療しないと，関節変形が進行し，日常生活動作（ADL）低下と寿命の短縮につながる．
- 関節リウマチ（RA）は滑膜組織が主病変である．滑膜への炎症細胞浸潤から血管新生，滑膜増殖をきたし，軟骨と骨膜が移行する bare area と呼ばれる部分を中心に骨吸収・骨破壊が進む．
- 滑膜でパンヌスという肉芽組織が形成され，破骨細胞が活性化され骨吸収が促進される．分泌される蛋白分解酵素などにより軟骨分解も進み，骨・軟骨破壊が起きる．
- 滑膜や関節液には T 細胞，B 細胞浸潤が認められ，またその病態形成には腫瘍壊死因子（TNF），インターロイキン（IL）-1，IL-6 などの炎症性サイトカインが大きく関わっている．

a 臨床所見

- 全身症状：全身性炎症性疾患として，微熱，全身倦怠感，体重減少などをきたす．38℃を超えることはまれである．
- 関節症状：RA における主症状である．

1）朝のこわばり

- 炎症性の場合には持続時間が長く，1 時間以上持続することが目安となる．

2）炎症性関節炎

- 活動性滑膜炎の所見は，圧痛，運動時痛，腫脹である．熱感や発赤を伴うこともある．
- 手指が初発症状部位であることが多い（RA 患者の 90%は手・手指関節に罹患）．
- 近位指節間（PIP）関節，中手指節（MCP）関節に好発し，遠位指節間（DIP）関節の頻度は低い.

- 進行すると，スワンネック変形，ボタン穴変形，尺側偏位，掌側亜脱臼，Z 変形など特徴的な変形を呈する.
- 足・足趾関節も，手指と同等に大半の患者が罹患し，Chopart 関節，Lisfranc 関節，中足趾節（MTP）関節に好発する.
- その他の大関節を含め，滑膜関節はどこも罹患しうる.
- 脊椎病変はまれであるが，上位頸椎椎間関節は滑膜関節であり罹患する.
- 環椎・軸椎は腱滑膜炎による靱帯のゆるみから亜脱臼をきたし，脊髄圧迫による呼吸中枢麻痺などのリスクがあるため，定期的な前屈位と後屈位での頸椎 X 線検査が必要である. 四肢のしびれなどが出現した場合には，すみやかに整形外科に相談する.

3）関節外症状

- RA にはさまざまな関節外症状がある.
- リウマチ結節：肘・膝伸側，後頭部，仙骨部など，圧迫部位に出現することが多い. 手指や，肺，胸膜，心膜などにも生じる. 疾患活動性が高い時期に生じやすい.
- 上強膜炎，強膜炎：充血，眼痛が出現したら眼科に相談する.
- 呼吸器症状：肺・気道病変と胸膜病変に分けられる.
  - 肺病変：間質性肺炎が最も頻度が高く，また生命予後に関わる重大な関節外症状である. 特発性間質性肺疾患に準じ通常型間質性肺炎（UIP），非特異性間質性肺炎（NSIP）などに分類される. 緩徐な進行にとどまる例も多いが，急速に進行し致命的になることもある.
  - 気道病変：濾胞性細気管支炎，気管支拡張症がある.
  - 胸膜病変：胸膜炎をきたす. 貯留胸水は通常片側性であるが，約 25％は両側性であり，滲出性・糖低値を示す.
- 血管炎の合併：全身性症状・臓器障害を主とする全身性動脈炎型（Bevans 型）と皮膚病変を主体とする末梢動脈炎型（Bywaters 型）に分類される.
  - Bevans 型は特に予後不良であり，結節性多発動脈炎に準じた強力な免疫抑制療法を要する. 血管炎を疑う場合には，皮疹，指趾潰瘍などの末梢病変診察と，漿膜炎，心筋炎，多発単神経炎などの全身精査が必要である.

- わが国では, 関節外症状の強いRAを悪性関節リウマチと呼ぶ. 欧米では血管炎合併例をrheumatoid arthritis with vasculitisと呼ぶ[⇒「Ⅳ-A-2. 悪性関節リウマチ」参照, p150].
- アミロイドーシス：長期罹患後に二次性に出現する. AAアミロイド沈着であり, 腎臓, 消化管, 心筋が好発部位である. 腎生検, 十二指腸・直腸生検などで組織をコンゴ・レッド染色して証明する.

b 検査所見

1) 血液検査

a リウマトイド因子 (RF)・抗CCP抗体

- RFはIgGのFc部分に対する自己抗体で, IgM型は感度が高く, IgG型は特異度が高い.
- 抗CCP抗体は, 感度・特異度ともに高い.
- RF, 抗CCP抗体の高値陽性患者は, 関節破壊の進行が早く予後がわるいとされている.
- 約20％は血清反応陰性RAと呼ばれ, RFおよび抗CCP抗体が陰性である.

b 炎症反応

- CRP, 赤沈のどちらも炎症の存在を示唆する. 関節炎の強さと相関するが, 陰性でも関節炎がないとは限らない. 赤沈は, 女性や高齢者では高めに出ることがある.

c MMP-3

- 滑膜表層細胞によって産生される蛋白分解酵素で, 軟骨マトリックス成分の分解に関与する. 特異性は高くないが, 関節破壊や滑膜病変を反映する.

2) 画像検査

- 関節単純X線像が基本画像であるが, 最近ではMRI, エコーで関節を鋭敏に評価することができる.

3) 関節液

- RAでは関節液が白血球増加から白濁し, ヒアルロン酸が切断されて粘稠度が低下する.

表 1　RA の鑑別疾患と鑑別のポイント

鑑別疾患	鑑別のポイント
変形性関節症	• DIP 関節が好発（RA は PIP，MCP 関節が罹患しやすい）
リウマチ性多発筋痛症，RS3PE 症候群	• 高齢者に多く，高齢 RA との鑑別が困難な場合あり • 末梢関節炎の程度が 1 つの目安
成人発症 Still 病	• 関節炎は RA と同様に強いが，発熱，皮疹などの全身症状を伴う
脊椎関節炎	• 一症状として末梢関節炎がある．乾癬皮疹や炎症性背部痛を確認する

c 診断のポイント

- 1987 年 ACR 分類基準または 2010 年 ACR/EULAR 分類基準を参考に診断する [⇒付録①参照，p330]．
- 1987 年 ACR 分類基準は特異度が高いが，早期診断には不向きである．2010 年 ACR/EULAR 分類基準は早期診断が可能であるが，血清反応陰性例では感度が低く，きちんとした鑑別診断が必要なため専門医向けの基準である．
- 関節痛をきたす疾患を鑑別する必要がある（**表 1**）．
- 多くの膠原病が関節炎をきたす．抗核抗体や各自己抗体，各膠原病に特徴的な症状，臓器障害が診断の一助となる．

d 評　価

1）疾患活動性

- 腫脹関節数，圧痛関節数，CRP，赤沈，MMP-3 などが疾患活動性の目安となる．数値化した総合指標として，DAS28，SDAI，CDAI などがある [⇒付録②参照，p364]．

2）疾患活動性の改善度評価

- ACR20/50/70 が汎用される評価方法で [⇒付録②参照，p365]，疾患活動性が 20/50/70% 改善したことを表す．

3）関節破壊

- 単純 X 線像，関節エコー，関節 MRI で評価できる．
- 定期的（半年から 1 年に 1 回）に手足や有症状関節の X 線を撮影して骨破壊の進行を評価する．

● 古くより関節破壊の進行度はSteinbrockerのStage分類で半定量化されてきた［⇒付録②参照，p363］.
● 手・手指関節と足趾関節におけるびらんと関節裂隙狭小化をスコア化した，modified Total Sharp Score（mTSS）で定量化が可能である.

4）身体機能評価

● 古くはACRのclass分類で身体機能障害程度が半定量化された［⇒付録②参照，p363］.
● 現在は，Health Assessment Questionnaire–Disability Index（HAQ–DI）での定量化が用いられる.

5）総合的疾患抑制

● 臨床的寛解，構造的寛解，機能的寛解をすべて満たした状態をcomprehensive disease control（CDC）とし，よいコントロール状態であることを意味する.

- 臨床的寛解：疾患活動性が寛解になること
- 構造的寛解：年間の関節破壊進行がTSS≦0.5
- 機能的寛解：HAQ–DI≦0.5

e 治　療

1）薬物療法

● 日本リウマチ学会から「関節リウマチ診療ガイドライン2020」が発行されており，参考にする.
● RAの診断後，すみやかに抗リウマチ薬による治療を開始する.
● treat-to-target（T2T）という治療戦略が推奨されており，医師と患者合意のもと，総合的な疾患活動性評価指標を用いた臨床的寛解を目標とする.
● 寛解までは1～3ヵ月ごとに治療見直しを，寛解後は6ヵ月ごとに評価をして治療を調整する．寛解をめざすことが困難な患者では，低疾患活動性がゴールとなる.
● 高疾患活動性，RF/抗CCP抗体（高値）陽性，早期からの骨びらんの存在，2剤以上の抗リウマチ薬無効は，予後不良因子であり，強力な治療を要する.

- メトトレキサート(MTX)，その他の従来型合成疾患修飾性抗リウマチ薬(csDMARDs)，生物学的疾患修飾性抗リウマチ薬(bDMARDs)，分子標的型合成抗リウマチ薬(tsDMARDs)の使用法については，「Ⅲ-A-4. 免疫調節薬」(p94)，「Ⅲ-A-5. 免疫抑制薬」(p99)，「Ⅲ-A-6. 生物学的製剤・分子標的治療薬」(p107)を参照のこと．

a MTXの使用

- 禁忌でなければ，まずMTXを開始する．添付文書やガイドライン上は，6 mg/週で開始することになっているが，8 mg/週で開始することも多い．
- 副作用予防のため，MTXの最終内服から48時間後に葉酸5～10 mg/週を内服する．

b その他のDMARDsの使用

- MTXが禁忌または年齢，腎機能，肺合併症などから使用困難な際には，他のcsDMARDsを考慮する．日本リウマチ学会からのガイドラインでは，サラゾスルファピリジン(SASP)，ブシラミン(BUC)，金製剤，タクロリムス(Tac)，レフルノミド(LEF)，イグラチモド(IGV)がまとめて弱い推奨となっている．

c 生物学的製剤の使用

- MTXまたはcsDMARDs剤併用で効果不十分の際には，bDMARDsまたはtsDMARDsの使用を考慮する．
- bDMARDsは原則，既存のDMARDs治療で効果不十分の際に検討するが，関節予後不良が予測される患者に対しては一部の薬剤ですみやかな導入が認められている．
- bDMARDsは，使用前後でのスクリーニング，モニタリングを行いながら使用する[⇒「Ⅲ-A-1. 免疫抑制療法実施にあたっての注意点」参照，p74]．
- bDMARDsは有効性に優れるが，日和見感染を増加させるリスクや，高価であることが欠点である．
- 寛解達成後に，生物学的製剤や抗リウマチ薬の休薬または減量が行われているが，現時点では議論がある．

d その他の薬剤

- ステロイドは抗炎症作用は高いが，関節破壊抑制効果は限定的で長期的な副作用発現のリスクがあるため，可能な限り使用しない．

- ステロイドは挙児希望例，苦痛が非常に強い例，社会生活が困難な例など，特殊な事情を有する症例に限って使用されている．
- 非ステロイド性抗炎症薬（NSAIDs）をはじめとする鎮痛薬は，RA治療においては，あくまで補助的な使用である．
- わが国では，関節炎治療でも骨びらんが進行する場合には，デノスマブ使用が認められている．

2）外科的治療

- 炎症の源を切除する滑膜切除術と，破壊関節に対して行われる人工関節置換術，関節形成術，関節固定術がある．罹患関節や破壊進行度などで術式が決定される．
- 滑膜切除術は，関節鏡下で炎症源である滑膜を切除する．一時的に炎症や関節腫脹が沈静化することが多い．滑膜の完全切除は困難なため，再燃もしばしば経験される．
- 人工関節置換術は，破壊関節に対して人工関節を挿入する．耐久性は以前と比して著しく向上し，特に人工膝関節形成術（TKA），人工股関節形成術（THA）では20年以上の耐用が期待されている．
- 関節形成術では人工関節を用いず，骨の部分的切除や筋膜，人工膜を用いて関節形成する．
- 関節固定術は，可動性を犠牲にして，炎症沈静化と支持性を優先する術式である．
- 手関節背側の手指伸筋腱への炎症波及から，腱断裂をきたす場合があり，すみやかな腱再建術の適応となる．
- MTXやbDMARDsの登場でRAの疾患活動性コントロールが著明に改善したため，手術件数は減少傾向にある．特に炎症沈静化や疼痛緩和を目的とした手術は減少し，逆に外見や機能向上を重視する手術，合併する変形性関節症の手術のニーズが高くなっている．

3）リハビリテーション

- 上強膜炎，強膜炎：充血，眼痛が出現したら眼科に相談する．
- 炎症関節への強い負荷は関節炎増悪の原因となりうる．
- 一方で関節の過度な安静は関節可動域や筋力低下を招き，関節炎の程度を鑑みたリハビリテーション計画が重要である.

- 詳細は,「Ⅲ-B-1. リハビリテーション」(p135) を参照.

参考文献

1) Aletaha D et al：2010 rheumatoid arthritis classification criteria：an American College of Rheumatology/European League Against Rheumatism collaborative initiative. Ann Rheum Dis **69**：1580-1588, 2010
2) Smolen JS et al：Rheumatoid arthritis. Lancet **388**：2023-2038, 2016

2 悪性関節リウマチ

- 悪性関節リウマチという概念は，わが国独自のものである．海外では，rheumatoid arthritis with vasculitis として血管炎を伴うものを別個に分類しているが，わが国では血管炎以外に，関節外症状を複数伴う場合，血清学的に RF 著明高値や免疫複合体形成が認められる場合に，悪性関節リウマチと定義される．
- 関節症状が高度な場合をさすのではなく，上記病態が生命予後不良につながることが，「悪性」の由来である．
- RA 自体は 4 倍ほど女性に多いが，悪性関節リウマチは女性に 2 倍程度で，男性の比率が高いとされる．

a 臨床所見/検査所見

1）血管炎

- 以下の 2 型に分類される．

> • 全身性動脈炎型（Bevans 型）：中小動脈の炎症破壊を認め，発熱，体重減少，紫斑，間質性肺炎，胸膜炎，多発単神経炎などを認める
> • 末梢動脈炎型（Bywaters 型）：皮膚潰瘍，梗塞，四肢壊疽を主体とする

- 皮膚，筋肉，神経などの組織所見で，小・中動脈に壊死性血管炎，肉芽腫性血管炎，閉塞性内膜炎を認める．

2）血管以外の臓器障害

- 全身性血管炎によって障害されうる臓器があげられる．多発性単神経炎，皮膚潰瘍・梗塞，リウマチ結節，上強膜炎・虹彩炎，胸膜炎・心膜炎，間質性肺炎，腸管などの臓器梗塞が診断基準の中に含まれている．

3）血清学的所見

- リウマチ反応強陽性［リウマチ血球擬集試験（RAHA）で2,560倍以上，RF 定量で 960 IU/mL 以上］が診断基準に含まれる．また，血清中低補体価と免疫複合体陽性も診断基準の 1 項目

である.

b 診断のポイント

●厚生労働省の診断基準を参考にする [⇒付録①参照, p331].
●血管炎以外の臓器障害や血清学的所見から診断する際には, 過剰治療につながる可能性もあるので慎重に行う.

c 治　療

1) 全身性動脈炎型

●結節性多発動脈炎に準じ, 強力な免疫抑制療法を行う. プレドニゾロン (PSL) 1 mg/kg またはステロイドパルスに加え, シクロホスファミド (CY) やアザチオプリン (AZP) の免疫抑制薬を追加する.

2) 末梢動脈炎型

●中等量から大量 (PSL 換算で 0.5～1.0 mg/kg) のステロイドを投与する.
●難治性の場合や, ステロイド量減少効果を狙って, 免疫抑制薬を追加することも多い.

3) 肺臓炎型

●悪性関節リウマチの診断基準は満たさずとも, 急速進行性の間質性肺炎をきたすことがあり, 肺臓炎型として血管炎型に準じて治療する.
●急性型は致命的になりうるため, 早期から大量ステロイドに加え, CY とカルシニューリン阻害薬 (シクロスポリン/タクロリムス : CyA/Tac) を併用するなど強力な治療を余儀なくされることも多い.

●近年, 海外において rheumatoid arthritis with vasculitis に対し, リツキシマブ (RTX) の有用性が報告されている[1] (わが国では保険適用外).

参考文献

1) Coffey CM et al : Rituximab therapy for systemic rheumatoid vasculitis : indications, outcomes, and adverse events. J Rheumatol **47** : 518-528, 2020

3 リウマチ性多発筋痛症

- 50歳以上の高齢者に多く発症する.
- 肩や上腕，大腿などの四肢近位筋主体の疼痛や朝のこわばりと，発熱，倦怠感を呈する炎症性疾患である.
- 筋痛症とあるが，筋肉よりも肩や股関節の疼痛が顕著に認められることも多い.
- 男女比は1：2〜3で女性に多く，発症年齢のピークは70〜80歳である.
- わが国での正確な統計は乏しいが，罹患率は50歳以上の人口10万人につき20人程度とされ，米国や北欧の60〜110人程度よりも少ない.
- わが国では少ないが，欧米では本症の5〜30％に巨細胞性動脈炎（GCA）を合併，GCAの約半数に本症を合併し，共通の病因が考えられている.
- 本症とGCAではHLA-DR4が発症に関連している.
- 発症や病状に季節変動が示唆されており，感染症などの環境要因が契機になる可能性も示唆されているが，明確な病因は不明である.

a 臨床所見

- 肩の痛みが最も高頻度（70〜95％），次いで頸部・臀部（50〜70％），大腿の疼痛，こわばり感を認める.
- 症状は通常左右対称に出現し，特に上肢挙上や，起床などの動作時に強くなる痛みが特徴である.
- 筋肉に圧痛を認めるが，疾患による筋力低下や筋萎縮はない.
- 発症は比較的急速で，数日から数週間で症状が完成する.
- こわばりはすべての症例で認められ，肩や臀部，大腿などに起床後最低30分は持続する．多くの場合，こわばりは安静で悪化する.
- 発熱，食欲不振，体重減少，倦怠感，うつ症状などを伴うこともある.

- 激しい関節痛や骨破壊はまれであるが，膝や手の関節の腫れや痛みを伴う場合もある．
- 側頭動脈の怒張，こめかみ周囲の頭痛，顎跛行，視力障害，38℃以上の発熱を伴う場合，CT で大動脈壁肥厚を伴う場合は GCA の合併も考慮する．

b 検査所見

1）血液検査

- CRP，赤沈上昇．
- MMP-3 上昇．
- RF や抗 CCP 抗体は通常陰性．

2）画像検査

- X 線像で骨びらんは認めない．
- US や MRI などで，三角筋下滑液包炎や二頭筋の腱滑膜炎，肩甲上腕関節の滑膜炎，股関節滑膜炎，転子部滑液包炎，脊椎の棘突起間の滑液包炎を認める．
- 炎症源検索で CT や PET-CT を行う場合も多いが，大動脈壁肥厚や同部位への造影効果や核種集積がないかについて留意する．

c 診断のポイント

- Bird の診断基準（1979 年），ACR/EULAR の暫定分類基準（2012 年）を参考に診断する [⇒付録①参照，p332]．
- CK 上昇を認める場合や，抗核抗体，抗細胞質抗体陽性の場合は多発性筋炎/皮膚筋炎の可能性も考慮する．
- 少量のステロイドで著効することも診断の傍証となる．
- US や MRI などで上記のような肩・股関節周囲に炎症を認めない場合でも，リウマチ性多発筋痛症では棘突起間の滑液包炎を高率に認め，診断の一助になる可能性がある．

d 治　療

- 症状の重症度，体重，合併症を考慮し，ステロイドの初回投与量を決定する．多くの場合は，PSL 換算で 10～20 mg/日の経口ステロイド治療を開始する．

- 通常，ステロイド開始後に数時間から数日で痛みやこわばりが大幅に改善する．
- ステロイド開始後1週間以内に症状が改善しない場合は，PSLを5～10 mg/日程度増量する．
- 1週ごとに効果判定し，不十分であればさらに5～10 mg/日ごと，最大30 mg/日程度まで増量する．
- ステロイド不応の場合は，GCA合併や他疾患の可能性を含め診断を見直す．
- 臨床症状や検査データをみながらステロイドを減量し，早い場合には約1年で中止しうるが，25～50％の割合で再発を認め，少量ステロイドを継続する場合が多い．
- ステロイド減量効果を狙い，RAに対して用いるDMARDs（MTX，IL-6阻害薬）を使用することもある（保険適用外）．
- ステロイド減量で再発した場合，減量直前のステロイド量に戻す．

> - PSL 1回5 mg，1日3回内服
> - 減量の例 ⇒ 初回PSL量が15 mg/日の場合，2～3週間初回量を用いた後，12.5 mg/日を2～3週，次に10 mg/日を4～6週，以降は4～8週ごとに1 mg/日ずつ減量

参考文献

1）Dejaco C et al：2015 Recommendations for the management of polymyalgia rheumatica：a European League Against Rheumatism/American College of Rheumatology collaborative initiative. Ann Rheum Dis **74**：1799-1807, 2015
2）Izumi K et al：Steroid-sparing effect of tocilizumab and methotrexate in patients with polymyalgia rheumatica：a retrospective cohort study. J Clin Med **10**：2948, 2021
3）Lundberg IE et al：An update on polymyalgia rheumatic. J Intern Med **292**：717-732, 2022

4 RS3PE 症候群

- 1985 年に McCarty らが remitting seronegative symmetrical synovitis with pitting edema（寛解傾向がある，圧痕性浮腫を伴う，血清反応陰性の対称性滑膜炎）の頭文字を取って RS3PE 症候群と報告した．
- 比較的急性に発症する，圧痕性浮腫を伴う両手足の滑膜炎が特徴で，高齢者（男＞女）に好発する．
- 約 20～25％に悪性腫瘍を合併する．
- RS3PE と診断された患者のうち約 30％が RA 分類基準（2010 年欧州リウマチ学会/米国リウマチ学会）を満たし，関節リウマチの約 10％がリウマチ性多発筋痛症（PMR）の分類基準（2012 年欧州リウマチ学会/米国リウマチ学会）を満たしうる．
- 血管内皮細胞増殖因子（VEGF）の関与が示唆されている．

a 臨床所見

- 1/3 程度の症例で発熱を伴う．
- 手と足の両方に両側性の圧痕性浮腫が観察される．
- 腱鞘滑膜炎による腫脹・疼痛を伴う．
- 手根管症候群を伴うこともある．

b 検査所見

1）血液検査

- CRP，赤沈上昇，MMP-3 も上昇することが多い．
- RA よりも CRP は高値を示すことが多い．
- RF，抗 CCP 抗体はいずれも陰性である．
- 抗核抗体は通常陰性であるが，健常人でも約 30～40％で約 40～80 倍の低力価陽性となりうる．高齢者ではさらに陽性頻度は高くなることに留意する．

2）画像検査

- X 線写真で骨びらんは認めない．
- MRI では手足の屈筋・伸筋の腱鞘に T2 強調画像高信号，腱および腱周囲にカドリニウム造影で増強効果があり，腱炎の所見を呈する．

c 診断のポイント

- 除外診断および悪性腫瘍併存の有無の検索が重要である．
- 手に浮腫を認めない場合は他疾患を考慮する．
- 骨びらんを伴う場合は RA を考慮する．
- 肩周囲，大腿の疼痛やこわばりが強い場合は，PMR を考慮する．
- 発赤や熱感がある場合は，蜂窩織炎や深部静脈血栓症を考慮する．

d 治　療

- 多くは PSL 換算で 10〜20 mg/日程度のステロイド治療が著効し，数日のうちに浮腫は消失し，関節症状も 1 ヵ月程度で消失する．
- ステロイドは漸減し半年から 1 年で中止可能であることが多いが，10〜25％程度の頻度で再燃する．
- ステロイド抵抗例では RA や PMR であることが多く，診断の見直しや，合併症（特に悪性腫瘍）の検索が必要である．

e 臓器障害と対応

- 骨びらんを認めた場合は RA などの診断を考慮する．
- 悪性腫瘍が合併する場合は，その治療を優先する．

参考文献

1）McCarty DJ et al：Remitting seronegative symmetrical synovitis with pitting edema. RS3PE syndrome. JAMA **254**：2763-2767, 1985
2）Higashida-Konishi M et al：Comparing the clinical and laboratory features of remitting seronegative symmetrical synovitis with pitting edema and seronegative rheumatoid arthritis. J Clin Med **10**：1116, 2021

5 成人発症 Still 病

- Still 病は発熱，皮疹を伴う慢性関節炎を特徴とする小児疾患として報告され，これは現在の若年性特発性関節炎全身型とほぼ同義である．
- 成人発症 Still 病（adult onset Still's disease：AOSD）は，上記と同様の病像が成人で発症したものである．
- 好発年齢は 20〜30 歳代であるが，高齢発症もある．
- 男女比は約 2 倍程度女性に多いとされる．
- わが国の有病率は 3.9 人/10 万人と推定されている．
- 単周期全身型 /多周期全身型，慢性関節炎型の 3 つに分類される．
- 病因は不明であるが，ウイルス感染など外的な自然免疫刺激の関与が考えられている．
- 自己抗体は陰性であることが特徴で，自己免疫疾患というよりは自己炎症性疾患として捉えられている．
- 複数の血清サイトカイン高値とフェリチン高値から，マクロファージ活性化が病態に関与していると考えられる．

a 臨床所見

1) 全身症状

- 38〜39℃を超える弛張熱が特徴である．夕方から夜間に上昇し，朝には自然解熱することが多い．高熱の割に，感染症と比して患者が元気な印象を持つことも特徴である．発熱時に，皮疹，咽頭痛や筋痛を伴うことが多い．

2) 皮　疹 [⇒「I-B. リウマチ性疾患の皮膚所見」参照，p13]．

- 特徴的なサーモンピンクの丘疹状または線状紅斑を呈し，リウマトイド疹と呼ばれる．頸部，前胸部，四肢が好発部位である．発熱時に出現し，解熱時に消褪することも特徴である．Köbner 現象（機械的刺激で出現）陽性である．

3) 関節炎

- 中・大関節に好発する多発関節炎を呈する．発熱時に関節炎悪化をみることが多い．関節炎が持続すると，RA と同様の関節破壊をみることがあり，手関節の著明な裂隙狭小が有名である．

4）リンパ節腫脹

- 頸部を中心とした表在リンパ節腫脹が認められる．圧痛を伴い，発熱時に増悪することが多い．

5）肝脾腫

- 超音波または CT 検査で，約半数に検出される．

6）漿膜炎

- 心膜炎，胸膜炎が出現する．

b 検査所見

- 白血球増加：好中球上昇が優位となる．ウイルス感染ではリンパ球が上昇することが多く，鑑別の一助となる．
- 炎症反応：CRP，赤沈が著しい高値を示す．
- 肝障害：トランスアミナーゼが上昇する．
- フェリチン上昇：AOSD で特徴的で，数万まで上昇をみることも少なくない．
- 自己抗体：リウマチ反応や抗核抗体は原則陰性である．

c 診断のポイント

- 1992 年にわが国で提唱された山口分類基準が，世界的に広く使われている［⇒付録①参照，p333］．
- 除外診断であり，感染症，悪性腫瘍，膠原病を除外する．

d 治　療

1）軽症〜中等症例

- NSAIDs のみで対処可能なこともあるが，多くはステロイド治療を必要とする．
- 軽症例では，中等量ステロイド（PSL 換算で 0.5 mg/kg/日）程度で軽快することもある．症状消失後も CRP やフェリチンが正常化しない場合には，大量ステロイドを検討する．
- IL-6 阻害薬は全身症状改善やステロイド減量効果がある．

2) 重症例，重要臓器障害，播種性血管内凝固症候群（DIC），二次性血球貪食症候群の合併などの場合

- ステロイドパルス療法を含む大量ステロイド療法（PSL 換算で 1 mg/kg/日）が必要である．ステロイド抵抗性の場合には，CyA，MTX 併用も必要となる．

3) 慢性関節炎が残存した場合

- MTX を中心とした DMARDs を使用する．
- 保険適用外であるが，IL-1 阻害薬（治験中）の有効性を示す報告も散見される．

e 予　後

- DIC や急性呼吸窮迫症候群（ARDS），二次性血球貪食症候群の合併や劇症肝炎，多臓器不全への進展などが，生命予後と関連する．
- 白血球や血小板が減少した場合には，DIC，二次性血球貪食症候群の合併の可能性が高く，すみやかな治療強化が必要である．
- 身体障害には，持続性関節炎による関節破壊が影響する．

参考文献

1）Kaneko Y et al：Interluekin-6 inhibitors for the treatment of adult-onset Still's disease. Mod Rheumatol **32**：12-15, 2022
2）Gerfaud-Valentin M et al：Adult-onset Still's disease. Autoimmun Rev **13**：708-722, 2014

1 強直性脊椎炎

- 脊椎および仙腸関節を中心に腱付着部炎と骨硬化を呈する脊椎関節炎（spondyloarthritis：SpA）の代表疾患である．
- 体軸性脊椎関節炎（axial SpA）と末梢性脊椎関節炎（peripheral SpA）の2タイプを呈する．
- 男女比8：1，90％が40歳以下で発症する．

a 臨床所見（表1）

表1 強直性脊椎炎（AS）の臨床所見

炎症性腰痛	①発症が40歳以下，②緩徐な経過，③運動で改善，④安静で改善しない，⑤夜間痛のうち4つ以上で診断
付着部炎	肩関節，胸骨周囲の関節，頸椎から腰椎棘突起，仙腸関節，膝蓋靱帯，アキレス腱
非対称性少数関節炎	下肢の大関節優位もしくは末梢関節
指炎（dactylitis，指全体の腫脹）	
ぶどう膜炎	
大動脈弁閉鎖不全症	
可動域制限	脊椎，胸郭

b 検査所見

- CRP，赤沈，MMP-3高値（通常はリウマトイド因子，抗核抗体は陰性）．
- HLA-B27陽性［強直性脊椎炎（ankylosing spondylitis：AS）の90％以上で陽性，しかしHLA-B27陽性者でも発症するのは5％未満であり，わが国では陽性率1％未満］，日本人ではHLA-B39，B51，B52，B61，B62の陽性率が一般人口と比較して有意に高い．
- 脊椎・仙腸関節の単純X線像，CTで骨硬化，びらん，靱帯骨棘，裂隙狭小化，強直（bamboo spine；竹様脊椎），MRIで骨髄浮腫・骨炎（STIRで陽性）を早期で検出する．

c 診断のポイント

- 改訂 New York 診断基準，国際脊椎関節炎評価学会（Assessment of Spondyloarthritis International Society：ASAS）による分類基準を参考に診断する［⇒付録①参照，p334，335］．
- ASAS 基準は早期診断に有用で，non-radiographic axial SpA（MRI で検出されるが，X 線像上は検出されない早期の仙腸関節炎）にも適用される．
- 鑑別疾患は，他の SpA（乾癬性関節炎，炎症性腸疾患関連関節炎，反応性関節炎），脊椎感染症，圧迫骨折．末梢型の場合は関節リウマチ．

d 治 療

- 治療目標は症状と炎症のコントロール，構造的破壊の抑制，機能的および社会的活動の維持を通じ生活の質（QOL）を長期的に保つことである．
- 理学療法，リハビリテーションを継続する．
- 非ステロイド性抗炎症薬（NSAIDs），その他の鎮痛薬が第 1 選択である．NSAIDs は潜在的に脊椎病変の構造破壊を抑制しうる．
- peripheral SpA にはサラゾスルファピリジン，腫瘍壊死因子（TNF）阻害薬，局所ステロイド注射が考慮される．
- axial SpA には TNF 阻害薬を積極的に用いる［⇒使用法は「Ⅲ-A-6．生物学的製剤・分子標的治療薬」参照，p107］．IL-17 阻害薬，局所ステロイド注射も考慮される．長期のステロイド全身投与は推奨されない．

> - インフリキシマブ　5 mg/kg/回，点滴静注を初回，2 週後，6 週後，以後 6～8 週間隔
> - アダリムマブ　40 mg を 2 週に 1 回，皮下注
> - セクキヌマブ　150 mg を初回から 4 週後まで毎週，以後 4 週間隔，皮下注
> - イキセキズマブ　80 mg を 4 週に 1 回，皮下注
> - ウパダシチニブ　15 mg を 1 日 1 回，経口投与

- メトトレキサート（MTX）併用の有用性を示すエビデンスは

表 2　AS の活動性評価指標

- Bath Ankylosing Spondylitis Disease Activity Index（BASDAI）
- Ankylosing Spondylitis Disease Activity Score（ASDAS）
- Bath Ankylosing Spondylitis Functional Index（BASFI）
- Visual Analogue Scale（VAS）
- chest expansion
- modified Schober test
- occiput-to-wall distance test
- 朝のこわばりの持続時間
- 腫脹関節数
- 赤沈
- CRP
- 画像所見

未確立である．

- 制御不能な疼痛や機能障害を伴う構造破壊に対しては手術療法を検討する．
- 活動性評価：**表 2** の項目を指標として総合的に判断する［⇒ BASDAI，BASFI は付録②参照，p366］．

e 臓器障害と対応

- 虹彩炎：AS の 30～40％に合併する．片側性で，急性発症の充血，疼痛，霧視，流涙，羞明をきたす．
- 炎症性腸疾患を合併することがある．
- 大動脈閉鎖不全症や心伝導障害の合併がありうる．
- 胸郭拡張障害による機械的な拘束性換気障害を呈することがあり，継続したリハビリテーションが重要である．
- 椎体骨折や頸椎亜脱臼による神経障害や馬尾症候群を呈することがまれにある．

参考文献

1）Webers C et al：Efficacy and safety of biological DMARDs：a systematic literature review informing the 2022 update of the ASAS-EULAR recommendations for the management of axial spondyloarthritis. Ann Rheum Dis **82**：130-141，2023

2）Ortolan A et al：Efficacy and safety of non-pharmacological and non-biological interventions：a systematic literature review informing the 2022 update of the ASAS/EULAR recommendations for the management of axial spondyloarthritis. Ann Rheum Dis **82**：142-152，2023

3) Taurog JD et al：Ankylosing spondylitis and axial spondyloarthritis. N Engl J Med **374**：2563-2574, 2016

2 乾癬性関節炎

- <u>乾癬に関節炎，付着部炎，指炎を伴うSpAである</u>.
- axial SpAとperipheral SpAが混在する.
- 男女比はほぼ同数で，発症ピークは20～40歳代である.
- <u>乾癬の1～10％に関節炎を合併し，80％以上で同時もしくは皮疹が先行するが，関節炎が先行する場合もある</u>.

a 臨床所見

1) 皮　疹

- 乾癬による皮疹：銀白色の鱗屑を伴う境界明瞭な扁平に隆起した紅斑を頭部，肘，膝など全身に生じる.
- 皮疹と関節炎の活動性が相関する症例は30～40％である.
- 頭蓋/臀部間/肛門周囲の皮疹は関節炎合併のリスクである.

2) 爪病変

- 点状陥凹，爪甲剝離，角化増生などが，乾癬性関節炎（psoriatic arthritis：PsA）の60～80％に認められる.
- 乾癬の20～40％が爪病変を合併し，関節炎合併のリスクとなる（爪病変のみを呈する症例があり注意して探す必要あり）.

3) 関節・関節周囲病変

- 付着部炎（アキレス腱，足底腱膜，仙腸関節，肩関節，胸骨周囲関節，頸椎～腰椎棘突起，膝蓋靱帯），指趾炎.
- 遠位指節間（DIP）関節優位の末梢関節炎，非対称性少数関節炎，ムチランス型関節炎を異なる時期に呈する傾向がある.
- 体軸関節炎は5～30％に合併するが病期により異なる.

4) 関節外症状

- 結膜炎，口腔内潰瘍，尿道炎，大動脈弁疾患の報告があるが頻度は低い.

b 検査所見

- 赤沈，CRP は活動性指標となる．
- 多くはリウマトイド因子，抗核抗体が陰性である．
- 単純 X 線で，骨破壊と骨増殖が並存する．DIP 関節が好発部位である．ムチランス型では pencil in cap 像を呈する．診断後無治療であると 2 年で約半数に骨びらんが認められる．
- 単純 X 線像で仙腸関節および脊椎病変は，AS と異なり非対称性の骨増殖像を呈する．
- MRI では靱帯，腱鞘，骨病変を早期で検出する．
- 代表的な疾患感受性遺伝子は *HLA-Cw6* である．*HLA-B27* は脊椎病変のリスク因子である．

c 診断のポイント

- classification criteria for psoriatic arthritis（CASPAR）分類基準［⇒付録①参照，p335］を参考に診断する．
- 鑑別疾患は，他の SpA（AS，炎症性腸疾患関連関節炎，反応性関節炎），関節リウマチなど．

d 治　療

- NSAIDs は症状緩和のための対症療法として使用する．
- peripheral SpA には，疾患修飾性抗リウマチ薬［DMARDs，特に MTX，サラゾスルファピリジン（保険適用外）］が考慮される．
- 効果不十分例では TNF 阻害薬（インフリキシマブ，アダリムマブ，セルトリズマブ ペゴル），または，インターロイキン（IL）-17A 阻害薬（セクキヌマブ，イキセキズマブ，ブロダルマブ），または，IL-12/23 阻害薬（ウステキヌマブ）を使用する．さらに効果不十分の場合は，JAK 阻害薬（ウパダシチニブ）を考慮する．または効果不十分で軽症の場合は，PDE4 阻害薬（アプレミラスト）を考慮してもよい．
- 単関節炎に対してステロイドを局所注射する．ステロイド全身投与は，治療抵抗性で QOL を著しく障害された例で一時的に使用が検討される．時として，減量過程で乾癬の皮疹が増悪することがあるので注意を要する．

- axial SpA には TNF 阻害薬または IL-17A 阻害薬が推奨される．
- 予後不良因子（罹患関節数≧5，高度機能障害，過去のステロイド使用歴，炎症反応高値，関節外症状）を持つ場合は，積極的に DMARDs や生物学的製剤を導入する．

> - インフリキシマブ　5 mg/kg/回，点滴静注を初回，2 週後，6 週後，以後 6〜8 週間隔
> - アダリムマブ　初回に 80 mg，2 週目以降 40 mg を 2 週に 1 回皮下注
> - ウステキヌマブ　1 回 45 mg を初回および 4 週後，以降 12 週間隔で皮下注
> - セクキヌマブ　1 回 300 mg を 4 週後まで週 1 回，その後 4 週間隔で皮下注，体重 60 kg 以下で半量
> - ウパダシチニブ　15 mg を 1 日 1 回経口投与
> - アプレミラスト　初日に 10 mg，2 日目以降 1 日 10 mg ずつ増量，6 日目以降は 1 回 30 mg を 1 日 2 回投与

- MTX 併用の有用性を示すエビデンスは未確立である．
- 活動性指標：関節所見（腫脹関節，圧痛関節），皮膚および爪所見，付着部炎，指炎，全般的評価（Visual Analogue Scale：VAS），QOL 指標，赤沈，CRP，画像所見を合わせて総合的に判断する．
- 心血管病変や骨粗鬆症の合併に注意する．

参考文献

1）Coates LC et al：Group for Research and Assessment of Psoriasis and Psoriatic Arthritis（GRAPPA）：updated treatment recommendations for psoriatic arthritis 2021. Nat Rev Rheumatol **18**：465-479, 2022
2）日本皮膚科学会乾癬性関節炎診療ガイドライン作成委員会ほか：乾癬性関節炎診療ガイドライン 2019．日皮会誌 **129**：2675-2733, 2019

3 SAPHO 症候群

- 1960 年代ごろより痤瘡や膿疱症と関節炎が合併する症例の存在が報告されていたが，1987 年に Chamot らによって 85 例が検討された結果，以下の 5 つの所見の頭文字を取って「SAPHO」という略称で提案された．

①Synovitis（滑膜炎）
②Acne（痤瘡）
③Pustulosis（膿疱症）
④Hyperostosis（骨化過剰症）
⑤Osteitis（骨炎）

- 上記の中でも，前胸部に好発する無菌性の肥厚性骨病変の存在が特に重要である．
- 掌蹠膿疱症（PPP）の約 10％に骨関節病変を認め，掌蹠膿疱症性関節炎と称する場合もある．

a 臨床所見

- 胸鎖・胸肋関節部の腫脹と疼痛を高頻度に認め，仙腸関節，脊椎，下顎骨，恥骨結合，末梢関節などにも認める．
- 皮膚症状（PPP，乾癬，痤瘡）は 80％程度で，関節炎先行型，皮膚症状先行型，同時発症の 3 つに分けられ，ほぼ同等の頻度である．
- PPP を認める症例では手足の皮疹が比較的特徴的で，関節炎の合併を疑って診察することもあることから比較的診断がつきやすいが，その他の皮疹を伴う場合は関連に気づかれない（気づかない）ことも多く，数年の経過で両方が発症することもある．

b 検査所見

1）血液検査

- 炎症反応高値：CRP，赤沈が上昇するが，非特異的である．

2) 画像検査

- X 線，CT，MRI で骨硬化，骨皮質の肥厚像，関節裂隙の開大・癒合などを認める．
- 骨シンチグラフィで，胸肋鎖骨関節，脊椎，仙腸関節などに集積を認め，bull's head pattern が特徴的である．

c 診断のポイント

- Benhamou らの分類基準（1988 年）を参考に，以下のうち 1 つ以上を有し，除外項目（化膿性骨髄炎，感染性胸壁関節炎，感染性 PPP，掌蹠角化症，びまん性特発性骨増殖症，レチノイド療法に伴う骨関節病変）がないことで診断しうる．

①重度痤瘡に伴う骨関節病変
②PPP に伴う骨関節病変
③骨化過剰症
④慢性再発性多発性骨髄炎

- 尋常性乾癬，炎症性腸疾患，AS，弱毒菌感染との関連も報告されている．

d 治　療

- 脊椎関節炎の治療に準じた薬物療法を行う．
- NSAIDs が中心となり，さらにステロイド，DMARDs，ビスホスホネート製剤，TNF 阻害薬（保険適用外），掌蹠膿疱症に適応のあるグセルクマブ（トレムフィア®）を用いることもある．
- *Propionibacterium acnes* や *Corynebacterium* の慢性感染への免疫反応の可能性が考えられており，アジスロマイシン，クリンダマイシン，ドキシサイクリンなどの抗菌薬も考慮される．

> - ロキソプロフェン　1 回 60 mg，1 日 3 回内服
> - サラゾスルファピリジン　1 回 500 mg，1 日 2 回内服（保険適用外）
> - メトトレキサート　1 回 4 mg，1 日 2 回，週 1 回内服
> - グセルクマブ　1 回 100 mg を初回，4 週後，以降 8 週間隔で皮下注

e 臓器障害と対応

- 椎体変形が高度の場合は外科的治療も検討する.

参考文献

1) Chamot AM et al：Acne-pustulosis-hyperostosis-osteitis syndrome. Results of a national survey. 85 cases. Rev Rhum Mal Osteoartic **54**：187-196, 1987
2) Benhamou CL et al：Synovitis-acne-pustulosis hyperostosis-osteomyelitis syndrome (SAPHO). A new syndrome among the spondyloarthropathies? Clin Exp Rheumatol **6**：109-112, 1988
3) Kishimoto M et al：SAPHO syndrome and pustulotic arthro-osteitis. Mod Rheumatol **32**：665-674, 2022

4 反応性関節炎

- 細菌感染症後に起こる関節炎で，関節液培養は陰性である．
- 最初の報告者の名前から Reiter 症候群と呼ばれていた．
- 古典的には尿道炎，結膜炎，関節炎の 3 症状を呈する．
- 反応性関節炎を起こす菌としてはクラミジア･トラコマチス，サルモネラ菌，赤痢菌，エルシニア，カンピロバクターなどが知られている．

a 臨床所見/検査所見

- 関節炎，腱付着部炎を呈し，時に仙腸関節炎を認める．
- 関節炎は下肢関節に多く，通常は少数関節炎となる．
- 腱付着部炎はアキレス腱付着部や足底筋膜付着部などに比較的高頻度に起こりやすい．
- 症状出現の 1～4 週前に尿路感染症もしくは細菌性下痢といった細菌感染症が先行する．
- 診断基準や，特殊な検査はなく，発症までの経過を丁寧に聴取し，身体所見を正確に取ることが重要である．

b 治　療

- 8 割が 6 ヵ月以内に自然軽快し，通常慢性化しない．
- 通常は第 1 選択薬として NSAIDs が使用される．
- 関節炎が持続する場合，ステロイド，サラゾスルファピリジン，メトトレキサートを使用することがある．
- 抗菌薬は一般的には使用されない．

c 臓器障害と対応

- 通常，臓器障害をきたすことはない．

参考文献

1）Bentaleb I et al：Reactive arthritis：update. Curr Clin Microbiol Rep **7**：124-132, 2020
2）Schmitt SK：Reactive arthritis. Infect Dis Clin North Am **31**：265-277, 2017

5 炎症性腸疾患関連関節炎

- 炎症性腸疾患の患者に合併する関節炎である.
- 炎症性腸疾患の5～20%程度に腸管外症状を伴う.
- 関節炎以外では結節性紅斑や壊疽性膿皮症が有名である.
- 潰瘍性大腸炎では，腸管病変の病勢が関節炎と関連することが多いが，Crohn病では腸管病変の病勢とは必ずしも一致しないといわれている.

a 臨床所見/検査所見

- 少数関節炎の場合と多発関節炎の場合とがある.
- 少数関節炎は下肢関節に起こりやすく，多発関節炎はこれに加え手指関節を含めた上肢関節に起こりやすい.
- 通常は骨破壊をきたさない.
- CRPや赤沈は陽性になるが，腸管病変でも陽性になる.
- 関節炎発症までの経過を丁寧に聴取することが重要である.

b 治　療

- 関節炎のみを標的とした薬剤試験は行われておらず，エビデンスに乏しいが，腸管病変のコントロールが関節炎の鎮静化につながると考えられている.
- 腸管病変の増悪時には消化器内科との連携が重要である.
- TNF阻害薬であるインフリキシマブ，アダリムマブは潰瘍性大腸炎，Crohn病ともに保険適用があり，関節リウマチにも有効であることから，炎症性腸疾患に伴う関節炎にも効果が期待されている.
- IL-17阻害薬であるセクキヌマブやイキセキズマブは腸管病変の増悪を促す可能性があり，使用には注意を要する.
- IL-12/23阻害薬であるウステキヌマブは，炎症性腸疾患の腸管病変に加え末梢関節炎に対する有効性も示唆されている.
- NSAIDsは鎮痛薬としてしばしば使用されるが，腸管病変に悪影響も懸念されるためなるべく控えることが望ましい.

参考文献

1) Fragoulis GE et al：Inflammatory bowel diseases and spondyloarthropathies：From pathogenesis to treatment. World J Gastroenterol **25**：2162-2176, 2019
2) Zioga N et al：Inflammatory bowel disease-related spondyloarthritis：the last unexplored territory of rheumatology. Mediterr J Rheumatol **33**：126-136, 2022

6 ぶどう膜炎に関連した脊椎関節炎

- ASAS による SpA の概念では，AS を中心にしたうえで，PsA や反応性関節炎と同列に「急性前部ぶどう膜炎」があげられている．
- また，ぶどう膜炎は SpA の特徴の 1 つとして分類基準に含まれている［⇒付録①参照，p334］．
- AS の 20〜30％で急性前部ぶどう膜炎を認める．

a 臨床所見/検査所見

- 急性発症で，片側性のぶどう膜炎を呈する（その他の全身性疾患によるぶどう膜炎は両側性のことが多い）．
- 目の痛みと発赤を訴える．
- 通常 3 ヵ月以内に自然軽快するが，しばしば再発する．
- HLA-B27 陽性：HLA-B27 陽性急性前部片側性ぶどう膜炎の 80％は SpA と関連する．

b 治　療

- 眼科医と協力して治療にあたる．眼病変に対してはステロイド点眼薬が使用されることがある．
- アダリムマブやインフリキシマブの有効性が報告されており，わが国ではアダリムマブは保険適用となっている．

参考文献

1) Rademacher J et al：Uveitis in spondyloarthritis. Ther Adv Musculoskelet Dis **12**：1759720x20951733, 2020

7 分類不能脊椎関節炎

- 明確な定義はないが，ASAS の概念では PsA や反応性関節炎と同列に扱われている．
- axial SpA，peripheral SpA の基準を満たすが，AS，PsA，反応性関節炎，炎症性腸疾患関連関節炎，急性前部ぶどう膜炎，小児脊椎関節炎のいずれにも分類されないものといえる．
- 自然経過では，以下の 3 とおりに大きく分かれる．

①AS や PsA の診断がつく場合
②分類不能脊椎関節炎のままの場合
③自然軽快する場合

a 臨床所見/検査所見

- 仙腸関節炎，関節炎，腱付着部炎，指炎などを呈する．仙腸関節炎は画像で確認できることが必須であるが，早期の場合は MRI でのみ指摘できる．
- HLA–B27 陽性が特徴的であるが，陽性率は高くない．
- AS とは診断されず，乾癬，炎症性腸疾患，先行する感染症，急性前部ぶどう膜炎がないが，axial SpA または peripheral SpA の基準を満たす．
- 臓器障害があれば，他疾患を鑑別する必要がある．

b 治 療

- 現時点で定まった治療法はないが，NSAIDs が第 1 選択となる．
- その他の SpA に進展しないかどうかの経過観察が重要である．

参考文献

1) Deodhar A et al：Is undifferentiated spondyloarthritis a discrete entity? A debate. Autoimmun Rev **17**：29-32, 2018
2) Sampaio–Barros PD et al：Undifferentiated spondyloarthritis：a longterm followup. J Rheumatol **37**：1195-1199, 2010

1 全身性エリテマトーデス

- 自己免疫異常を基盤として発症し，多彩な自己抗体の産生により多臓器を障害する全身性炎症性疾患である．
- 男女比 1：9，発症年齢は 20～30 歳代に多い．
- 遺伝的背景（*HLA-DRB1*1501* など）に環境因子（紫外線，感染，妊娠・出産，薬物など）が加わることで自己免疫病態が形成され，免疫複合体の沈着や炎症により臓器障害が起こる．
- 症例ごとに障害臓器や重症度が異なり，一口に全身性エリテマトーデス（SLE）といっても，個々の病態は非常に多様性に富む．

a 臨床所見

- 発熱，リンパ節腫脹．
- 皮膚粘膜症状［⇒「I-B. リウマチ性疾患の皮膚所見」参照，p7］：
  - 急性病変として頬部紅斑，口腔内潰瘍，日光過敏，脱毛．
  - 亜急性皮膚エリテマトーデスは環状連圏状型や丘疹落屑型を呈する．
  - 慢性病変として，深在性エリテマトーデス（皮下脂肪織炎），円板状エリテマトーデス（多くは全身性病変を合併しない）．
- 関節炎：通常骨破壊を伴わない．
- ループス腎炎：腎機能障害，ネフローゼ症候群．
- 漿膜炎（腹膜炎，胸膜炎，心膜炎）．
- 神経精神ループス：
  - 中枢神経病変：脳血管障害，頭痛，痙攣，不安障害，認知障害，気分障害，混迷，精神病，無菌性髄膜炎，脱髄，運動障害，脊髄障害．
  - 末梢神経病変：急性炎症性脱髄性多発神経炎，重症筋無力症，神経叢障害．
- 肺動脈性肺高血圧症（PAH）．

● ループス腸炎，蛋白漏出性胃腸症．

b 検査所見

● 抗核抗体陽性（辺縁型は特に高親和性の抗 dsDNA 抗体を示唆する），抗 dsDNA 抗体陽性，抗 Sm 抗体陽性，抗リン脂質抗体（aPL）陽性［ループス抗凝固因子（LA），IgG 型抗カルジオリピン抗体（aCL），β_2GP I 依存性 aCL など］．
● 低補体血症，免疫複合体高値．
● 白血球減少（リンパ球減少），血小板減少．
● 溶血性貧血（LDH および間接ビリルビン高値，ハプトグロビン低値），直接クームス陽性．
● 血清クレアチニン上昇，蛋白尿，血尿，細胞性円柱．

c 診断のポイント

● 1997 年 ACR 分類基準，2012 年 SLICC 分類基準および 2019 年 ACR/EULAR 分類基準を参考に診断する［⇒付録①参照，p336］．
● 活動性評価については SLEDAI，BILAG がある［⇒付録②参照，p370, 371］．BILAG の評価項目には多様な SLE の臨床所見が記載され，参考になる．
● SLE の病像は多岐にわたる．
● 以下に 1)～4) の特に生命予後に関与するループス腎炎，神経精神ループス，肺胞出血，鑑別疾患について記載する．

1) ループス腎炎

● 他に原因（敗血症，脱水，薬剤）がない中で血清クレアチニン値が上昇する場合や，尿蛋白 0.5 g/日以上かつ糸球体性血尿を示唆する>5 RBC/HPF，細胞性円柱を認める場合では腎生検を行い，International Society of Nephrology/Renal Pathology Society（ISN/RPS）分類による病型分類を行う（表 1, 2）．さらに，すべての病型において米国国立衛生研究所（NIH）提唱　改訂ループス腎疾患活動性および慢性スコアリングシステムを用いる．

2) 神経精神ループス（neuropsychiatric SLE：NPSLE）

● NPSLE は 50～60％が SLE 診断時か 1 年以内に発症する．必

表 1 ISN/RPS 分類

I 型	微小メサンギウムループス腎炎
II 型	メサンギウム増殖性ループス腎炎
III 型	巣状ループス腎炎
IV 型	びまん性ループス腎炎
V 型	膜性ループス腎炎
VI 型	進行した硬化性ループス腎炎

[Bajema IM et al：Kidney Int **93**：789-796, 2018 より引用]

表 2 米国国立衛生研究所（NIH）提唱 改訂ループス腎炎活動性および慢性スコアリングシステム

activity index（AI）	定 義	スコア
管内細胞増多	<25%（1+），25～50%（2+），or >50%（3+），**糸球体**	0～3
好中球/核崩壊	<25%（1+），25～50%（2+），or >50%（3+），**糸球体**	0～3
フィブリノイド壊死	<25%（1+），25～50%（2+），or >50%（3+），**糸球体**	(0～3)×2
ヒアリン沈着	<25%（1+），25～50%（2+），or >50%（3+），**糸球体**	0～3
細胞性/線維細胞性半月	<25%（1+），25～50%（2+），or >50%（3+），**糸球体**	(0～3)×2
間質の炎症	<25%（1+），25～50%（2+），or >50%（3+），**皮質**	0～3
合計		**0～24**
chronicity index（CI）	定 義	スコア
全糸球体硬化	<25%（1+），25～50%（2+），or >50%（3+），**糸球体**	0～3
線維性半月	<25%（1+），25～50%（2+），or >50%（3+），**糸球体**	0～3
尿細管萎縮	<25%（1+），25～50%（2+），or >50%（3+），**皮質尿細管**	0～3
間質の線維化	<25%（1+），25～50%（2+），or >50%（3+），**皮質**	0～3
合計		**0～12**

[Bajema IM et al：Kidney Int **93**：789-796, 2018 より引用]

ずしも疾患活動性とは相関しない.

- 高疾患活動性，NPSLE の既往や他病型の併存，抗リン脂質抗体の中等度以上持続陽性は発症のリスクとなる．感染症，代謝性疾患，薬剤性を除外する．

- 髄液検査では細胞数，蛋白の増加，糖の低下がみられることがある．髄液中インターロイキン（IL）-6 ≧ 4.5 pg/mL は比較的感度および特異度が高い．
- MRI（前頭頭頂部の皮質下と脳室周囲白質の斑状 FLAIR 高信号），脳血流シンチグラフィ（中大脳動脈領域の血流低下が多い），脳波で鑑別を進める．

3）肺胞出血

- 血性痰や貧血の進行を伴う呼吸困難，両側肺びまん性浸潤影あるいは斑状陰影を認めた場合は肺胞出血を考えて，すみやかに治療を開始する．

4）鑑別疾患

- 鑑別疾患として，パルボウイルス，Epstein-Barr ウイルス（EBV），ヒト免疫不全症ウイルス（HIV）を含むウイルス感染症，結核，悪性リンパ腫，血管炎症候群，他の膠原病および類縁疾患などがあがるが，感染症を契機に SLE が発症および再燃することや，他の膠原病を合併することもしばしばある．

d 治　療

- 障害臓器および重症度によって適切な治療強度を決定する．
- ヒドロキシクロロキンは全例，投与を考慮する．その場合は眼科で網膜症のスクリーニングが必須である．関節炎，軽度の全身症状は少量ステロイド，胸膜炎や中等度の血球減少に対しては中等量ステロイド，生命予後・機能予後に関わる病態では大量ステロイドが用いられ，それぞれ免疫抑制薬を併用する．
- 生物学的製剤（ベリムマブ，アニフロルマブ）は，上記治療で疾患活動性を有する場合には追加投与を検討する．

1）ループス腎炎の治療

- すべての病型で慢性腎臓病（CKD）管理を行う．
- ISN/RPS 分類 class Ⅰ，Ⅱでは免疫抑制療法は基本的に必要ないが他病型（Ⅲ～Ⅵ型）への移行に注意する．
- 最多病型の class Ⅲ，Ⅳでは，寛解導入療法としてステロイド大量療法±ステロイドパルス療法に以下を追加する.

- シクロホスファミド大量静注療法(IVCY) 500 mg/回を2週ごと，計6回(Euroレジメン)
- IVCY 500〜1,000 mg/m^2/回を4週ごと，計6回(NIHレジメン)
- ミコフェノール酸モフェチル(MMF) 2〜3 g/日を6ヵ月

- class Vでは，寛解導入療法として，プレドニゾロン(PSL)にIVCY 500〜1,000 mg/m^{2}を4週ごと計6回もしくはMMF併用の他，シクロスポリン(CyA)もしくはタクロリムス(Tac)を用いることもある.
- 寛解導入療法後，3〜6ヵ月で治療効果判定を行う.
- 維持療法はMMF 1〜2 g/日もしくはアザチオプリン(AZP) 2 mg/kg/日が推奨されている.

2) その他の病型の治療

- NPSLE：対症療法(抗痙攣薬，向精神薬)に加え，ステロイド大量療法と免疫抑制薬(IVCY)を要することが多い．脳血管障害や虚血性視神経炎など抗リン脂質抗体関連病態に対しては抗血小板薬・抗凝固薬を用いる.
- 急性ループス肺炎，びまん性肺胞出血：ステロイドパルス療法にIVCY，広域抗菌薬併用，場合によっては免疫グロブリン大量療法(IVIG)，血漿交換を考慮する.
- PAH：SLEによるPAHは免疫異常に起因することからステロイド大量療法にIVCY併用が用いられるが，早期からPAH治療薬の併用を行う.

参考文献

1) Fanouriakis A et al：2019 update of the EULAR recommendations for the management of systemic lupus erythematosus. Ann Rheum Dis **78**：736-745, 2019
2) Gatto M et al：New therapeutic strategies in systemic lupus erythematosus management. Nat Rev Rheumatol **15**：30-48, 2019
3) 厚生労働科学研究費補助金難治性疾患等政策研究事業 自己免疫疾患に関する調査研究(自己免疫班)ほか(編)：全身性エリテマトーデス診療ガイドライン2019，南山堂，東京，2019

2 抗リン脂質抗体症候群

- 抗リン脂質抗体（aPL）により誘発される，繰り返す動静脈血栓症，不育症や習慣流産を特徴とする．
- 基礎疾患のない原発性と，SLE に合併する二次性が約半数ずつ存在する．

a 臨床所見

- 動静脈，微小血管の血栓形成によりさまざまな臨床症状を呈する．動脈系では脳梗塞，一過性脳虚血発作が，静脈系では下肢深部静脈血栓症，肺塞栓が多い．
- 脳梗塞は多発する傾向がある．心弁膜に付着した無菌性疣贅による塞栓症，舞踏病，てんかん，認知障害，精神症状，横断性脊髄炎，片頭痛を呈する．
- 大動脈弁，僧帽弁閉鎖不全症がみられるが，虚血性心疾患の頻度は低い．
- 塞栓や微小血栓による腎機能障害や腎静脈血栓症によるネフローゼ症候群をきたすことがある．
- 網状皮斑，皮膚潰瘍を呈する．
- 妊娠合併症：胎盤機能不全で妊娠中期以降の子宮内胎児死亡や不育症を呈する．妊娠高血圧症候群も合併する．
- 血小板減少症：約 1/3 で認めるが，通常は 3 万/μL 以上で，これ自体による出血傾向を呈することはまれである．

b 検査所見

- aPL はリン脂質に結合した血清蛋白成分を認識する多様な抗体の集合体である．
- 健常人の 10～40%が陽性となることに注意する．
- 抗カルジオリピン抗体（aCL）：特異度が低いため，分類基準では中等度（40 単位あるいは健常人の 99 パーセンタイル）以上の陽性が求められる．
- 抗 β_2GP Ⅰ抗体：β_2GP Ⅰ依存性 aCL を検出する．

● ループス抗凝固因子（LA）：*in vitro* でリン脂質依存性の凝固反応を阻害する免疫グロブリンで，多様な特異性を有する抗体を包括する．最も血栓症のリスクが高い，ワルファリン内服中では偽陽性となりやすい．
● 複数の検査基準を満たす症例は血栓症のリスクが高いことが知られている．

c 診断のポイント

● 若年者あるいはリスク因子のない動静脈血栓症，中期以降の複数回の流産歴，SLE 患者では本疾患を疑う．
● Sydney 改変基準［⇒付録①参照，p339］を参考に診断する．
● aPL は 12 週以上の間隔をあけて 2 回の陽性が求められる．

d 治　療

● 厚生労働省研究班による『抗リン脂質抗体症候群・好酸球性多発血管炎性肉芽腫症・結節性多発動脈炎・リウマトイド血管炎の治療の手引き 2020』が参考となるが，既知の血栓リスクを減らすことが基本となる．
● ステロイドは血栓症予防には有用でない．
● 血栓症や流産などの既往のない aPL 陽性者に対する一次予防は高リスクでなければ原則不要である．
● 血栓症の再発率は約 10％であり，長期の抗血栓療法が必要となる．
● 静脈血栓症の再発予防にはワルファリンを PT-INR 2.0～3.0 を目標に調節するが，出血性合併症とのリスク・ベネフィットバランスを考慮する．
● 動脈血栓症の再発予防にはワルファリンに抗血小板薬を併用する．DOAC（Xa 阻害薬）は基本的に推奨されない．

> • ワルファリン（ワーファリン®）　1～3 mg，1 日 1 回，PT-INR により適宜調整
> • アスピリン腸溶錠（バイアスピリン®）　100 mg，1 日 1 回
> • ワーファリン®は妊娠中および挙児希望者には催奇形性があるので禁忌

- 血栓症や流産の既往のある場合は，妊娠初期から少量アスピリンに未分画ヘパリンあるいは低分子ヘパリン皮下注射（低分子ヘパリンは保険適用外）が併用される．

> - 未分画ヘパリン　7,500～10,000 単位/12 時間ごと
> - エノキサパリン　2,000 IU/12 時間ごと（保険適用外）

MEMO

劇症型抗リン脂質抗体症候群

- 原発性抗リン脂質抗体症候群に感染症や外科的侵襲などを契機に発症し，微小血栓形成により多臓器不全（肺，腎臓，神経系，血小板減少など）が急速に進行する重症病態である．日本人にはまれである．
- 治療は抗凝固療法にステロイド大量療法と免疫抑制薬，免疫グロブリン大量静注療法（IVIG）もしくは血漿交換などを行う．

参考文献

1）抗リン脂質抗体症候群・好酸球性多発血管炎性肉芽腫症・結節性多発動脈炎・リウマトイド血管炎の治療の手引き 2020，厚生労働科学研究費補助金（難治性疾患政策研究事業）難治性血管炎に関する調査研究　針谷正祥（編），診断と治療社，東京，2021
2）Tektonidou MG et al：EULAR recommendations for the management of antiphospholipid syndrome in adults. Ann Rheum Dis **78**：1296-1304, 2019

3 Sjögren 症候群

- 主症状のドライアイ，ドライマウスに加え，多彩な全身臓器症状をきたし慢性に経過する全身性自己免疫疾患である．
- Sjögren（シェーグレン）症候群の名称は，1933 年に眼科医の Henrik Sjögren により報告されたことに由来する．
- 中年以降の女性に好発し（女性 14：1），国内に少なくとも数万人，潜在例はさらに多いと推定されている．
- 病理学的には，涙腺・唾液腺などの外分泌腺にリンパ球浸潤とそれに伴う腺構造破壊，線維化が認められる．
- 免疫学的には，リンパ球・サイトカイン・ケモカインの異常，高 IgG 血症，多彩な自己抗体産生が認められる．
- 原発性 Sjögren 症候群（primary SS）と関節リウマチや SLE に合併する二次性（secondary SS）に便宜上分類される．
- 病型として，外分泌腺に留まる腺型（glandular type）と外分泌腺以外にも病変が生じる腺外型（extraglandular type）がある．

a 臨床所見

1）腺症状

- ドライアイ，ドライマウスが 2 大症状である．頻度の多い眼口腔の乾燥（ドライ）症状に加え，腺（涙腺，耳下腺，顎下腺）の腫脹，疼痛や鼻・気道粘膜，胃腸，膣，皮膚汗腺など，その他の外分泌腺障害に起因する症状を認める例もある．

2) 全身症状・腺外臓器病変(表1)

表1 主要障害部位と症状・病変

部位	症状・病変
全身	発熱，体重減少，倦怠感
リンパ節	リンパ節腫脹，単クローン性病変，悪性リンパ腫
関　節	こわばり，関節滑膜炎
皮　膚	多形紅斑，蕁麻疹様血管炎，紫斑，皮膚血管炎
肺	間質性肺炎
腎　臓	検尿異常，間質性腎炎，腎尿細管性アシドーシス
筋	筋炎
神　経	三叉神経障害，無菌性髄膜炎，横断性脊髄炎
甲状腺	慢性甲状腺炎
心血管	(胎児完全房室ブロック)，肺高血圧症
消化器	慢性胃炎，自己免疫性肝炎，原発性胆汁性胆管炎

b 検査所見

1) 血液検査

- 腺障害：血清唾液腺由来のアミラーゼ上昇.
- 抗SS-A抗体/抗SS-B抗体が陽性となる［⇒「Ⅱ-A. 血液検査」参照，p47］.
- リウマトイド因子，抗核抗体陽性.
- 高γグロブリン血症，血沈亢進，末梢血リンパ球数減少.
- 乾燥症状のみの例では通常血清はCRP陰性.

2) 腺機能検査

- 涙液分泌低下：Schirmerテストで5 mm/5分以下は陽性.
- 乾燥性角結膜炎：フルオレセイン染色が主に用いられ，ローズベンガル染色，リサミングリーン染色が用いられることもある.
- 唾液分泌低下(ガムテストで10 mL/10分あるいはSaxonテストで2 g/2分以下は陽性所見).
- 唾液腺機能障害：$^{99m}TcO_4^-$唾液腺シンチグラフィ．唾液腺造影法は，近年施行される例は限られている.

3) 腺外臓器病変に応じた各種検査

- 肺病変の評価のため胸部X線検査，間質性腎炎の評価のため尿検査など臓器に応じた各種腺外病変の検査を施行する.
- 悪性リンパ腫は本疾患において出現頻度が高いため，表在リンパ節腫脹などについて注意深く診察を行う.

c 診断のポイント

- 潜在例も多く，まず疑うことが診断への第一歩である.
- ドライアイ，ドライマウスの有無を問診し，典型例では問診のみで診断がつくこともある.
- 本疾患が疑われた際は，分類基準に沿って確定診断を行うことが望ましい［⇒付録①参照，p340］.
- 確定診断のための検査が自施設で困難な場合には，専門施設への紹介を考慮する.
- 本疾患と診断された後は活動性指標［ESSDAI ⇒付録②参照，p367］を用いて，腺外症状等の活動性を評価する.
- 他の膠原病を診断した際は，二次性 SS の可能性も念頭におく.

d 治 療

1）腺症状

- 腺症状に対するステロイドの有用性は否定的である.
- 眼：点眼薬（人工涙液，ムチン/水分分泌促進薬），涙点プラグ挿入，ドライアイ保護眼鏡などの対症療法.
- 口腔：催唾薬（M3 ムスカリン作動性アセチルコリン受容体刺激薬），唾液噴霧薬などの対症療法.

> • ピロカルピン　1 回 5 mg，1 日 3 回内服
> • セビメリン　1 回 30 mg，1 日 3 回内服

2）腺外症状

- 非ステロイド性抗炎症薬（NSAIDs），ステロイド，リツキシマブ（保険適用外）や免疫抑制薬も各臓器病変に応じて使用される.
- ステロイド初期量は，臓器病変と重症度に応じて PSL 換算で 10〜60 mg/日で開始する.

e 臓器障害と対応

- 眼症状に対しては治療が比較的奏効する一方で，口腔乾燥症

状は改善が乏しい例も多い．

- 眼・口腔症状については定期的に眼科，歯科口腔外科医による医学的管理を受けることが望ましい．
- 腺外臓器病変，他の膠原病を有する例は，リウマチ・膠原病内科専門医へのコンサルトを積極的に考慮する．

参考文献

1）Firestein & Kelley's Textbook of Rheumatology, 11th Ed, Firestein GS et al, Elsevier, Philadelphia, 2021
2）シェーグレン症候群の診断と治療マニュアル，改訂第3版，日本シェーグレン症候群学会（編），診断と治療社，東京，2018
3）Ramos-Casals M et al：EULAR recommendations for the management of Sjögren's syndrome with topical and systemic therapies. Ann Rheum Dis **79**：3-18, 2020

4 全身性強皮症

- 皮膚および全身の内臓，諸臓器の過剰な線維化，血管内皮障害，自己抗体産生を特徴とする．
- わが国では1：9で女性に多く，40～50歳代に最も多い．
- 日常生活では寒冷および喫煙を避けることが重要である．

a 臨床所見

- 皮膚硬化に加え，血管病変や多様な内臓臓器病変を伴う．
- Raynand現象は全身性強皮症（SSc）の初発症状として最多である．
- SScの皮膚所見については，「I-B. リウマチ性疾患の皮膚所見」(p11）も参照のこと．
- SScの90%以上が消化管病変を有する．食道病変が大半を占め，蠕動運動低下，逆流性食道炎が主体である．
- 間質性肺疾患はSScの死因で最多である．多くは緩徐進行性であるが，一部に致命的となる急速進行例が存在する．
- 肺高血圧症も重要な死因の1つで，予後不良である．
- 強皮症腎クリーゼは悪性高血圧から腎不全に移行する病態で，日本人では5%以下と少ないが，生命予後と関連する．

b 検査所見

- 抗核抗体が95%以上の症例で陽性である．疾患特異的自己抗体は診断および病型分類，予後の推定のうえで参考となる．
- 代表的な疾患特異的自己抗体として，抗Scl-70抗体，抗セントロメア抗体，抗RNAポリメラーゼⅢ抗体がある．
- 爪上皮のcapillaroscopyの所見（毛細血管の拡張および消失）は特徴的である．

c 診断のポイント

- 皮膚に限局して線状や斑状の硬化性局面を呈する，限局性強皮症の除外が診断の前提条件となっている．

- 1980年ACR分類予備基準，2003年厚生労働省基準，2013年ACR/EULAR分類基準などを参考に診断する［⇒付録①参照，p341，342］．
- 手指あるいは足趾を越える皮膚硬化を認める症例はSScと診断できる．
- 皮膚硬化が手指を越えない症例では，間質性肺疾患（両側性肺基底部の線維症）や血管病変などの臓器病変，疾患特異的自己抗体の検出などを合わせて分類する．

皮膚硬化の範囲による分類

①diffuse型（びまん皮膚硬化型SSc）：肘か膝を越えて近位にいたる症例

②limited型（限局皮膚硬化型SSc）：肘か膝を越えない症例

- diffuse型では指尖からはじまり，体幹へと広がる皮膚硬化を認め，3～5年目にピークを迎え，体幹から指尖へと自然軽快する．limited型では皮膚硬化が手指や手背にとどまる症例が多い．

d 治　療

- 代表的な臓器障害に対する治療の概略を以下に述べる．

1）皮膚硬化

- リハビリテーションは手指拘縮の予防や改善に有用である．
- diffuse型で早期の症例ではステロイド投与を検討する．
- ステロイドはPSL 20～30 mg/日を初期量の目安とするが，腎クリーゼ発症のリスクとなるので血圧および腎機能を慎重にモニターする．
- リツキシマブ（RTX）が2021年保険適用となった．皮膚硬化以外に対する効果や安全性は未確認であることに注意し，375 mg/m^2/回　1週間隔で4回投与する．
- 難治例ではシクロスポリン（CyA）やメトトレキサート（MTX），トシリズマブの併用を考慮する（保険適用外）．

2) 末梢循環不全

- 血流障害を改善させるため，ジヒドロピリジン系カルシウム拮抗薬，アンジオテンシンⅡ受容体拮抗薬，プロスタグランジン製剤の有効性が報告され，抗血小板薬や血管拡張薬とともに用いられる．

> 以下の①を用い，②～④は適宜併用する
> ①アムロジピン　1回2.5 mgまたは5 mg，1日1回
> ②ベラプロスト　1回60～120 μg，1日3回
> ③シロスタゾール　1回50～100 mg，1日2回
> ④カンデサルタンシレキセチル　1回4～8 mg，1日1回

3) 消化管症状-逆流性食道炎

- 胃酸逆流に対しては，プロトンポンプ阻害薬，H_2受容体拮抗薬を用い，蠕動低下に対しては，ドパミン遮断薬，セロトニン作動薬などが投与される．

> 以下の①および②は単独ないし併用で用いる
> ①ランソプラゾール　1回15 mg，1日1～2回
> ②モサプリド　1回5 mg，1日3回

4) 間質性肺疾患

- 間質性肺疾患は予後を規定する重要な臓器病変で，不可逆な変化が生じる前に進行を抑制する必要がある．近年，進行性の間質性肺疾患に対してニンテダニブの有効性が確認されている．トシリズマブやRTXも候補となるが間質性肺疾患に対する使用は保険適用外である．
- ステロイド，シクロホスファミド（CY），ミコフェノール酸モフェチル（MMF）が投与される．

> 以下の①または②，③を用いる．④は併用
> ① CY　1回50 mg，1日1～2回
> ② CY注　1回500～1,000 mg＋5％ブドウ糖注500 mL点滴静注，4週間に1回
> ③ MMF 1回500～1,000 mg，1日2回
> ④ニンテダニブ　1回150 mg，1日2回

● CY は悪性腫瘍の合併リスクとなるため，6〜12 ヵ月間投与後，AZP に変更する．

5）肺高血圧症

● 全患者で年 1 回のスクリーニングが推奨される．
● 酸素や抗凝固療法，利尿薬の他，血管拡張薬を用いる．
● SSc では一部の症例を除き，免疫抑制療法の効果は期待できない．

> WHO 機能分類をもとに，Ⅱ度では以下の③④⑤などのエンドセリン受容体拮抗薬，⑥⑦などのホスホジエステラーゼ 5（PDE5）阻害薬，⑧などの選択的プロスタサイクリン受容体作動薬の単独または併用，Ⅲ度では③〜⑧の併用，時に⑤を用い，Ⅳ度では⑨を併用する．
> ①ワルファリン　1 回 1〜5 mg，1 日 1 回，目標 INR 1.5〜2.0 程度
> ②ベラプロスト　1 回 60〜180 μg，1 日 2 回
> ③ボセンタン　1 回 62.5 mg，1 日 2 回，適宜 4 錠まで増量
> ④アンブリセンタン 1 回 5〜10 mg，1 日 1 回
> ⑤マシテンタン 1 回 10 mg，1 日 1 回
> ⑥シルデナフィル　1 回 20 mg，1 日 3 回
> ⑦タダラフィル　1 回 40 mg, 1 日 1 回
> ⑧セレキシパグ 1 回 0.2〜1.6 mg, 1 日 2 回
> ⑨エポプロステノール注　2 ng/kg/分の速度で開始し，15 分以上かけて 1 〜 2 ng/kg/分ずつ増量し持続静注

● 治療方針の決定や変更については，症例集積の多い専門施設において，循環器内科との密な連携が重要である．

6）腎クリーゼ

● 詳細は「Ⅴ-D．強皮症腎クリーゼ」（p312）を参照．

e 予　後

● 5 年生存率は diffuse 型が 70％，limited 型が 90％程度とされている．

参考文献

1) Khanna D et al：Diagnosis and monitoring of systemic sclerosis-associated interstitial lung disease using high-resolution computed tomography. J Scleroderma Relat Disord **7**：168-178, 2020
2) Satoshi E et al：Safety and efficacy of rituximab in systemic sclerosis (DESIRES)：a double-blind, investigator-initiated randomized, placebo-controlled trail. Lancet Rheumatol **3**：e489-497, 2021
3) 全身性強皮症診療ガイドライン作成委員会：全身性強皮症診療ガイドライン. 日皮会誌 **126**：1831-1896, 2016

5 多発性筋炎/皮膚筋炎

- 特発性炎症性筋疾患（idiopathic inflammatory myopathies：IIM）という疾患群のうち，特徴的な皮疹（ヘリオトロープ疹，Gottron 徴候もしくは丘疹）を伴う場合は皮膚筋炎（dermatomyositis：DM），伴わない場合は多発性筋炎（polymyositis：PM）と呼ぶ．
- IIM には，PM/DM の他，筋病理で封入体筋炎，免疫介在性壊死性筋症がある．
- PM/DM の予後決定因子は，悪性腫瘍と間質性肺疾患（ILD）である．
- 筋炎特異的な自己抗体は，診断，分類，予後予測に有用である．

a 臨床所見

1）筋所見

- 対称性の四肢近位筋，体幹の筋力低下を認める．
- 頸部筋障害による前方屈曲困難，咬筋障害による咀嚼力低下，嚥下筋障害から誤嚥，呼吸筋障害による呼吸不全をきたすことがある．
- 眼筋，顔面筋は通常，侵されない．

2）皮膚所見 （「I-B．リウマチ性疾患の皮膚所見」参照，p9）

- ヘリオトロープ疹：上眼瞼の浮腫を伴う紫色の皮疹．
- Gottron 徴候：関節伸側（MCP，PIP，DIP，肘，膝など）における斑状紫紅斑で，角質増殖，鱗屑，浮腫，白色萎縮化などの二次性変化を伴う．
- Gottron 丘疹：手指関節背側の隆起性紅斑．
- 高頻度にみられる皮疹：機械工の手（工具を握った時の摩擦面にささくれ様皮疹），胸部上部（V サイン），背部上部（ショールサイン）の暗赤色の皮疹，多形皮膚萎縮（poikiloderma）．

3）間質性肺炎

- 約半数に間質性肺炎を合併する．ほぼ進行しない慢性型から，急速進行し呼吸不全にいたる急性・亜急性型まで多様である．

b 検査所見

1）血液検査

- 筋原性酵素（CK，アルドラーゼ，AST，ALT，LDH）の上昇がみられる．
- 赤沈，CRP，γグロブリンも上昇する．
- 抗 Jo-1 抗体をはじめとする抗 ARS 抗体陽性例では，発熱，関節炎，Raynaud 現象，間質性肺疾患を認め，特徴的な臨床像を呈する．PM/DM の診断を満たさない場合，抗 ARS 抗体症候群と呼称されることがある［⇒「Ⅱ-A．血液検査」参照，p47］．
- 抗 MDA5 抗体は筋症状に乏しい DM（clinically amyopathic dermatomyositis：CADM）に検出される．致死的な ILD を高頻度に合併する［⇒「Ⅱ-A．血液検査」参照，p48］．
- 抗 TIF1-γ 抗体は悪性腫瘍との関連性が強い．
- 抗 Mi-2 抗体は治療反応性のよい典型的な皮膚筋炎の臨床像をとることが多い．
- 抗 SRP 抗体，抗 HMGCR 抗体（薬価未収載）は，筋病理でリンパ球浸潤に乏しい筋線維壊死が壊死性筋症で認められる自己抗体である．

2）筋電図

- 筋電図では以下の筋原性変化を認める．

> ①随意収縮時の多相性，短い持続時間，低電位波形
> ②安静時の線維束攣縮，陽性鋭波（positive sharp wave）

3）MRI

- T2 強調画像，STIR 画像で筋炎部位が高信号となる．

4）筋生険

- 炎症細胞浸潤と筋線維の壊死，貪食，再生像や筋線維の大小不同がみられる．
- PM では細胞傷害性 CD8 陽性 T 細胞の筋線維への浸潤がみられる．

- DM では CD4 陽性 T 細胞や B 細胞の筋束間の血管周囲への浸潤および筋線維束周辺の筋線維の萎縮がみられる．

c 診断のポイント

- Bohan & Peter 診断基準（1975 年）や，IIM の ACR/EULAR 分類基準（2017 年）が提唱されており，参考にする［⇒付録①参照，p343，344］．

▶鑑別疾患

- 筋原性酵素の上昇，筋力低下を認める疾患は多数あるため，慎重に鑑別を行うことが重要である．

a 一過性の筋損傷

- 激しい運動，こむら返り，筋肉注射，打撲．
- 横紋筋融解症（圧挫傷，主要な四肢の動脈閉塞などが原因となりうる）では，補液が必要である．

b 神経内科的疾患

- 運動ニューロン疾患（筋萎縮性側索硬化症・脊髄性進行性筋萎縮症）や筋ジストロフィー，重症筋無力症，Lambert-Eaton 症候群，周期性四肢麻痺を鑑別する．

c 内分泌・代謝疾患

- 甲状腺機能亢進/低下症や副甲状腺機能亢進症，Cushing 症候群を鑑別する．

d その他

- その他の鑑別疾患として，感染症（結核菌，ブドウ球菌，インフルエンザ，麻疹，HIV，トキソプラズマなど），薬剤性（スタチンなど），サルコイドーシスなどを鑑別する．

e 封入体筋炎

- 大腿四頭筋，手指屈筋が障害され治療抵抗性の IIM で，筋病理で封入体（rimmed vacuoles）を認める．

d 治　療

- 厚生労働省の調査研究班により「多発性筋炎・皮膚筋炎治療ガイドライン（2020 年暫定版）」が発行されており，参考にする．
- ステロイドの初期投与量は，PSL 換算で 1 mg/kg/日を 2～

4 週間投与する．CK 値の改善をみながら 1〜2 週間に 10% の割合で漸減する．

- 効果不十分の場合には，MTX 併用が有効である．
- Tac，CyA はステロイド減量効果を期待できる．AZP は MTX と同等の効果が得られるという報告がある（いずれも保険適用外）．
- ステロイド抵抗性筋炎には IVIG（0.4 g/kg/日 × 5 日間）が有用である［⇒「Ⅲ-A-7．免疫グロブリン大量静注療法」参照，p127］．

間質性肺炎を伴う場合

- 急速に呼吸不全にいたることも少なくない．特に抗 MDA5 抗体陽性例では予後不良が予測され，初期に陰影が軽度であってもすみやかに以下の併用療法を行うことを検討する．
- ステロイドパルス療法［メチルプレドニゾロン（mPSL）1 g × 3 日間］を含む大量ステロイド（PSL 1 mg/kg/日）を初期投与とし，早期に IVCY およびカルシニューリン阻害薬（Tac/CyA：保険適用外）の併用を行う．
- 近年，上記加療の治療抵抗例に対する血漿交換療法の有用性が報告されている（保険適用外）．

参考文献

1）Bohan A et al：Polymyositis and dermatomyositis. N Engl J Med **292**：403-407, 1975
2）Sato S：Autoantibodies specifically detected in patients with polymyositis/dermatomyositis. Jpn J Clin Immunol **29**：85-93, 2006
3）Choy EH et al：Treatment of dermatomyositis and polymyositis. Rheumatology **41**：7, 2002
4）Abe Y et al：Successful treatment of anti-MDA5 antibody-positive refractory interstitial lung disease with plasma exchange therapy. Rheumatology（Oxford）**59**：767-771, 2020

6 混合性結合組織病

- 1972年にSharpらによって提唱された．
- 混合性結合組織病（mixed connective tissue disease：MCTD）は重複症候群（overlap syndrome，複数の疾患単位にあてはまる臨床所見を示す症候群）の一病型として理解されている．
- 抗U1-RNP抗体が陽性で特徴的な臨床所見を有することが近年では重要と考えられてきている．

a 臨床所見

- 以下のいずれもが診断の要件である．

> ①SLE，SScおよびPM/DMの臨床所見が同一患者に，同時にあるいは経過とともに認められる
> ②抗U1-RNP抗体が高力価で検出される

- 一般的には自然経過で炎症性所見（発熱，紅斑，関節炎，漿膜炎，筋炎など）が前景に出現した後，消褪し，線維症所見（皮膚硬化，肺線維症，食道機能異常）が優位となる傾向がある．
- Raynaud現象，指ないし手背の腫脹は長期経過を通して持続し，これらは抗U1-RNP抗体と関連する症状と考えられている．

b 検査所見

- 抗U1-RNP抗体は診断に重要で，100％のMCTD例で陽性となる［⇒「Ⅲ-A-1. 免疫抑制療法実施にあたっての注意点」参照，p74］．

c 診断のポイント

- 厚生労働省研究班による診断基準は国際的に評価され，経時的に改訂されており，MCTD改訂診断基準2019では，共

通所見としてRaynaud現象，指ないし手背の腫脹があげられ，免疫学的所見として抗U1-RNP抗体が採択された．さらに特徴的な臓器所見として肺動脈性肺高血圧症，無菌性髄膜炎，三叉神経障害が示された．共通所見1つ以上陽性，免疫学的所見陽性，特徴的な臓器病変が1つ陽性だけでもMCTDと診断することが可能となった［⇒付録①参照，p346］．

- さらに，共通所見1つ以上陽性，免疫学的所見陽性でかつSSc，SLE，PM/DMの3疾患の臨床症状のうち，2疾患以上の所見を認める場合もMCTDと診断する．

d 治　療

- 厚生労働省研究班より，「MCTD（混合性結合組織病）診療ガイドライン2021」が刊行されており，参考にする．
- SSc，SLE，PM/DMの臨床所見のうち，最も強力な免疫抑制療法を要する臓器障害を決定し，治療方針を立てる．
- 全身性の炎症性病態が強い場合にはステロイドを主に用い，しばしばAZPやカルシニューリン阻害薬などの免疫抑制薬が併用される．
- 肺高血圧症に対しては肺血管拡張薬の投与が推奨されている．
- MCTDの疾患活動性に関連した肺高血圧症では，ステロイドおよび免疫抑制薬による治療を考慮する．

e 予　後

- 当初は生命予後良好とされてきたが，その後の調査でSLEなどと比較し，必ずしも予後良好ではない．
- 予後規定因子としての肺高血圧症の他，間質性肺炎，高度の肺線維症，腸管機能不全，重度腎障害，中枢神経症状，高度の血小板減少症などをきたす症例があり注意を要する．

参考文献

1）MCTD（混合性結合組織病）診療ガイドライン2021，厚生労働科学研究費補助金難治性疾患等政策研究事業（難治性疾患政策研究事業）自己免疫疾患研究班混合性結合組織病分科会（分科会長　田中良哉）（編），南山堂，東京，2021

1 高安動脈炎（大動脈炎症候群）

- 大動脈およびその主要分枝や冠動脈，肺動脈に閉塞性あるいは拡張性病変を呈する大型血管炎である．
- 男女比は 1：9 と女性に多く，好発年齢は 20 歳前後である．
- 発症機序は不明であるが，遺伝的素因として *HLA-B52* との関連が知られる．

a 臨床所見

- 病初期より感冒様症状や微熱または高熱，全身倦怠感の持続を伴う．
- 血管の閉塞や拡張病変に伴う症状は，上肢の虚血症状（易疲労感，しびれ感，上肢痛，脈なし，血圧の左右差）や脳虚血症状（めまいや失神），下肢の虚血症状（間欠跛行など）である．

b 検査所見

1）血液検査

- 特異マーカーはないが，炎症反応（赤沈亢進，CRP 高値，白血球増加など），貧血，HLA-B52 陽性は参考となる．

2）病理検査

- 病理組織では，肉芽腫性全層性動脈炎が確認される．
- 病初期には栄養血管への細胞浸潤を伴う外膜の単核細胞浸潤，中膜の小梗塞，それを取り囲むリンパ球主体の炎症細胞浸潤がみられる．
- 瘢痕期には，線維性内膜肥厚と血管壁の線維性瘢痕などによる内腔狭窄・閉塞が確認される．

3）画像検査

- 血管造影検査：動脈壁肥厚については評価できないが，血管狭窄病変を描出する．
- 血管エコー：簡便に血管壁肥厚と内径狭小化を描出する．特に頸部血管病変の選別に優れる．

- 造影 CT/3D-CT：血管の狭窄，壁肥厚を描出する．造影効果の有無で治療効果判定にも有用である．
- MRI/MRA：ガドリニウム造影による壁肥厚病変を抽出する．MRA では血管壁の不整，狭窄，閉塞の有無を描出する．総頸動脈，鎖骨下動脈，腹腔動脈，腎動脈の評価に優れる．
- ^{18}F-FDG PET/PET-CT：確定診断例において，他の検査で病変の局在または活動性の判断ができない場合に適応となり，感度，特異度ともに良好である．

C 診断のポイント

- 1990 年 ACR 分類基準などを参考に診断する［⇒付録①参照，p347］．
- 不明熱の鑑別で診断にいたることも多い．
- 鑑別疾患には巨細胞性動脈炎，血管型 Behçet 病，IgG4 関連大動脈周囲炎などのリウマチ性疾患や，細菌性動脈瘤，梅毒性中膜炎といった感染症や，動脈硬化症，炎症性腹部大動脈瘤，先天性血管異常などがある．
- 病型分類には血管造影分類が用いられる（図 1）．

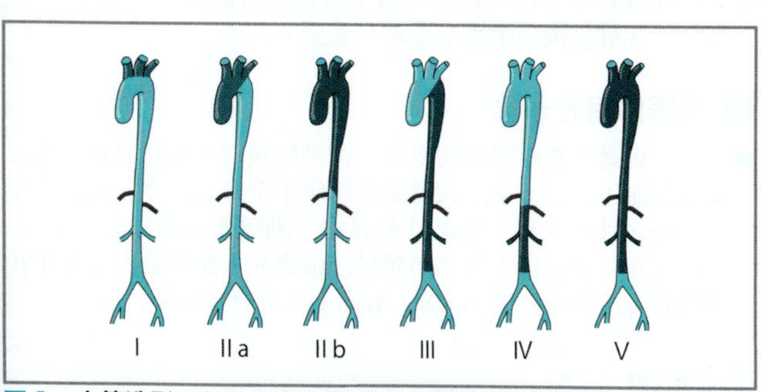

図 1　血管造影における高安動脈炎の分類

［豊島　聰ほか：医学・薬学のための免疫学，第 2 版，東京化学同人，東京，p163，2008 より引用］

d 治　療

1）内科的治療法（内科的治療プロトコール）

- ステロイド：初期投与量は年齢，体格，病勢を考慮して0.5～1 mg/kg/日で開始し，2～4週継続の後に漸減する．
- 生物学的製剤：治療抵抗性や再発例にトシリズマブ（162 mg/週）を併用する．保険適用外であるが，インフリキシマブ，ゴリムマブ，エンブレルなどのTNF阻害薬が有効との報告もある．
- 免疫抑制薬：生物学的製剤の保険適用によって使用する機会は減っているが，治療抵抗性例，副作用によりステロイドおよび生物学的製剤継続が困難な症例，寛解維持療法で考慮する．

> - シクロホスファミド（CY）　50～100 mg/日，内服または300～750 mg/m^2，点滴静注
> - アザチオプリン（AZP）　2 mg/kg/日
> - メトトレキサート（MTX）　6～16 mg/週（保険適用外）
> - シクロスポリン（CyA）　3 mg/kg/日（保険適用外）

- 抗血小板薬：有意な狭窄性病変がある場合，禁忌がない限り内服が望ましい．

2）外科的治療法

- 炎症が残存する血管に対する手術は合併症をきたしやすく，炎症の沈静化後の慎重な適応が重要である．

e 臓器障害と予後

- 予後に影響する重要な病変は，腎動脈狭窄や大動脈縮窄症による高血圧，腎不全，大動脈弁閉鎖不全によるうっ血性心不全，虚血性心疾患，解離性動脈瘤，動脈瘤破裂などである．画像検査の普及により早期発見，治療介入が可能となり予後は改善し，生活の質（QOL）も向上してきている．

参考文献

1）松井俊治ほか：大型血管炎の病因・病理，診断・治療―大型血管炎の病理．日臨 **71**［増刊 1］：159，2013

2）磯部光章ほか：血管炎症候群の診療ガイドライン（2015–2016 年度合同研究班）. Circ J **84**：299, 2020
3）Maz M et al：2021 American College of Rheumatology / Vasculitis Foundation Guideline for the management of giant cell arteritis and Takayasu arteritis. Arthritis Rheumatol **73**：1349, 2021

2 巨細胞性動脈炎

- 50歳以上の高齢者に多く発症する，側頭動脈や眼動脈など頭蓋領域の動脈，大動脈とその分枝の中～大型動脈に病変が及ぶ血管炎である.
- わが国の有病率は0.65人/10万人，男女比は1：1.7.
- 原因は不明であるがアジア人に少なく，北米由来の白人に多い．遺伝素因として*HLA-DRB1**04*，北欧は南欧に比べ2倍多く，地理的偏りが知られる.

a 臨床所見

- 全身症状として，発熱，倦怠感，易疲労感，体重減少などがあり，約30％にリウマチ性多発筋痛症（polymyalgia rheumatica：PMR）が合併する.
- 頭痛，側頭動脈の腫脹・圧痛・拍動低下，顎跛行（咀嚼で誘発される疼痛による咀嚼持続困難），下顎痛がみられる.
- 動脈炎性前部虚血性視神経症症状は，約30％の症例で前駆症状の一過性黒内障発作を呈し，片眼あるいは両眼の急激で重篤な視力障害を伴う.

b 検査所見

1）血液検査

- 特異マーカーはないが炎症反応（白血球増加，赤沈亢進，CRP上昇）を呈する.

2）眼底検査

- 虚血性視神経症では，視神経乳頭の虚血性混濁浮腫と，網膜の綿花様白斑（軟性白斑）を呈する.

3）病理検査

- 側頭動脈生検組織では，中型・大型血管壁内膜に炎症細胞浸潤，多核巨細胞を伴う肉芽腫性動脈炎，内弾性板の破壊，内膜の著明な肥厚がみられる.
- 進行期には内腔の血栓性閉塞を呈する.

4) 画像検査

- 診断および血管病変の検出のため重要である.
- 血管造影検査.
- 血管エコー：側頭動脈周囲の「dark halo」(浮腫性変化).
- 造影 CT/3D-CT：短時間で全身の血管の評価が可能.
- MRI/MRA：非侵襲的であり頭蓋領域および頭蓋領域外の中型・大型動脈の評価に優れる.
- ^{18}F-FDG PET/PET-CT：確定診断例において，他の検査で病変の局在または活動性の判断ができない場合に適応となり，感度，特異度ともに良好である.

c 診断のポイント

- 鑑別疾患には悪性腫瘍や他の血管炎（高安動脈炎，顕微鏡的多発血管炎，多発血管炎性肉芽腫症），感染症などがあり，高齢者の不明熱の原因の1つである.
- 1990年ACR分類基準を参考に診断する［⇒付録①参照，p349］.
- 疾患分類として，病変が側頭動脈・眼動脈などの頭蓋領域にとどまる頭蓋型巨細胞性動脈炎（cranial giant cell arteritis：cranial GCA）と，大動脈・総頸動脈・鎖骨下動脈など頭蓋領域外へ及ぶ大血管型巨細胞性動脈炎（large-vessel giant cell arteritis：LV-GCA）がある.

d 治　療

1) ステロイド

- 病初期投与量は年齢，体格，病勢を考慮して開始し，2～4週継続の後に漸減する.

> ①眼症状，中枢神経症状，脳神経症状のある症例
> - ステロイドパルス療法：メチルプレドニゾロン（mPSL）1,000 mg/日，3日間の後，プレドニゾロン（PSL）1 mg/kg/日で後療法を行う
>
> ②眼症状，中枢神経症状，脳神経症状のない症例
> - PSL　0.5 mg/kg/日の中等量投与を行う

2) 生物学的製剤

- 治療抵抗性や再発例にトシリズマブ（162 mg/週）を併用する.

3) 免疫抑制薬

- 生物学的製剤の保険適用によって使用する機会は減っているが, 治療抵抗性例, 副作用によりステロイドおよび生物学的製剤継続が困難な症例, 寛解維持療法で考慮する.

> • MTX　6～16 mg/週（保険適用外）

4) 抗血小板薬

- 虚血性視神経症を含めた脳血管障害のリスクが高い場合に少量アスピリンを併用する.

e 臓器障害と対応

- 不可逆的な視力低下や失明, 視野異常を呈することがあり, すみやかな治療介入が必要である.
- 高齢発症が多く, 原疾患のみならずステロイド治療の合併症にも十分な注意が必要である.

参考文献

1) 小林茂人ほか：大型血管炎の病因・病理, 診断・治療—巨細胞性動脈炎（側頭動脈炎）の診断と治療. 日臨 **71**［増刊 1］：179, 2013
2) 磯部光章ほか：血管炎症候群の診療ガイドライン（2015–2016 年度合同研究班）. Circ J **84**：299-359, 2020
3) Maz M et al：2021 American College of Rheumatology/Vasculitis Foundation Guideline for the management of giant cell arteritis and Takayasu arteritis. Arthritis Rheumatol **73**：1349-1365, 2021

3 結節性多発動脈炎

- 血管径による血管炎の分類において，小型ないしは中型の筋系動脈の壊死性血管炎を呈する疾患である．
- 男女比は1：1～2，平均発症年齢は50歳前後である．
- 原因は不明であるが，海外ではB型肝炎ウイルスが関連するとの報告がある（わが国ではまれである）．

a 臨床所見

- 約80％の症例に38℃以上の発熱や，体重減少，倦怠感，頭痛，関節痛，筋痛などを呈する．
- 皮膚病変として環状皮斑（livedo reticularis），皮膚潰瘍，指趾壊死，皮下結節，Raynaud現象を呈する．
- 神経の栄養血管の障害により約半数の症例に多発性単神経炎をきたし，四肢の知覚障害や，下垂手や下垂足などの運動障害を呈する．
- 腸管アンギーナによる臍周囲痛や，悪心，嘔吐，急性腹症まで多様な腹部症状を呈するが，腸間膜動脈の閉塞，梗塞や動脈瘤破裂をきたせば腸管穿孔，消化管出血，腹腔内出血を呈し，時に致死的である．
- 腎血管炎による高レニン性高血圧で腎不全にいたる場合もある．
- 冠動脈の血管炎により狭心症や心筋梗塞を呈する．
- 脳梗塞や皮膚病変を繰り返す一部にアデノシンデアミナーゼ2変異を伴い，DADA2と分類される．

b 検査所見

1）血液検査

- 特異マーカーはないが，炎症反応（赤沈亢進，CRP高値，白血球増加など），貧血を認める．

2）病理検査

- 障害臓器の生検組織で，特徴的な壊死性血管炎を証明することで診断が確定される.

- 急性炎症期には血管外膜に炎症細胞浸潤がみられ，血管壁のフィブリノイド変性をきたし，内膜の肥厚により血管内腔の狭窄，閉塞，血栓を伴うことがある.
- 晩期には内膜の線維性肥厚，内弾性板，外弾性板の破壊により血管壁が脆弱になり動脈瘤形成や破裂をきたす.

3）画像検査

- 生検に適した部位がない場合は，血管造影検査，造影 CT，MRI/MRA により動脈瘤や血管狭窄，閉塞の評価を行う.

c 診断のポイント

- 1990 年 ACR 分類基準を参考に診断する［⇒付録①参照，p350］.
- 他のリウマチ性疾患は抗核抗体や特異的自己抗体により鑑別を進め，感染症の除外も行う.
- 結節性多発動脈炎の亜型として皮膚のみに壊死性血管炎が証明される皮膚動脈炎（一般的に予後良好）がある.

d 治　療

1）活動性 B 型肝炎を伴っている場合

- 抗ウイルス薬および免疫複合体除去目的で血漿交換を行う.

2）腎，神経，筋，消化管，冠動脈などの生命予後に関わる臓器障害がある重症例

- ステロイドパルス療法：mPSL 1,000 mg/日，3 日間の後，PSL 1 mg/kg/日で後療法を行う.
- 重要臓器障害を伴う重症例では CY 大量静注療法（IVCY）や血漿交換（保険適用外）も考慮する.

3）生命予後に関わる臓器障害のない軽症例

- ステロイド：初期投与量は年齢，体格，病勢を考慮して 0.5～1 mg/kg/日で開始し，2～4 週継続の後に漸減する.
- 免疫抑制薬：ステロイド抵抗性例，副作用によりステロイド継続が困難な症例，寛解維持療法で考慮する.

- AZP　2 mg/kg/日
- MTX　6～16 mg/週（保険適用外）

e 臓器障害と予後

- 消化管出血，心血管障害などは短期的な死因となり，後期では難治性高血圧の結果として心・腎・中枢神経系の機能障害による死亡例が多い．
- 末梢神経障害は予後には影響が少ないが，不可逆的な臓器障害は日常生活動作（ADL）やQOLの低下をきたすため早期の診断と治療が重要である．

参考文献

1）舟久保ゆうほか：その他の血管炎の診断と治療―結節性多発動脈炎―結節性多発動脈炎の診断と治療．日臨 **71**［増刊1］：401-407，2013
2）磯部光章ほか：血管炎症候群の診療ガイドライン（2015-2016年度合同研究班）．Circ J **84**：299-359，2020
3）Chung SA et al：2021 American College of Rheumatology/Vasculitis Foundation Guideline for the Management of Polyarteritis Nodosa. Arthritis Rheumatol **73**：1384-1393，2021

4 ANCA関連血管炎

- 抗好中球細胞質抗体（ANCA）関連血管炎（ANCA associated vasculitis：AAV）は，その多くでANCAが検出され，中型・小型血管に壊死性血管炎を呈する予後不良な症候群である．
- 多発血管炎性肉芽腫症（GPA，旧称 Wegener肉芽腫症：WG），顕微鏡的多発血管炎（MPA），好酸球性多発血管炎性肉芽腫症（EGPA，旧称 Churg-Strauss症候群）の3つの病型がある．
- 2012年のChapel Hill Consensus Conference（CHCC）で各血管炎症候群の定義が更新された．
- 非典型例も多く，鑑別困難な症例もしばしば経験される．
- 欧米ではPR3-ANCA陽性のGPAが多数を占めMPAは少数である一方，わが国では高齢発症でMPO-ANCA陽性のMPAが多く，疫学差がある．

a Wattsらの分類アルゴリズム

- 2007年にWattsらは，疫学研究への適用を目的としてAAV 3疾患と古典的結節性多発動脈炎（PAN）の段階的分類アルゴリズム（**図1**）を提唱した．

1) エントリー基準と代用マーカー

- Wattsらの分類アルゴリズムが適用されるのは，AAVあるいは古典的PANに合致する臨床症状・所見を有し，他疾患が否定される原発性全身性血管炎患者である．
- ANCAの対応抗原はPR3/MPOのいずれでもよい．
- 確定的な組織所見が得られない場合には，GPA代用マーカーと壊死性糸球体腎炎代用マーカーを用いる．
- 原発性全身性血管炎の臨床診断を行う（**表1**）．

2) 血管炎の代用マーカー（表2）

- **表2**の中で1項目が認められた場合，血管炎による臓器障害と判定する．

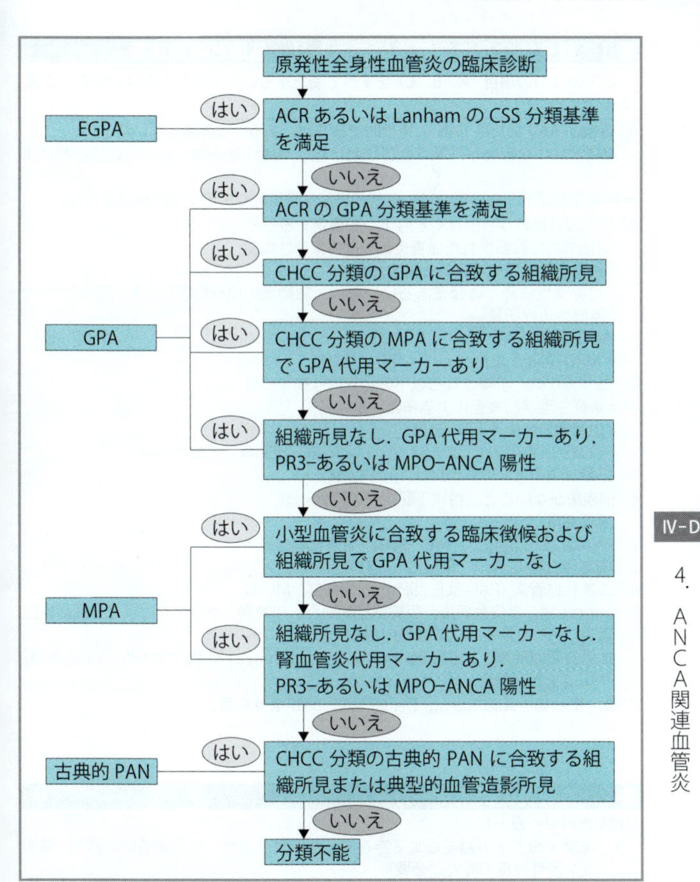

図 1　原発性全身性血管炎（AAV および古典的 PAN）の分類アルゴリズム

①GPA に合致する組織所見：主に気道を含む壊死性肉芽腫性炎症と中・小型血管優位の壊死性血管炎
②MPA に合致する組織所見：小型血管（毛細血管，細動脈，細静脈）の壊死性血管炎で，免疫複合体沈着は少ない，または認めない．
③古典的 PAN に合致する組織所見：中・小型動脈の壊死性動脈炎で，糸球体腎炎および毛細血管，細静脈，細動脈の炎症を認めない．

［Watts R et al：Ann Rheum Dis **66**：222, 2007 より引用］

表1　原発性全身性血管炎のエントリー基準と病態定義

以下の3つの項目（A，B，C）をすべて満たすものを原発性全身性血管炎と定義する

A）症候がAAVまたはPANに特徴的であるか，あるいは矛盾しないこと
- 組織学的に血管炎が証明されていれば症状や徴候は矛盾しないものであればよい
- 組織学的証明がない場合は，症状や徴候は特徴的なものでなければならない

B）以下の項目のうち少なくとも1つを満足すること
1. 組織学的に診断された血管炎または肉芽腫性病変
   - 血管炎には壊死性糸球体腎炎が含まれる
   - 肉芽腫性病変：血管壁あるいは動脈・細動脈の血管周囲と血管外領域での肉芽腫性炎症所見
2. ANCA陽性
   - MPO-ANCAまたはPR3-ANCAが陽性
3. 血管炎が強く示唆される以下の特異的な検査所見
   - 神経生理学的検査による多発性単神経炎
   - 血管造影によるPAN所見
   - 頭頸部と胸部のCTまたはMRIによる眼窩後部病変と気管病変
4. 好酸球増多（>10%または>1,500/μL）

C）他疾患がないこと，特に下記疾患の除外
1. 悪性腫瘍
2. 感染症（B/C型肝炎，HIV，結核，亜急性心内膜炎）
3. 薬剤性血管炎（ヒドララジン，プロピルチオウラシル，アロプリノール）など
4. 二次性血管炎（RA，SLE，Sjögren症候群，MCTD）
5. Behçet病，高安動脈炎，巨細胞性動脈炎，川崎病，クリオグロブリン血症性血管炎，IgA血管炎，抗GBM抗体病
6. 血管炎類似疾患（コレステロール塞栓症，calciphylaxis，劇症型APS，心房粘液腫）
7. サルコイドーシス

［Watts R et al：Ann Rheum Dis **66**：222, 2007より引用］

表2　血管炎の代用マーカー

［GPA代用マーカー］
1. 胸部X線で1ヵ月を超えて存在する固定性肺浸潤，結節あるいは空洞（感染症や悪性腫瘍の除外が必要）
2. 気管支狭窄
3. 1ヵ月を超える血性汁と鼻垢，あるいは鼻の潰瘍
4. 3ヵ月を超える慢性副鼻腔炎，中耳炎/乳様突起炎
5. 眼窩後部の腫瘤あるいは炎症（偽腫瘍）
6. 声門下狭窄
7. 鞍鼻または破壊性副鼻腔疾患

［腎血管炎（糸球体腎炎）代用マーカー］
1. 変形赤血球（≧10%）または赤血球円柱を伴う血尿
2. 検尿検査で2+以上の血尿と蛋白尿

［Watts R et al：Ann Rheum Dis **66**：222, 2007より引用］

1 多発血管炎性肉芽腫症（GPA）（旧称 Wegener 肉芽腫症：WG）

- 以下を特徴とする難治性再発性の全身性血管炎である．

①鼻・耳・咽喉頭（上気道），肺（下気道）の壊死性肉芽腫性血管炎
②糸球体腎炎
③全身の中・小型壊死性血管炎

- PR3-ANCA が特異度の高い検査として知られている．

a 臨床所見（表3）

- 典型的には上気道病変から初発し，下気道，腎臓の順に病変が拡大していく．上気道・下気道・腎臓のすべてに病変が及ぶものを全身型と呼ぶが，腎病変を欠いた限局型の症例も多く認められる．

b 検査所見

1）血液・尿検査

- 白血球増多，CRP 上昇，赤沈上昇．
- PR3-ANCA 陽性（ただし，MPO-ANCA 陽性例，ANCA 陰性例も低頻度であるが認められる）．
- 腎病変を有する場合：血清クレアチニン上昇，尿潜血，尿蛋白，赤血球円柱，急速進行性糸球体腎炎（RPGN）．

表3 GPA の臨床症状

上気道の症状	鼻（膿性鼻漏，出血，鞍鼻），眼（眼痛，視力低下，眼球突出），耳（中耳炎による難聴），口腔・咽頭（潰瘍，嗄声，気道閉塞）など
下気道の症状	血痰，咳嗽，呼吸困難など
腎症状	血尿，蛋白尿，腎機能障害，血圧上昇など 急速進行性糸球体腎炎
血管炎による症状	発熱，体重減少，紫斑，関節炎，多発性単神経炎，虚血性心疾患，消化管出血，胸膜炎など

2) 画像検査

- 頭部CT・MRIで眼窩，副鼻腔，中耳，乳突洞などに病変を認め，時として構造破壊あり．
- 胸部CT：肺実質の多発結節影・すりガラス影，気管支壁肥厚．肺実質病変は進行すると空洞化をきたしうる．網状影や索状影などを呈する場合もあるが，MPAと比して低頻度である．

3) 組織学的所見

- 鼻腔・副鼻腔，肺，皮膚などの生検で肉芽腫形成性の壊死性血管炎を認める．
- 腎生検では，半月体形成や係蹄壁の破壊，ひいてはBowman囊の破綻を伴う壊死性糸球体腎炎の像を呈し，免疫蛍光抗体法でpauci-immune（免疫グロブリンや補体の沈着を欠く，あるいは乏しい）型を呈する．

c 診断のポイント

- 厚生省の診断基準［⇒付録①参照，p351］，Wattsらの分類アルゴリズム，2022年ACR/EULAR分類基準を参考に診断する．
- 本疾患を疑う場合にはPR3-ANCA，MPO-ANCAを（可能ならば蛍光抗体法のANCAを合わせて）測定する．
- 典型的にはPR3-ANCA陽性例であるが，MPO-ANCA陽性例やANCA陰性例も低頻度ながらありうる．

1) 鑑別疾患

- 感染症・悪性腫瘍や，PR3-ANCAが陽性となりうる他疾患（感染性心内膜炎，潰瘍性大腸炎など），他の肉芽腫性疾患（サルコイドーシス，結核など），他のANCA関連血管炎（MPA，EGPA）などを鑑別する．
- 可能な限り生検を行い組織診断をめざすが，生検困難な症例や，上気道病変など生検の感度が低い場合もある．
- 進行すると難治性あるいは不可逆的な臓器障害を呈する症例も多く，組織診断ができない場合にも本疾患が疑わしい症例には早期治療を行う必要がある．
- 厚生労働省の診断基準にはprobable GPAの定義があり，確診例でなくても治療できるよう配慮されている．

2) 疾患活動性の評価

- 各学会より重症度分類が提唱されており治療導入の際に参考にする［⇒付録②参照，p376，377］.
- 疾患活動性スコアとして Birmingham Vasculitis Activity Score (BVAS)，不可逆的障害スコアとして Vasculitis Damage Index (VDI) が使用される［⇒付録②参照，p378，379］.

d 治 療

- ステロイドのみの治療ではきわめて予後不良な致死性疾患であったが，CY あるいはリツキシマブ (RTX) を併用することで治療成績は飛躍的に向上した.

1) 寛解導入療法

- 高用量ステロイド（PSL 換算 1.0 mg/kg/日）と CY あるいは RTX の併用を基本とする.
- CY 経口投与 (POCY) は感染症，骨髄抑制，膀胱癌などの二次発癌といった副作用が問題視され，近年では CY 大量静注療法 (IVCY，15 mg/kg/pulse を最初の 3 回は 2 週ごと，その後は 3 週ごとに 3〜6 回継続) が選択されることも多い.
- CY は年齢，腎機能障害に応じて適宜減量して投与する.
- RTX は 375 mg/m^2 を 1 週間ごとに 4 回投与する．治療成績は高用量ステロイド＋ IVCY 併用に匹敵するとされる.
- 2021 年の米国リウマチ学会 (ACR) のガイドラインでは，ステロイドの早期減量と RTX の併用が推奨された.
- 国際共同第Ⅲ相 ADVOCATE 試験によってアバコパン群の PSL 漸減投与群に対する優越性が示され，2022 年に承認された.
- 生命に関わる病変（肺病変・腎病変）を欠く限局型の場合，中等量ステロイド（PSL 換算 0.5 mg/kg/日程度）からの開始や，MTX（保険適用外）併用が考慮される.

2) 寛解維持療法

- ステロイドを漸減し，免疫抑制薬としては RTX の併用が推奨されるが，AZP，MTX（保険適用外）なども使用する.
- アバコパンの併用を考慮する.
- ステロイド維持量 (PSL 換算 5〜10 mg/ 日) まで可能な限

り減量することを目標とするが，減量過程でしばしば再燃し減量が困難なことも多い．

e 臓器障害と対応

- 肺障害：酸素投与，気管挿管・機械換気など．
- 腎障害：腎代替療法（人工透析など）．

2 顕微鏡的多発血管炎（MPA）

- かつて結節性動脈周囲炎と診断されていた症例のうち，小型血管を主体とした壊死性血管炎をきたし，肉芽腫性病変がみられないものがMPAと定義された．
- 小型血管を主に障害するが，中型血管障害もありうる．血管壁への免疫複合体沈着はないか，あっても軽度にとどまる．
- 壊死性糸球体腎炎，間質性肺炎や肺胞出血が多く，その他全身の諸臓器に病変をきたしうる．GPAと異なり，頭頸部病変の頻度は低い．単独臓器の血管炎（特に腎限局型血管炎）を呈する場合もあり，臨床像は多彩である．
- MPO-ANCAが大半の症例で陽性となり，病態形成に重要とされる．

a 臨床所見（表4）

表4　MPAの臨床症状

全身症状	発熱，体重減少，筋痛，関節痛など
皮膚症状	紫斑，紅斑，網状皮斑，皮膚潰瘍など
腎症状	急速進行性糸球体腎炎を呈する
呼吸器症状	咳嗽，労作時呼吸困難，血痰，低酸素血症など
神経症状	多発性単神経炎としての知覚障害や運動障害，時に脳出血に伴う中枢神経症状を生じる
消化器症状	腹痛，下痢，血便など
心血管症状	心不全，心伝導障害など

b 検査所見

1）血液・尿検査

- 末梢血白血球増多，CRP上昇，赤沈上昇．

- MPO-ANCA 陽性(ただし，ANCA 陰性例も低頻度であるが認められる．PR3-ANCA 陽性例はまれである)．
- 腎病変を有する場合：血清クレアチニン上昇，尿潜血，尿蛋白．

2) 画像検査

- 胸部 CT：間質性肺炎像［通常型間質性肺炎(UIP)パターンが主，その他すりガラス影や線状影など］，または肺胞出血像(典型的には両側びまん性浸潤影と周辺の小葉中心性すりガラス影)．

3) その他の検査

- 気管支鏡検査：肺胞出血がある場合には気管支肺胞洗浄液が血性となり，細胞診で鉄染色により多数のヘモジデリン貪食マクロファージを検出する．
- 神経伝導速度検査：軸索障害型の多発性単神経炎パターンが多い．
- 組織学的所見：皮膚，肺，神経，筋などの生検で中・小血管の壊死性血管炎を認める．肉芽腫形成はみられない．腎生検では，壊死性半月体形成性糸球体腎炎を認め，免疫蛍光抗体法で pauci-immune 型を呈する．

c 診断のポイント

- 厚生労働省の診断基準［⇒付録①参照，p353］，Watts らの分類アルゴリズム，2022 年 ACR/EULAR 分類基準を参考に診断する．また，各学会より重症度分類が提唱されており参考にする［⇒付録②参照，p376，377］．
- 疾患活動性スコア・不可逆的障害スコアは GPA と同様に BVAS や VDI を指標とする［⇒付録②参照，p378，379］．
- 本疾患を疑う場合には MPO-ANCA，PR3-ANCA を(可能ならば蛍光抗体法の ANCA を合わせて)測定する．
- 鑑別疾患：感染症・悪性腫瘍，MPO-ANCA が陽性となりうる他疾患(潰瘍性大腸炎，慢性下気道感染など)．
- 可能な限り生検を行い，組織診断をめざす．
- ただし，進行すると難治性あるいは不可逆的な臓器障害を呈する症例も多く，組織診断ができない場合にも本疾患が疑わしい症例には早期治療を行う．

- GPA 同様，厚生労働省基準には probable MPA の定義があり，確診例でなくても治療できるよう配慮されている．

d 治　療

1）寛解導入療法

- 重症例に対し高用量ステロイド（PSL 換算 1.0 mg/kg/日）と CY あるいは RTX の併用を行う．
- 肺胞出血や RPGN を呈する例では mPSL パルス療法（1,000 mg/日を 3 日間）を考慮する．
- POCY（50〜100 mg/日）で副作用が多く，近年では IVCY（15 mg/kg/pulse を最初の 3 回は 2 週間ごと，以降は 3 週間ごと）が選択される．
- CY は年齢，腎機能障害に応じて適宜減量して投与する．
- GPA と同様，難治例・再発例には RTX が保険適用されている．RTX は 375 mg/m^2 を 1 週間ごとに 4 回投与する．
- 2021 年の ACR ガイドラインでは，ステロイドの早期減量と RTX の併用が推奨された．
- 2022 年に承認されたアバコパンの併用を考慮する．
- 軽症例や臓器限局例に対しては中等量ステロイドでも効果を期待できる場合がある．

2）寛解維持療法

- GPA と同様，ステロイドを漸減し，免疫抑制薬としては RTX, アバコパン, AZP, MTX（保険適用外）なども使用する．GPA に比して再燃は少ない傾向にある．

e 臓器障害と対応

- 肺障害：酸素投与，気管挿管・機械換気など．
- 腎障害：腎代替療法（人工透析など）．
- 神経障害：神経障害性疼痛に対し鎮痛補助薬の使用．
- 心障害：心不全，心伝導障害に対する循環器的対応．
- 消化器障害：穿孔にいたった場合は外科的対応．

3 好酸球性多発血管炎性肉芽腫症（EGPA）（旧称 Churg-Strauss 症候群）

- 以下を臨床的特徴とし，病理組織学的に好酸球浸潤および肉芽腫形成性壊死性血管炎を呈する疾患.

①先行する気管支喘息やアレルギー性鼻炎
②末梢血好酸球増多
③全身性血管炎症状（特に末梢神経障害が多い）

- 上記の①→②→③の順に症状が出現するのが典型である．低頻度であるが気管支喘息と慢性好酸球性肺炎を発症した後に全身性血管炎症状を呈する症例や，まれであるが気管支喘息を欠く症例，臓器限局例も報告される.
- MPO-ANCA 陽性率は 40～50％であり，その他は ANCA 陰性例であることに注意が必要である.
- 予後は一般に良好である．高齢発症・心病変・消化管病変・腎病変は予後不良因子で，「耳鼻咽喉科領域の病変を持つこと」は予後良好因子とされる.

a 臨床所見（表 5）

- 先行する気管支喘息，アレルギー性鼻炎は成人発症が大半で，発症の数年後に血管炎症状を呈する.

b 検査所見

- 著明な好酸球増多を伴う白血球増多，血小板増多，CRP 上昇，赤沈亢進.

表 5　EGPA の臨床症状

末梢神経障害（90％以上）	多発性単神経炎型
皮膚症状	紫斑，紅斑，潰瘍，結節性病変など
呼吸器症状	好酸球性肺炎，肺胞出血，間質性肺炎など
腎症状	急速進行性糸球体腎炎
消化器症状	消化管出血，腹膜炎，穿孔，胆囊炎など
心血管症状	心不全，心膜炎，心筋炎など
中枢神経症状	脳出血，脳梗塞

- MPO-ANCA 陽性例は半数程度，その他は ANCA 陰性.
- 血清 IgE 高値，IgG4 高値，リウマトイド因子陽性.
- 神経伝導速度検査：多発性単神経炎パターン.
- 胸部 CT：気管支細気管支壁の肥厚，慢性好酸球性肺炎像など.
- 心障害：血清 BNP 上昇，胸部 X 線で心胸郭比拡大，心エコーで壁運動低下など.
- 腎病変を有する場合：血清クレアチニン上昇，尿潜血，蛋白尿.

c 診断のポイント

- 厚生労働省の診断基準，Lanham の分類基準 [⇒付録①参照，p354]，Watts らの分類アルゴリズム，2022 年 ACR/EULAR 分類基準などを参考に診断する．また，各学会より重症度分類が提唱されており参考にする [⇒付録②参照，p376，377].
- 鑑別疾患：EGPA 以外の好酸球増多をきたす疾患群（好酸球増多症候群，慢性好酸球性白血病，肺好酸球増多症候群，アレルギー性気管支肺アスペルギルス病，寄生虫疾患，薬剤性など），他の血管炎症候群.
- 心・消化管病変などの臓器病変を呈すると予後がわるいため，早期診断および治療が基本である．疑った時点で積極的に精査を行う．厚生労働省基準には probable EGPA が定義されている.

d 治　療

- 基本はステロイド経口投与である．PSL 換算で 1 mg/kg/日から開始する．寛解が得られれば漸減する.
- 予後不良因子を持つ場合やステロイドへの治療反応性が不十分な場合には，CY を併用する．POCY（50～100 mg/日）または IVCY（15 mg/kg/pulse）を選択する.
- ステロイド減量困難な症例では，IL-5 に対する抗体製剤であるメポリズマブ（300 mg/4 週），IgE に対する抗体製剤であるオマリズマブ（300～600 mg/2～4 週）併用が考慮される.

EGPAの予後不良因子

- 65歳以上
- 心障害あり
- 重度消化管虚血あり
- 腎障害あり（クレアチニン≧1.58 mg/dL）
- 耳鼻咽喉科領域病変なし

- 上記の寛解導入療法で改善不十分な神経障害に対し，免疫グロブリン大量静注療法（IVIG，0.4 g/kg/日を5日連続投与）の併用が保険適用となっている［⇒「Ⅲ-A-7．免疫グロブリン大量静注療法」参照，p127］．

e 臓器障害と対応

- 肺障害：酸素投与，気管挿管・機械換気など．
- 腎障害：腎代替療法（人工透析など）．
- 神経障害：鎮痛補助薬の使用，IVIG．
- 心障害：心不全，心伝導障害に対する循環器的対応．
- 消化器障害：穿孔にいたった場合は外科的対応．

参考文献

1）Jennete JC et al：2012 revised International Chapel Hill Consensus Conference Nomenclature of Vasculitides. Arthritis Rheum **65**：1-11, 2013
2）Watts R et al：Development and validation of a consensus methodology for the classification of the ANCA-associated vasculitides and polyarteritis nodosa for epidemiological studies. Ann Rheum Dis **66**：222-227, 2007
3）磯部光章ほか：血管炎症候群の診療ガイドライン（2015-2016年度合同研究班）. Circ J **84**：299-359，2020
4）Chung SA et al：2021 American College of Rheumatology/Vasculitis Foundation Guideline for the management of antineutrophil cytoplasmic antibody-associated vasculitis. Arthritis Rheumatol **73**：1366-1383, 2021

5 免疫複合体性血管炎

1 抗糸球体基底膜抗体病（抗 GBM 抗体病）

- 抗 GBM（glomerular basement membrane）抗体病は，血清中に抗 GBM 抗体が出現し，RPGN と肺胞出血を呈する疾患．肺胞出血のみ，RPGN のみの症例も 1/3 ずつ存在する．肺腎併存例は Goodpasture 症候群と呼ばれていた．
- 抗 GBM 抗体の対応抗原はⅣ型コラーゲンα-3 鎖である．

a 臨床所見

- 上気道の先行感染は半数程度あり．
- 呼吸器症状：喀血，咳嗽，呼吸困難．

b 検査所見

- 抗 GBM 抗体陽性．
- 腎所見：急速進行性のクレアチニン上昇，血尿，蛋白尿，沈渣異常．腎生検で半月体形成性糸球体腎炎，免疫蛍光抗体染色で糸球体係蹄壁への IgG と C3 の線状沈着が特徴的である．
- 肺所見：胸部 X 線・CT で両側びまん性の肺胞出血像を認める．気管支鏡検査で肉眼的出血または血性の肺胞洗浄液を認める．

c 診断のポイント

- RPGN や肺胞出血を疑う場合，抗 GBM 抗体を測定する．
- 鑑別疾患：ANCA 関連血管炎，SLE，IgA 血管炎，クリオグロブリン血症，悪性関節リウマチなど．

d 治　療

- 血漿交換療法と免疫抑制療法の併用が推奨される[1)]．

1）血漿交換療法

- 1クール2週間で7回，2クールまで実施する.
- 置換液は5%アルブミンを選択するが，出血傾向が強い場合には新鮮凍結血漿（FFP）を用いることもある（保険適用外）.

2）免疫抑制療法

- 経口ステロイド（PSL換算1 mg/kg/日）を初期量とすることが多い.
- 重症例にはmPSLパルス療法（500～1,000 mg/日を3日間），IVCY（500～750 mg/m^2/月），POCY（1～2 mg/kg/日）を併用（年齢・腎機能障害を考慮して適宜減量）.

2 クリオグロブリン血症性血管炎

- クリオグロブリン（CG）（表1）は寒冷刺激で沈殿し，37℃の加温で再溶解する異常蛋白である.
- 血清中にCGが産生され，寒冷刺激を受けた部位の血管でCGが析出して血栓形成・血管炎を呈する疾患である.

a 臨床所見

- 末梢血白血球増多，CRP上昇，赤沈上昇.
- 皮膚所見：四肢（下腿中心）に網状皮斑や紫斑，潰瘍.
- 腎所見：血清クレアチニン上昇，蛋白尿，血尿.
- 関節所見：関節痛，関節炎.
- 神経所見：多発性単神経炎.

表1 CGの分類

型	特徴
I型（モノクローナルIg）	• 多くは，B細胞性リンパ腫やマクログロブリン血症など血液疾患に伴う • 過粘稠による血栓症状を呈する
II型（ポリクローナルIgGとモノクローナルIgMの混合型）	• 多くはC型肝炎ウイルス関連による • Sjögren症候群やSLE，関節リウマチなどの膠原病にも合併する • 免疫複合体形成による小型血管炎を呈する
III型（ポリクローナルIgGとポリクローナルIgMの混合型）	

b 検査所見

- CG 陽性．
- CRP 上昇，リウマトイド因子陽性．
- C4，CH50 の高度低下．C3 低下は軽度．
- 皮膚病理所見：Ⅰ型では微小血管に非炎症性の塞栓，Ⅱ・Ⅲ型では微小血管に白血球破砕性血管炎を認める．
- 腎病理所見：膜性増殖性糸球体腎炎が多い．

c 診断のポイント

- 診断基準は定まっていない．
- 鑑別疾患：全身性血管炎（ANCA 関連血管炎，IgA 血管炎，PAN），抗リン脂質抗体症候群（APS），血栓性微小血管障害症（TMA），SLE，悪性関節リウマチ（MRA）など．
- CG 血症が疑わしければ，基礎疾患を検索する．

d 治　療

- 基礎疾患［血液疾患，C 型肝炎ウイルス（HCV），膠原病など］の治療が第一である．
- 急性期に臓器障害を呈する場合には，経口ステロイド（PSL 換算 1 mg/kg/日）± mPSL パルス療法（1,000 mg/日 × 3 日に RTX（375 mg/m^2 を 1 週間ごとに 4 回投与），POCY（1～2 mg/kg/日，年齢・腎機能障害を考慮して適宜減量）を併用することを検討する．
- 最重症例には血漿交換療法（置換液は加温した 5% アルブミンを選択）も考慮する．ただし保険適用外である．

3 IgA 血管炎（旧称 Henoch-Schönlein 紫斑病）

- IgA1 優位の免疫複合体が小血管壁に沈着することで小型血管炎を生じ，典型的には皮膚，腸管，関節に病変をきたす疾患である．IgA 腎症と同様の腎病変を合併しうる．
- 小児期の発症が多い．小数ながら成人例も認められ，成人では他の血管炎症候群との鑑別が必要である.
- 60%程度に上気道の先行感染がある.

a 臨床所見

- 皮膚所見：触知できる紫斑（palpable purpura）が下肢や臀部など圧迫部に好発する.
- 腹部所見：腹痛，悪心，下痢，急性腹症，イレウスなど.
- 関節所見：膝・足関節などの大関節痛.
- 腎所見：発症 1 ヵ月程度で血尿，尿蛋白が出現する.

b 検査所見

- 白血球増多，CRP 上昇．プロトロンビン時間（PT）や活性化部分トロンボプラスチン時間（APTT）延長は伴わない．半数程度に血清 IgA 上昇．消化管病変のある症例では第XIII因子が低下しうる.
- 尿検査：蛋白，血尿.
- 皮膚病理所見：小血管に白血球破砕性血管炎，免疫蛍光抗体法で血管壁や内腔に IgA の顆粒状または帯状沈着を認める.
- 腎病理所見：IgA 腎症と同等の多彩な病理像を呈し，免疫蛍光抗体法でメサンギウム領域に IgA と C3 が沈着する.

c 診断のポイント

- palpable purpura をみたら本疾患を念頭に置く．ただし，ANCA 関連血管炎や CG 血症性血管炎などでも palpable purpura を呈することがあるため，生検による IgA 沈着の証明に努める.

d 治　療

- 軽症例は大半が自然軽快するため，安静・飲水励行などの支持療法が主体である.
- 対症療法として関節痛に非ステロイド性抗炎症薬（NSAIDs），紫斑に止血薬や血管強化薬，ジアフェニルスルホン（75 mg/日）などを使用することもある.
- 重度の消化管病変や急性期腎症を伴う場合には，経口ステロイド（PSL 換算で 1 mg/kg/日）の経口投与あるいは点滴静注を行う．重症な腎病変を呈する例にはmPSLパルス療法（1,000 mg/日を3日間）やCY，AZA，MMF（保険適用外），CyA（保険適用外），RTX（保険適用外）の併用を検討する．

e 臓器障害と対応

- 消化管障害：禁食，補液．第XIII因子低下を伴う症例では補充も考慮する．穿孔など重症例では外科的切除を施行する．

4 低補体血症性蕁麻疹様血管炎

- 蕁麻疹様の皮疹を呈し，病理学的には白血球破砕性血管炎を認め，低補体血症を呈する疾患である．
- Ⅲ型アレルギーが関与している．免疫複合体の小血管壁への沈着により補体活性化が生じる．
- 大半が基礎疾患に伴う続発性のものである．基礎疾患は膠原病（SLE，関節リウマチ，Sjögren症候群，全身性強皮症，皮膚筋炎，MCTDなど），ウイルス肝炎（HBV，HCV），CG血症など．
- まれではあるが，抗C1q自己抗体が関与する重症亜型がある．この病型では慢性閉塞性肺疾患（COPD）の合併が多いとされる．
- 多くの症例では臓器障害は少なく，予後良好である．

a 臨床所見

- 皮膚所見：紫斑を伴った蕁麻疹様の紅斑が体幹四肢に反復して生じる．瘙痒感とともに疼痛や灼熱感を伴う．
- 関節所見：関節痛・関節炎．
- 臓器所見：腎機能障害，肝機能障害，心膜炎，神経障害をきたすが，これらは基礎疾患に伴うことのある可能性も留意する．

b 検査所見

- 血清補体価低下（C3，C4，CH50いずれも低下），免疫複合体陽性．

- CRP 上昇，赤沈亢進.
- 皮膚病理所見：小血管の白血球破砕性血管炎を呈し，真皮結合組織の浮腫を伴う．蛍光抗体法で血管壁への IgG，IgM，C3 の顆粒状沈着を半数程度にみる.

c 診断のポイント

- 通常の蕁麻疹と比して上記臨床所見がある場合に皮膚生検を行い，白血球破砕性血管炎を証明し診断する.
- 各基礎疾患の精査を行う.

d 治療

- 基礎疾患の治療を考慮する.
- 経口ステロイド（PSL 換算で 20〜30 mg/日）の投与を考慮する.
- 難治例，臓器障害例には CY，AZP，CyA，RTX，血漿交換などの併用が試みられる.

参考文献

1）松尾清一ほか：急速進行性腎炎症候群の診療指針 第 2 版，日腎会誌 **53**：509-555，2011
2）磯部光章ほか：血管炎症候群の診療ガイドライン（2015-2016 年度合同研究班）. Circ J **84**：299-359，2020

E 変形性関節症

- 変形性関節症（osteoarthritis：OA）は，加齢を基盤とした関節軟骨の変性，破壊を主病変とする疾患である．
- 40 歳以上の中高年者に多く，やや女性に多い．

発症リスク因子

①年齢（40 歳以上）
②女性
③家族歴（遺伝的素因）
④肥満/過体重
⑤外傷の既往歴
⑥関節負荷がかかる活動や職業など

- 代謝性疾患（ヘモクロマトーシス，副甲状腺機能異常など）や骨関節疾患［関節リウマチ（RA），痛風など］の原疾患に続発するものを二次性 OA という．
- 骨びらんがみられるタイプは，びらん性変形性関節症（EOA）と呼ぶ．EOA は進行性に軟骨下骨のびらん，骨破壊をきたし，滑膜炎を合併しやすく，時に RA との鑑別が問題となる．

a 臨床所見

- 関節痛：初期は運動時痛，進行例で安静時痛も認める．
- 関節可動域制限：関節動作が障害され日常生活動作（ADL）が低下する．
- こわばり：RA と比較して頻度や持続時間が少ない．
- 関節腫脹：OA の関節腫脹は，骨棘や増生に伴う骨性隆起が本体であり，硬性である．
- 罹患関節の分布：DIP，PIP（母指 IP），母指 CMC 関節が多く，MCP や手関節は少ない．しばしば対称性である．
- OA による手指 DIP 関節の骨性隆起を Heberden 結節，PIP 関節の骨性隆起を Bouchard 結節という．
- 変形：末期には屈曲拘縮，膝では主に内反変形（O 脚）をきたし，脚長差も出現する．

b 検査所見

1) 血清学的検査

- 他の炎症性関節疾患の鑑別を目的に行う場合には，リウマトイド因子，抗 CCP 抗体，抗核抗体なども測定する．
- CRP や赤沈は OA では基本的に上昇しないが，EOA で軽度上昇を認めることがある．
- MMP-3 は OA でも軽度上昇する例がある．

2) 関節液検査

- 炎症性変化に乏しく，淡黄色透明で粘稠度は高く，細胞数は 200〜2,000/μL 程度である．

3) 画像検査

a X 線

- 荷重面の関節裂隙狭小化（膝関節では内側），骨棘形成，軟骨下の骨硬化，骨嚢胞などが特徴である．
- OA の骨びらんは，関節面中央から進展することが特徴である［⇒「Ⅱ-C-1．単純 X 線」表 2 参照，p63］．

b MRI

- 骨棘，関節液貯留，半月板や靱帯など軟部組織の詳細な評価が可能である．
- 荷重面の軟骨化骨〜骨髄にかけて，T2 強調画像高信号域の骨髄浮腫がみられる．

c 超音波

- 超音波検査でも OA の裂隙狭小化，骨棘，骨隆起などの増殖変化を捉えられる．手指 OA，特に PIP 関節は滑膜肥厚がみられることもあるが，パワードプラ信号はあっても軽微であることが RA との鑑別に有用である．

c 診断のポイント

- RA など他の炎症性関節疾患を鑑別する．
- 二次性 OA の原疾患（ヘモクロマトーシスなどの代謝性疾患）の検索も重要である．
- EOA と RA との鑑別には注意を要する（**表 1**）．

表1 EOAとRAの鑑別点

特　徴	EOA	RA
朝のこわばり	1時間以内	1時間以上
DIP病変	あり	まれ
PIP病変	あり	あり
MCP病変	まれ	あり
対称性	しばしばあり	あり
変　形	Z字変形 DIP亜脱臼	スワンネック変形 ボタン穴変形
腫脹・滑膜炎	あり	あり
軟骨下の骨硬化	あり	なし
びらんの形成部位	中央	辺縁

d 治　療

- OAの適切な管理には，非薬物療法（減量・生活指導，運動，装具療法）と薬物療法の併用が必要である．
- 上記の併用によって，十分な疼痛緩和，機能改善がみられない場合，外科的治療を検討する．
- 海外学会の他，日本整形外科学会（JOA）からもガイドラインが提唱されており，参考にする．

1）非薬物療法

- 減量・生活指導：肥満とOAの発症，進行には関連があり，肥満例では体重減量を指導する．
- 運動療法：関節周囲筋力の維持および増強を行う．
- 装具療法：歩行補助具，膝関節装具や外側楔状足底板は，疼痛の緩和，安定性の改善に有用である．

2）薬物療法

- OAで用いられる薬物療法についてまとめる（**表2**）．
- 薬物療法は対症療法が主体であり，明確な疾患修飾薬としてエビデンスのある薬物はない．

3）外科的治療

- 人工関節置換術：生活の質（QOL）低下を伴う重篤な症状や機能制限を有する患者に対し，有効かつ費用対効果が高い．
- 骨切り術：若年の膝OA患者では，高位脛骨骨切り術の施行

表2 OAで用いられる薬物療法

薬　剤	特　徴
アセトアミノフェン	軽度，中等度の疼痛に対する最初の治療として有効
NSAIDs（内服）	最少有効量で投与，長期投与は可能な限り回避する
外用 NSAIDs	経口鎮痛薬への追加，または代替薬として有効
ステロイド関節注射	関節液貯留，局所炎症が存在する例や，NSAIDsを使用できない症例に有用．数ヵ月に1回にとどめること，化膿性関節炎の合併を念頭に置いて使用する
ヒアルロン酸関節注射	膝OAに対して有効な場合がある．ステロイドに比べて作用発現が遅いが，効果が長く持続する．末期OA，関節液貯留が多い症例では有効性が低い
グルコサミンコンドロイチン	膝OAの症状緩和，軟骨保護作用を示す場合がある．6ヵ月以内に反応がなければ中止する
オピオイド	難治性疼痛に対して，他の薬剤が無効，もしくは禁忌の場合考慮してもよい

で，関節置換術の施行を遅らせることができる．

参考文献

1）McAlindon TE et al：OARSI guidelines for the non-surgical management of knee osteoarthritis. Osteoarthritis Cartilage **22**：363-388, 2014

1 痛 風

- 痛風（gout）は，高尿酸血症を背景に，関節内で飽和し析出した尿酸塩結晶を誘因とした関節炎である．
- 発症は30〜50歳代の中年男性に多い．
- 女性も閉経後は尿酸値が上昇し，発症率が増加する．
- 尿酸値測定および高尿酸血症の治療が一般的になり，近年は初診時の痛風発作は軽症化している．

a 臨床所見

- 関節炎：急性，発作性の単〜少関節炎で，激しい疼痛，腫脹，熱感，発赤を伴う．
- 好発関節：初回発作の半数は第1 MTP関節に起こる．次いで足関節で，下肢に多い．
- 7〜10日程度で自然軽快し，間欠期は無症状である．
- 無治療では次第に発作が頻発，罹患関節も複数になり，上肢関節も侵す（慢性痛風関節炎）．
- 痛風結節：長期例でみられる皮下肉芽組織であり，MTP関節，耳介などに好発する．頻度は低いが，特異度が高い．
- 痛風腎：高尿酸血症の持続により尿酸結晶が腎内析出し，腎髄質内に間質性腎炎の所見が出現する．

b 検査所見

1）血清学的検査

- 急性期炎症反応：CRP上昇，赤沈の亢進．
- 高尿酸血症：尿酸値≧7.0 mg/dL．発作中は，尿酸値は必ずしも高値ではなく，背景の高尿酸血症の存在が重要である．
- 多くの症例で脂質異常症なども併発している．

2）関節液検査

- 確定診断には，関節穿刺による尿酸結晶の証明が必要になる．
- 好中球に貪食された，針状結晶（尿酸塩）が認められる．

3) 画像検査

a X線

- 尿酸ナトリウム結晶は単純X線写真には写らない.
- 初期には骨変化を認めないことが多いが, 慢性痛風関節炎では, 境界明瞭な骨びらんを伴う.
- 慢性痛風関節炎の骨びらんは, 以下のような特徴により関節リウマチ (RA) と区別できる.

①関節面から少し離れたところにできる
②骨硬化像を伴う
③関節裂隙が保たれる

b 関節エコー

- 尿酸ナトリウム結晶は関節軟骨表面に, 帯状の高エコー域として認められる (double contour sign) [⇒「Ⅱ-C-3. 関節エコー」図2参照, p71].

c 診断のポイント

- 患者の背景 (肥満, 高尿酸血症の既往), 発症経過, 罹患関節の分布が最も重要である.
- 高尿酸血症の原因として, 薬物性 (利尿薬, 抗結核薬, カルシニューリン阻害薬) を検索する.
- <u>急性, 単～少関節炎をきたす疾患の鑑別として, 他の結晶誘発性関節炎 (偽痛風) の他, 反応性関節炎, 化膿性関節炎, 回帰性リウマチなど</u>があげられる.
- 蜂窩織炎, 捻挫, 爪周囲炎, 外反母趾なども鑑別する.

d 治 療

1) 痛風関節炎 (急性期) の治療

- 痛風発作中は患部の安静および冷却, 禁酒を指示する.
- 非ステロイド性抗炎症薬 (NSAIDs) が有効である. 短期間に限り比較的多量を投与して炎症を抑える (NSAIDs パルス療法).
- NSAIDs 無効例などではステロイドを投与する.
- <u>発作時の尿酸値変動は発作を増悪させるため, 発作中は新規</u>

に尿酸降下薬を開始しない.

- 尿酸降下薬をすでに使用している場合は, 原則として継続したまま抗炎症治療を開始する.
- 前兆期にはコルヒチンを使用し, 発作を頓挫させる.

> ①インドメタシン　1回25～37.5 mg, 1日2回
> ②（前兆期）コルヒチン　1回0.5 mg, 1日1回

2）高尿酸血症の治療総論

- 生活習慣の改善：食事指導, 適度な運動療法を行う.
- 背景に高尿酸血症（7.0 mg/dL）があり, 痛風エピソードのある症例は薬物治療の適応であり, 尿酸値≦6.0 mg/dLを目標にコントロールする.
- 無症候性高尿酸血症でも尿酸値≧8.0 mg/dLでは治療介入の目安となる.

3）高尿酸血症の薬物療法

- 薬物治療に先立って, 高尿酸血症の病型（産生過剰型, 排泄低下型）を鑑別することが望ましい.

a 尿酸生成阻害薬

- 尿酸産生過剰型に用いられる.
- 薬物相互作用：ワルファリン, アザチオプリンの作用増強に注意する.
- 薬物代謝（アロプリノール：腎, フェブキソスタット：肝）, 相互作用などを考慮し, 使い分ける.

> ①アロプリノール　1回100 mg, 1日1～3回
> ②フェブキソスタット　1日1回10 mgから漸増, 40～60 mg, 1日1回

b 尿酸排泄促進薬

- 尿酸排泄低下型に用いられる.
- 薬物相互作用：ワルファリンの作用増強に注意する.

> ・ベンズブロマロン　1回25～50 mg, 1日1～2回

参考文献

1）2019年改訂　高尿酸血症・痛風の治療ガイドライン 第3版［2022年追補版］，日本痛風・尿酸核酸学会ガイドライン改訂委員会（編），診断と治療社，東京，2022
2）Richette P et al：2018 updated European League Against Rheumatism evidence-based recommendations for the diagnosis of gout. Ann Rheum Dis **79**：31-38, 2020

2 偽痛風

- ピロリン酸カルシウム沈着症（calcium pyrophosphate deposition：CPPD）［2011年EULARのリコメンデーションにより，このように用語の定義が変更］は，ピロリン酸カルシウム（CPP）結晶の関節内析出により誘発される病態の総称である．
- CPPDによる急性発症の関節炎を，偽痛風と呼ぶ．
- 男女差はなく，60歳以上の高齢者に好発する．
- 背景に代謝性疾患（副甲状腺機能亢進症など）がある場合，若年発症することがある．
- 高齢者の不明熱の原因として重要な鑑別疾患である．

a 臨床所見

- 関節炎：偽痛風は急性，発作性の単～少関節炎で，激しい疼痛，腫脹，熱感，発赤を伴う．発作持続は1日～4週以上と幅が広いが，自然軽快もありうる．
- 好発関節：膝関節が最も多く，次いで手，足，肘，肩関節など大関節に多い．
- 発熱：しばしば38℃を超える発熱を認める．
- 発作誘因：外科的治療，外傷（打撲など），脳卒中，心筋梗塞などが知られている．

b 検査所見

1）血清学的検査

- 炎症反応：CRP上昇，赤沈亢進，白血球増多．
- 背景として代謝性疾患がある場合，基礎疾患に応じた検査異常を認める．

2）関節液検査

- 確定診断には，関節液あるいは組織中のCPP結晶の証明が必要になる．
- CPP結晶は偏光顕微鏡で弱い正の複屈折性を有する棒状/方

形状の結晶である.
- 滑液中の細胞数増多を認め，感染との鑑別がしばしば困難なため，細菌培養検査は必須である.

3) 画像検査

a X線

- 結晶沈着を反映し，線状の関節軟骨の石灰化像を認める.

b 関節エコー

- CPP結晶は，均質な低エコーである関節硝子軟骨内に帯状・点状の高エコー域として描出される.[⇒「II-C-3. 関節エコー」参照，p71].

c 診断のポイント

- 高齢者の，急性発症の大関節を主体とした単～少関節炎では常に本症を念頭におく.
- 確定診断には，関節液中の好中球に貪食された棒状，方形状の結晶の証明が必要である.
- 鑑別疾患：化膿性関節炎は最も重要であり，関節液，血液培養検査を併せて行う.

d 治　療

- 現時点ではCPP結晶沈着の予防や，沈着した結晶を溶解するような薬物療法はない.
- 関節の炎症，疼痛の緩和などの対症療法が中心となり，患部の冷却，安静は治療の基本である.
- 代謝性疾患が背景にある場合は，原疾患の治療も行う.

1) 局所療法

- 原因となる結晶の除去を目的として，穿刺，排液，生理食塩水による洗浄が行われる.
- 必要に応じ，長時間作用型のステロイド関節注射を行う.

2) 薬物療法

- 発作の予防においてはコルヒチン(0.5～1 mg)，少量NSAIDsが用いられる．多くは高齢者であり，胃潰瘍，腎障害などの副作用の発現に注意しながら投与する.

● NSAIDs，コルヒチンが使用できない場合，ステロイドを用いることがあるが，できるだけ早期に減量する．

> ①ロキソプロフェン　1回60 mg，1日1〜3回内服
> ②コルヒチン　1回0.5〜1 mg，1日1回内服

3）外科的治療

● CPPDの結晶塊が大きな症例では，局所の外科的除去（デブリドマン）を考慮する．

● 進行した関節症には，人工関節置換術も検討する．

MEMO

（特殊病型）crowned dens syndrome

- 頸椎歯突起周囲のCPP結晶により偽痛風様の発作をきたした疾患である．
- 高齢女性に多く，強い頸部痛，頸椎の可動域制限を伴う．
- 症状は髄膜炎に類似しているため，その鑑別が必要である．本症では強い回旋運動障害を認める点が典型的骨髄膜炎と異なる点である．
- 頸椎CTで，歯突起後上面に冠状に沈着した結晶沈着を確認し診断する（図1）．

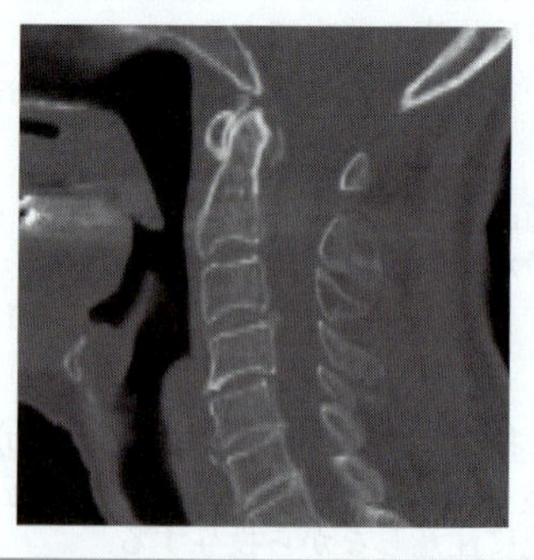

図1　crowned dens syndromeに伴う頸椎歯突起後面の石灰化像

参考文献

1）Zhang W et al：EULAR recommendations for calcium pyrophosphate deposition. Part Ⅱ：Management. Ann Rheum Dis **70**：571–575, 2011
2）Abhishek A et al：Update on calcium pyrophosphate deposition. Clin Exp Rheumatol **34**：32-38, 2016
3）Bouvet JP et al：Acute neck pain due to calcifications surrounding the odontoid process：the crowned dens syndrome. Arthritis Rheum **28**：1417-1420, 1985

G 感染性関節炎（細菌性・結核性・真菌性）

- 感染性関節炎は内科的準緊急疾患であり，特に化膿性関節炎は治療タイミングを逃すと致死的になりうる．
- まず，関節液検査を行うことが診断のポイントとなる．
- 単～少数関節が障害されることが多いが，多関節が障害される場合もあり，罹患関節数が増加するほど予後不良である．
- 感染性関節炎を疑った場合，関節液および血液の培養検査の提出は必須である．
- 培養結果を待たずに抗菌薬投与を開始し，ドレナージの適応につき整形外科，感染症科にコンサルトする．

a 臨床所見

- 発熱や悪寒などの全身症状，罹患関節の疼痛，圧痛，腫脹，熱感，発赤，可動域制限などがみられる．

1）細菌性

- 細菌性では淋菌，結核菌，咬傷を除き手指などの小関節の罹患はまれで，大関節の単関節炎が多い．
- 起因菌は一般細菌では黄色ブドウ球菌が最多で，次いで連鎖球菌である．
- 連鎖球菌ではA群が多く，B群は糖尿病患者に，C群，G群は関節疾患や人工関節置換者でみられやすい．
- グラム陰性桿菌の場合の半数は尿路感染症からの続発性で，大腸菌が最も多い．
- グラム陰性桿菌感染は糖尿病，腎不全，関節リウマチ（RA）など慢性の関節障害，外傷など基礎疾患のある高齢者でみられることが多い．

2）結核菌，非定型抗酸菌

- 慢性単関節炎を呈し，下肢の大関節に好発するが，高齢者では上肢の関節炎や末梢関節炎をきたすことがある．
- 非定型抗酸菌では滑液包炎，腱鞘炎をきたし手根管症候群の原因となる．

3）真菌性

- 真菌による関節炎はまれであり，長期間無痛性であるため診断が遅れることが多い．
- カンジダは血行性に多関節炎を起こし，予後不良である．
- クリプトコッカス，アスペルギルスによる関節炎はまれで，主に隣接する骨髄炎からの波及による．
- 糖尿病，悪性腫瘍，結核，静注薬物常用，顆粒球減少，抗菌薬，ステロイドや免疫抑制薬の使用など，免疫抑制宿主でリスクが高い．

b 検査所見

1）関節液検査 ［⇒「Ⅱ-B. 関節液検査」参照，p57］

- 急性単関節炎では積極的に関節穿刺を行う．
- 滑液の性状，白血球数，分画，糖などを確認する．
- 細菌検査：グラム染色，好気性および嫌気性培養を行う．
- 化膿性関節炎では白血球数が多く（≧ 50,000/μL），糖低値となるが以下のような例外もあり注意を要する．

> ①白血球数は非感染性関節炎でも≧ 50,000/μL となる
> ②悪性腫瘍，ステロイド使用，静注薬物常用者では白血球数が≧ 50,000/μL とならないこともある
> ③糖低値は RA でもみられる所見である

- 抗酸菌/真菌では滑液より滑膜生検の培養陽性率が高い．
- 結核を疑う場合には，結核菌 PCR 検査も行う．

2）血液検査

- 炎症反応：赤沈亢進，CRP 上昇，白血球数上昇．
- プロカルシトニンの上昇も細菌性の場合参考となる．
- 多関節炎の場合は血液培養の陽性率が高くなる．

3）画像検査

- MRI では軟部組織がよく描写され，骨髄炎の評価や関節周囲の感染の広がりの診断に適する．

c 診断のポイント

- 化膿性関節炎を疑った場合には，まず関節液検査を行うことが重要である．
- 結晶誘発性関節炎と合併することもあり，関節液中に結晶が認められても感染が否定できなければ治療を考慮する．
- 細菌，結核，真菌などの原因微生物が関節液中に証明されれば診断される．

d 治　療

- 可及的すみやかに治療介入する．
- 治療開始前に関節液および血液培養検査を施行する．
- 化膿性関節炎を疑った時点で，培養結果を待たずに年齢や病歴，背景因子や基礎疾患などの原因菌を推測し，必要なスペクトラムの抗菌薬を選択する．
- 整形外科，感染症科にドレナージの適応につきコンサルトする．

1）化膿性関節炎への抗菌薬の選択

- 化膿性関節炎の起因菌としては黄色ブドウ球菌と連鎖球菌が多い．これをふまえて抗菌薬の初期選択を行う．
- 培養検査の結果が判明した後には，感受性を考慮し抗菌薬の変更も検討する．
- 健康成人：ブドウ球菌ならびに連鎖球菌をカバーする．

> ①セファゾリン　1回2 g，8時間ごと静注
> ②メチシリン耐性黄色ブドウ球菌（MRSA）の関与を疑う時：バンコマイシン　1回1 g，12時間ごと点滴静注を①に併用する

- 先行する性感染症エピソード：淋菌をカバーする．
- 高齢者や免疫抑制者，先行する尿路感染症のエピソード：グラム陰性桿菌もカバーする．

> ①セフトリアキソン　1回1～2 g，24時間ごと静注
> ②緑膿菌の関与を疑う時：セフェピム　1回2 g，8時間ごと点滴静注

2）結核性あるいは真菌性関節炎の場合

● 培養検査で結核菌あるいは真菌の存在が確認された場合には，感受性に合わせて抗結核薬および抗真菌薬を開始する．

e 予 後

● 基礎疾患のない成人では早期治療で予後良好である．しかし，1 週間以上の治療の遅れ，高齢者，多関節炎，黄色ブドウ球菌，RA 合併，肩・股関節炎，1 週間の治療後の血液培養陽性例では予後不良である．
● 非淋菌性化膿性関節炎の約 40％では関節機能障害が残り，死亡率は 5〜20％である．

参考文献

1）谷口敦夫ほか：感染性関節炎．Evidence Based Medicine を活かす 膠原病・リウマチ診療，第 3 版，山中　寿ほか（編），メジカルビュー社，東京，p557，2013
2）宇都宮雅子ほか：化膿性関節炎．Medicina **48**：269-272，2011
3）Hassan A et al：Peripheral bacterial septic arthritis：review of diagnosis and management. J Clin Rheumatol **23**：435-442, 2017

1 Behçet 病

- 以下の４つを主症状とする原因不明の慢性炎症性疾患である.

①再発性口腔内アフタ
②外陰部潰瘍
③皮膚病変
④眼病変

- 急性の炎症が反復し，増悪・寛解を繰り返す.
- 4つの主症状を示す「完全型」と，一部の主症状とその他の副症状（関節症状，副睾丸炎）と以下にあげるの特殊病型を示す「不完全型」に分類される.
- 特殊病型として腸管 Behçet，血管 Behçet，神経 Behçet の 3 型がある.
- シルクロードに沿った地域に多く，欧米では少ない.

a 臨床所見

1）粘膜病変

- 口腔粘膜のアフタ性潰瘍（痛みを伴う円形の境界鮮明な潰瘍）はほぼ必発で，初発症状として最も頻度が高い.

2）外陰部潰瘍

- 男性では陰嚢，陰茎，亀頭に，女性では大小陰唇，膣粘膜にそれぞれ有痛性の潰瘍を認め瘢痕を残すこともある.

3）皮膚病変

- 結節性紅斑様皮疹と毛囊炎様皮疹が最も多くみられる.
- 下肢に好発する血栓性静脈炎を認め，索状硬結を触れる.

4）眼病変

- 前眼部病変として虹彩毛様体炎を生じ，眼痛，霧視，羞明，瞳孔不整などを認め，時に前房蓄膿も伴う.
- 炎症が後眼部に及ぶと網脈絡膜炎になり，視力低下や視野異常を伴う.

5) 関節症状

- 大関節優位に非対称性の関節炎が生じる.
- 変形や硬直は通常伴わない.

6) 副睾丸炎

- 一過性，再発性の精巣上体（＝副睾丸）の炎症である.

7) 特殊病型

a 腸管病変

- 食道から直腸までの部位に潰瘍を生じるが，典型例では回盲部に深い潰瘍を形成し，腹痛，下痢，下血を認める.

b 血管病変

- 血管病変は動脈にも静脈にも生じるが，静脈系が多い.
- 静脈系では大静脈や主幹分枝の血栓性閉塞が典型的であり，特に下肢深部静脈に好発する.
- 動脈系では，胸腹部大動脈・大腿動脈における動脈瘤形成や中型主幹動脈での血栓性閉塞も認められる.

c 神経病変

- 神経 Behçet 病は，髄膜炎，脳幹脳炎で発症し急速に進行する急性型と，片麻痺，小脳症状や認知症様の精神神経症状が緩徐に進行する慢性進行型がある.

b 検査所見

1) 血液検査

- 活動期には白血球増多，赤沈亢進，CRP 上昇が認められるが，抗核抗体などの自己抗体は通常陰性である.
- HLA-B51 陽性の頻度が高く，診断上の参考になる.

2) 髄液検査

- 急性型神経 Behçet 病：髄液中の細胞数増加，蛋白濃度上昇を認める.
- 慢性進行型神経 Behçet 病：細胞数増加はわずかであるがインターロイキン（IL）-6 が持続的に異常高値となる.

3) 画像検査

- 急性型神経 Behçet 病：MRI の T2 強調画像や FLAIR 画像において障害部位が高信号になる.

表 1　鑑別上重要な疾患

粘膜，皮膚，眼を侵す疾患	Reiter 症候群，多形滲出性紅斑
主症状の 1 つを持つ疾患	Sweet 病，サルコイドーシス
その他	潰瘍性大腸炎，Crohn 病，Buerger 病，多発性硬化症など

- 慢性進行型神経 Behçet 病：MRI にて脳幹と小脳を中心とした萎縮を認める．

4) その他の検査

- 針反応試験：注射針を前腕部皮膚に刺入し 24～48 時間後に発赤・膿疱形成を認めれば陽性である．

c 診断のポイント

- 厚生労働省の診断基準を参考に診断する［⇒付録①参照，p356］．
- 副症状が主体の場合は鑑別診断が重要である（**表 1**）．
- 中等症以上の口腔内アフタ性潰瘍にはアプレミラスト投与やステロイド全身投与が行われる．

d 治　療

1）皮膚粘膜病変

- 皮膚粘膜病変の軽症例には，ステロイド外用療法を行う．
- 結節性紅斑様皮疹にはコルヒチンが有効である．
- 局所療法で効果不十分な口腔潰瘍に対するアプレミラストは**表 2** のように投与する．

表 2　アプレミラストの投与方法

1 日目	2 日目		3 日目		4 日目		5 日目		6 日目以降	
朝	朝	夕	朝	夕	朝	夕	朝	夕	朝	夕
10 mg	10 mg	10 mg	10 mg	20 mg	20 mg	20 mg	20 mg	30 mg	30 mg	30 mg

通常，成人にはアプレミラストとして上記のとおり経口投与し，6 日目以降はアプレミラストとして 1 回 30 mg を 1 日 2 回，朝夕に経口投与する．

2) 虹彩毛様体炎

- ステロイド点眼薬を用いる.
- 網脈絡膜炎には以下の投与を行う. 難治例に対してはインフリキシマブの投与も行われる.

> - コルヒチン 1回0.5～1.5 mg, 1日1回内服, シクロスポリン(CyA) 5 mg/kg, 1日1回内服を併用

3) 関節炎

- 非ステロイド性抗炎症薬(NSAIDs)の投与を行う. 難治例にはステロイドを投与する.

4) 動脈病変

- 以下を投与する. 動脈瘤に対する手術は, 縫合部の仮性動脈瘤の形成など再発率が高く, 可能な限り行わず, 保存的治療が望ましい.

> - プレドニゾロン(PSL) 0.5～1 mg/kg/日に加え, アザチオプリン(AZP) 50～100 mg/日, シクロホスファミド(CY) 50～100 mg/日またはCyA 5 mg/kg/日を併用

5) 腸管病変

- 炎症性腸疾患に準じた治療を行う. 難治例に対してはTNF阻害薬の投与も行われる.

> - PSL 0.5～1.0 mg/kg/日に加え, サラゾスルファピリジン 1,500～2,000 mg/日, メサラジン 1,500～2,500 mg/日, またはAZP 50～100 mg/日を併用

6) 急性型神経 Behçet 病

- 以下を投与する. CyA投与は禁忌である.

> - メチルプレドニゾロン(mPSL)パルス療法施行後, PSL 1 mg/kg/日の内服に加え, AZP 50～100 mg/日, メトトレキサート(MTX) 10～15 mg/週の内服, またはCY大量静注療法(IVCY, 500 mg/m^2)を併用

7) 慢性進行型

- 有効な治療は確立されていない. 保険適用外であるがMTX

10～15 mg/週投与の有効性が報告されている．

参考文献

1）廣畑俊成：Behçet 病．リウマチ病学テキスト，日本リウマチ学会生涯教育委員会ほか（編），診断と治療社，東京，p396，2010
2）日本ベーチェット病協会：ベーチェット病診療ガイドライン 2020. 水木信久，竹内正樹（編），診断と治療社，東京，2020

2 IgG4関連疾患

- わが国で提唱され，国際的に認知された疾患である．
- 高IgG4血症に加え，多様な臓器の腫脹や肥厚，病変組織への著明なIgG4陽性形質細胞浸潤と線維化を特徴とする疾患群である（表1）．
- 涙腺唾液腺と膵臓が2大好発臓器である．
- 推定患者数は約8,000～15,000人（2020年）である．
- 好発年齢は60歳代である．
- 男性に多く，Mikulicz病のみやや女性に多い．
- 近年の研究から，TregやTh2，Tfh2細胞，plasmablast（形質細胞）の病態への関与が示唆されており，高IgG4血症は疾患の「原因」ではなく，「結果」である可能性がある．

a 臨床所見/検査所見

- 各臓器病変により異なる症状を呈する．
- 臓器腫大，肥厚による閉塞，圧迫症状，線維化に伴う臓器機能不全などを伴う．以下にいくつか代表疾患を示す．

1）Mikulicz病

- Sjögren症候群（SjS）との相違が問題となる．
- 持続性（3ヵ月以上）の唾液腺腫脹が特徴であるが，SjSでは反復性である．

表1 IgG4関連疾患に含まれる疾患

涙腺・唾液腺	Mikulicz病，Kuttner腫瘍，IgG4関連眼疾患
呼吸器系	IgG4関連肺疾患，炎症性偽腫瘍，縦隔線維症
肝・胆道系	硬化性胆管炎，IgG4関連肝疾患
膵	自己免疫性膵炎
腎・泌尿器系	IgG4関連腎臓病，後腹膜線維症，前立腺炎
内分泌系	自己免疫性下垂体炎
リンパ節	IgG4関連リンパ節症
心血管系	炎症性腹部大動脈瘤，動脈周囲炎

●乾燥症状はSjSに比較し軽度であるが，嗅覚障害も多い．

2）自己免疫性膵炎

●閉塞性黄疸や腹痛を呈するが，無症候性も多い．
●びまん性膵腫大と，dynamic CTでの遅延性増強パターンや被膜様構造（capsule-like rim）が特徴的である．
●限局性膵腫大の場合は，膵癌の鑑別が重要である．

3）硬化性胆管炎

●画像検査で胆管の長い狭窄と上流の単純拡張を呈する．
●硬化性胆管炎はCT，MRI，管腔内超音波検査（intraductal ultrasonography：IDUS）で胆管狭窄部に全周性の壁肥厚所見を認め，内膜面，外膜面は平滑で内部は均一である．

4）IgG4関連腎臓病

●尿所見に乏しく，緩徐な腎機能低下を呈する．
●造影CTで腎実質に楔形の多発性造影不良域を認める．
●びまん性腎腫大を呈することがある．
●間質性腎炎が特徴的であるが，約7%に膜性腎症を認め，ネフローゼを呈することもある．
●腎盂壁肥厚病変は尿管癌との鑑別が重要である．

5）大動脈周囲炎/後腹膜線維症

●画像検査で腹部大動脈や腸骨動脈壁のびまん性肥厚所見，軟部組織陰影を認める．
●時に動脈瘤を呈する．
●軟部陰影が尿管を狭窄すると水腎症を認め，腎機能低下を呈する．

6）血液検査

●高IgG4血症は重要な所見であるが，約5%で血清IgG4値の上昇を認めない．また，ステロイド維持療法中に高率に再燃するが，一部の症例では再燃時に血清IgG4値の増加を伴わないことに注意する．
●血中CRP値は通常，陰性もしくは低値陽性である．
●高IgE血症や好酸球数の増加を認めることも多い．
●疾患特異的自己抗体は，通常陰性である．

b 診断のポイント

- 癌や悪性リンパ腫など予後不良の疾患の除外が重要である.
- 厚生労働省が提唱する包括診断基準［⇒付録①参照, p359］や, 臓器別の特異的診断基準を参考に診断する.
- 準確診群や疑診群は, 臓器特異的診断基準にあてはめて救済診断できる (図 1).
- 2019 年にわが国を含め米国, 欧州の国際的グループにより分類基準が提唱された［⇒付録①参照, p357］.
- 診断はできる限り病理組織標本採取に努めるべきである.
- 本疾患の病理組織学的特徴を表 2 に示す.
- 諸臓器における悪性腫瘍 (癌, 悪性リンパ腫), その他の炎症性疾患 (サルコイドーシス, 血管炎, 多中心性 Castleman 病など) でも, 高 IgG4 血症や IgG4 陽性形質細胞浸潤を呈しうることに留意する.
- 炎症反応数値高値やステロイド治療反応性が不良な場合は, 厳密な診断の再評価が必要である.

c 治 療

- ステロイド初期投与量 PSL 換算 0.6 mg/kg/日で開始し, 2～4 週後に改善が認められたら, 1～2 週間に 5 mg/日程度の速度で維持量 (5～10 mg/日) まで減量する.

> • 1 回 10 mg, 1 日 3 回内服

- 治療評価に使用可能な指標として, IgG4-RD Responder Index が提唱されている［⇒付録②参照, p380］.

d 予 後

- 短期の生命予後は良好であるが, 長期予後に関しては今後の検討が待たれる.
- ステロイドによる治療介入が早期に実施されれば, 臓器機能障害は改善しうるが, 適切な治療が施されないと線維化が進行し, 不可逆的な臓器障害を呈する.

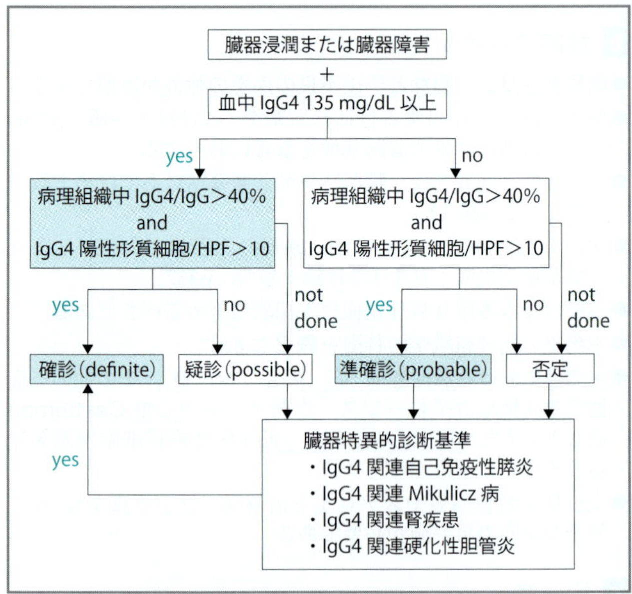

図 1　IgG4 関連疾患診断のフローチャート

［Yamamoto M et al：Nature Rev Rheumatol **10**：148-159, 2014 より引用］

表 2　IgG4 関連疾患の病理組織学的特徴

1）リンパ球と形質細胞の著明な浸潤，線維化
2）典型的な組織，特に膵臓，腎臓，後腹膜などでは花筵状様線維化や閉塞性静脈炎を認めることが多い．一方，涙腺や口唇腺，リンパ節ではこれらの所見を認めることが少ない
3）異所性胚中心形成を認めることが多い
4）導管組織は保たれる．リンパ球が導管上皮に入り込み破壊される像［リンパ上皮性病変（lymphepithelial lesion：LEL）］を認めない
5）好酸球浸潤が目立つこともあるが，好中球浸潤が目立つ場合には IgG4 関連疾患は否定的である
6）IgG4 陽性細胞/IgG 陽性細胞比が 40%以上，かつ強拡大 1 視野で 10 個以上の IgG4 陽性形質細胞を認める
7）壊死や肉芽腫形成が目立つ場合には，IgG4 関連疾患は否定的である

参考文献

1) Umehara H et al：The 2020 revised comprehensive diagnostic（RCD）criteria for IgG4-RD. Mod Rheumatol **31**：529-533, 2021
2) Wallace ZS et al：The 2019 American College of Rheumatology/European League Against Rheumatism classification criteria for IgG4-related disease. Ann Rheum Dis **79**：77-87, 2020
3) Sasaki T et al：Immunoglobulin G4-related disease and idiopathic multicentric Castleman's disease：confusable immune-mediated disorders. Rheumatology（Oxford）**61**：490-501, 2022

3 Castleman 病

- 1956 年に Castleman らによって報告されたまれなリンパ増殖性疾患である.
- 若年成人の単一リンパ節に生じ，通常無症状の限局型 Castleman 病 (localized/unicentric Castleman disease) と，少なくとも 2 ヵ所以上のリンパ節腫大や肝脾腫，炎症所見に伴う全身症状を呈する多中心型 Castleman 病 (multicentric Castleman disease：MCD) に分類される.
- わが国における推定患者数は約 1,500 人であり，約半数が MCD で，残りは限局型である.

MEMO

TAFRO 症候群

- 血小板減少症 (thrombocytopenia：T)，全身性浮腫 (anasarca：A)，発熱 (fever：F)，骨髄線維化 (reticulin fibrosis：R)，リンパ節腫脹・肝脾腫 (organomegaly：O) をきたす全身性炎症性疾患が TAFRO 症候群として近年報告され，病理学的に Castleman 病に類似した像を呈することから注目されている.

a 臨床所見

- 限局型は頸部や腹部に病変を形成することもあるが，縦隔に無症候性の腫瘤を形成し健康診断などで偶然に発見されることが多い.
- MCD は，多発リンパ節腫脹に加え発熱，倦怠感，体重減少，肝脾腫，胸腹水，間質性肺炎，過粘稠症候群による神経障害や末梢神経障害，アミロイド沈着による腎障害や皮疹など，多彩な臨床所見を生じる.

b 検査所見

1) 血液検査

- 低アルブミン血症，低コレステロール血症，貧血，血小板増多，多クローン性高γグロブリン血症，CRP高値，IL-6高値を認める．時にIgG4値が高値となる（後述）．HHV-8は血液を用いたPCR検査でも感染の有無を確認できる．

2) 病理検査

- まず悪性リンパ腫と鑑別することが重要である：増生した形質細胞に悪性所見を認めず，免疫グロブリン軽鎖の染色性に偏りがないことを確認する．
- MCD：plasma cell（PC）型が多いとされる．PC型では比較的小型で萎縮性の胚中心が散見され，中間領域に異型性の乏しい形質細胞の増生を認める．
- 限局型：hyaline-vascular（HV）型が多いとされる．HV型では萎縮性の胚中心に，壁肥厚を伴った血管が入り込む像（lollipop lesion）の形成とmantle zoneのリンパ球の層状配列（onion-skin appearance）を呈する．
- PC/HVの混在するmixed cell（MC）型はMCDに多い．
- 病理組織型を確定する際は，EBウイルスとHHV-8感染症の有無をそれぞれEBER染色とLANA-1染色にて確認する．

c 診断のポイント

- 臨床症状，検査所見，リンパ節の病理所見を総合的に評価し，他疾患を除外して診断する．
- 2017年のわが国の暫定的な診断基準または国際診断基準がある．[⇒付録①参照，p360]

1) 鑑別疾患

- まず組織診断で悪性リンパ腫を除外することが重要である．
- 高IgG4血症やIgG4陽性形質細胞浸潤を認めることがあり，リンパ節病変を主体とするIgG4関連疾患との鑑別が時に問題となる．
- MCDでは胚中心が萎縮し，数も減少するが，IgG4関連疾患では胚中心は過形成性から正常胚中心を呈する．

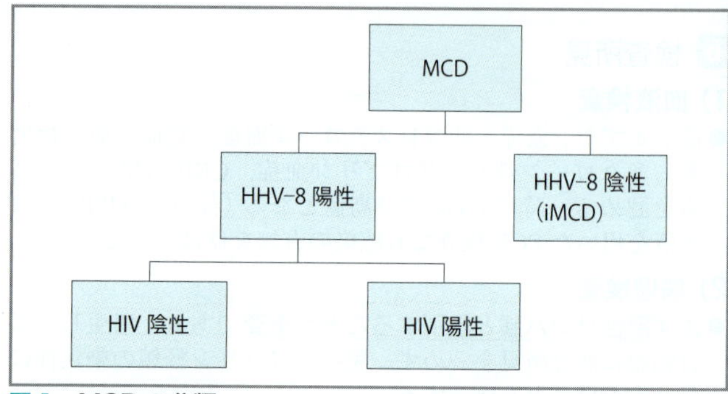

図 1　MCD の分類

- MCD の場合，多くが血中 IgG4/IgG 比は基準値内（3〜6％）であり，鑑別の指標となる．
- 臨床像，炎症所見の有無を含めて，総合的に鑑別する．
- 多発神経炎，浮腫，リンパ節腫脹，臓器腫大，高γグロブリン血症を呈する POEMS 症候群も鑑別にあがる．
- POEMS 症候群では血管内皮細胞増殖因子（VEGF）の慢性的な過剰産生により血管透過性が亢進し，浮腫を呈する．

2) 病態による分類

- B リンパ球から形質細胞への分化を促すサイトカインである IL-6 の産生増加が，病態形成に重要な役割を果たす．
- 古典的に MCD の病態はヒト免疫不全ウイルス（HIV）感染の有無で論じられてきたが，近年は，HHV-8 感染の有無で区別することが病態を反映すると考えられている（図 1）．
- HHV-8 ゲノムにヒト IL-6 の相同体 vIL-6 のコード遺伝子が含まれ，IL-6 産生異常に関与する．
- IL-6 は VEGF 産生を誘導して血管新生に関与し，B 細胞の形質細胞への分化を促進して形質細胞増多と高γグロブリン血症をきたす．
- 欧米では HHV-8 陽性例が大半を占め，わが国ではほとんどが HHV-8 陰性の特発性 MCD（idiopathic MCD：iMCD）である．わが国では 2018 年に iMCD は指定難病となった．

表 1　Castleman 病の疾患活動性指標としての CHAP スコア

スコア	0	1	2	3	4
CRP (mg/dL)	<1	≧1, <5	≧5, <10	≧10, <20	≧20
ヘモグロビン (g/dL)	≧12	<12, ≧10	<10, ≧8	<8	輸血依存性
アルブミン (g/dL)	≧3	<3, ≧2.5	<2.5, ≧2	<2, ≧1.5	<1.5
PS (ECOG)	0	1	2	3	4

［Fujimoto S et al：Mod Rheumatol **28**：161-167, 2018 より引用］

d 治　療

- 限局型 Castleman 病は無症状であることが多く，局所の病変リンパ節切除で根治する.
- しばしばステロイドや化学療法に治療抵抗性を示す.
- 抗 IL-6 受容体抗体であるトシリズマブは，わが国において多施設共同試験が行われ，有効性が示されている.
- 疾患活動性の指標として CHAP スコアがある（**表 1**）. CRP, ヘモグロビン, アルブミン, パフォーマンス・ステータス（PS）の各スコアを合計し，0～16 点で評価する．同一患者における病勢の変化や，治療効果判定に使用する.

> ● トシリズマブ　1 回 8 mg/kg，2 週間おきに点滴投与

e 予　後

- 欧米での HHV-8 陽性 MCD の主な死因は感染症，腎不全，悪性腫瘍であり，予後不良である.
- わが国は iMCD 例が大半を占め，慢性的経過をたどる.
- 5 年生存率は PC 型で 80%，MC 型で 90% である.

参考文献

1）Fajgenbaum DC et al：HHV-8-negative, idiopathic multicentric Castleman disease：novel insights into biology, pathogenesis, and therapy. Blood **123**：2924-2933, 2014
2）Sasaki T et al：Immunoglobulin G4-related disease and idiopathic multicentric

Castleman's disease: confusable immune-mediated disorders. Rheumatology **61**：490-501, 2022
3) Nishimoto N et al：Humanized anti-interleukin-6 receptor antibody treatment of multicentric Castleman disease. Blood **106**：2627-2632, 2005

4 自己炎症性症候群

- 発熱や眼，関節，皮膚，漿膜などの全身性炎症を特徴とし，原因として感染症や自己免疫疾患がないものである．
- 主症状は繰り返す発熱であり，不明熱で受診する．
- 「自己炎症（autoinflammation）」の定義は，Kastner らが提唱した3項目からなる（**表1**）．
- 自律的な自然免疫系の活性化による好中球や単球/マクロファージからのIL-1βや腫瘍壊死因子（TNF）-αなどの炎症性サイトカインの過剰分泌を介した全身性の慢性炎症である．

a 臨床所見/検査所見

- 周期性発熱，皮膚症状，関節症状，漿膜炎（胸膜炎，腹膜炎）などを認める．
- 症状発作の誘因としてストレス，手術などの侵襲，女性の場合は生理などがある．
- 代表的な自己炎症性症候群の臨床像を**表2**に示す．
- 有症状時（特に周期性発熱）にCRP，血清アミロイドAなどの急性期炎症蛋白の増加を認める．

b 診断のポイント

- 自己抗体を認めず，臨床症状や遺伝子検査および他疾患の除外［感染症，悪性腫瘍，自己免疫疾患，その他（薬剤熱，内分泌疾患など）］が重要である．
- 典型的な臨床症状を呈するが，責任遺伝子に変異を検出できないこともあり，家族性地中海熱，TNF受容体関連周期熱

表1 Kastner らによる「自己炎症（autoinflammation）」の定義
1. 一見したところ誘因のない炎症が存在する
2. 高力価の自己抗体や自己反応性T細胞が存在しない
3. 自然免疫の先天異常が存在する

表２ 代表的な自己炎症性症候群の臨床像

	家族性地中海熱	TNF 受容体関連周期熱症候群	クリオピリン関連周期熱症候群
遺伝形式	常染色体劣性	常染色体優性	常染色体優性 孤発性
責任遺伝子	*MEFV*	*TNFRSF1A*	*NLRP3*
患者数（2009年）	わが国で約 500 人	わが国で約 30 人	わが国で約 100 人
発症年齢	小児期が中心であるが，成人での報告もある	乳幼児から成人	乳児期
発熱	1～3 日	数週～月	重症度によりさまざま
口腔内アフタ	あり	まれ	あり
陰部潰瘍	まれ	不明	不明
眼症状	まれ	結膜炎・ぶどう膜炎・眼窩周囲浮腫	結膜炎・ぶどう膜炎
皮膚症状	丹毒様紅斑	筋痛を伴う紅斑様皮疹	瘙痒を認めない蕁麻疹様発疹
針反応	なし	なし	なし
関節炎	単関節炎（下肢大関節が多い）	関節痛あるいは単関節炎	多関節炎
漿膜炎	胸膜炎（胸痛）・腹膜炎（腹痛）	胸膜炎・腹膜炎	まれ
副睾丸炎	まれ	不明	不明
神経症状	まれに無菌性髄膜炎	まれ	感音難聴，無菌性髄膜炎，CINCA 症候群/NOMID で発達遅滞
その他	二次性アミロイドーシス *MEFV* 遺伝子の代表的変異は exon 10 にある	二次性アミロイドーシス	軽症の家族性寒冷蕁麻疹，中等症の Muckle–Wells 症候群，重症の CINCA 症候群/NOMID に分類
治　療	コルヒチン 非典型例でもコルヒチン投与が有効であり，診断的治療となることがある	ステロイド エタネルセプトが有効 コルヒチンは無効	IL-1β 阻害薬のカナキヌマブ
予　後	わが国の症例は生命予後良好	さまざま	CINCA 症候群/NOMID は無治療では 20 歳までに約 20%が死亡し予後不良
診断のポイント	発熱期間，漿膜炎，コルヒチンの有効性	7日以上続く発熱，弛張熱，副腎皮質ホルモンの有効性	寒冷刺激にともない蕁麻疹様発疹・発熱が出現し，炎症反応陽性となる

CINCA 症候群 /NOMID：慢性乳児神経・皮膚・関節症候群

表 3　自己炎症性症候群の臨床分類

I. 責任遺伝子の同定されているもの	II. 多遺伝子によるもの
1. 家族性地中海熱	1. 痛風
2. TNF 受容体関連周期熱症候群	2. 偽痛風
3. クリオピリン関連周期熱症候群	3. Behçet 病
4. 高 IgD 症候群	4. 成人発症 Still 病
5. Blau 症候群/若年発症サルコイドーシス	5. 全身性若年性特発性関節炎
6. PAPA 症候群	6. PFAPA 症候群
7. NLRP12 関連周期性症候群	7. Crohn 病
8. IL-1 受容体アンタゴニスト欠損症	8. マクロファージ活性化症候群
9. Majeed 症候群	9. Scnitzler 症候群
10. 中條・西村症候群	10. SAPHO 症候群
	11. 慢性再発性多巣性骨髄炎
	12. Gaucher 病
	など

PAPA：化膿性関節炎・壊疽性膿皮症・痤瘡，PFAPA：周期性発熱・アフタ性口内炎・咽頭炎・リンパ節炎，SAPHO：滑膜炎，痤瘡，膿疱症，骨化過剰症，骨炎

症候群は，臨床所見のみで診断されることもある．

● 自己炎症性症候群の臨床分類を**表 3**に示す．

c 治　療

● 家族性地中海熱では 80％以上の症例でコルヒチンが著効を示すが，下痢などで服薬できない症例もある（**表 2**）．

> • コルヒチン　1 回 0.5～1.5 mg，1 日 1 回（保険適用外）

● 家族性地中海熱で十分なコルヒチン治療で効果を認めない場合や，下痢などの副作用でコルヒチンを内服できない場合は，カナキヌマブを使用する．

> • カナキヌマブ　1 日 2 mg/kg（体重 40 kg 以下）または 1 回 150 mg（体重 40 kg を超える場合）4 週ごと

d 予　後

● 家族性地中海熱では二次性アミロイドーシスが予後に影響する（**表 2**）．

参考文献

1）江口勝美ほか：自己炎症疾患の新たな展開―内科医でも知っておく必要があります．アレルギー **62**：942, 2013
2）Kharouf F et al：IL-1 inhibition in familial Mediterranean fever：clinical outcomes and expectations. Clin Exp Rheumatol **40** : 1567-1574, 2022
3）Broderick L et al：IL-1 and autoinflammatory disease：biology, pathogenesis and therapeutic targeting. Nat Rev Rheumatol **18**：448-463, 2022

5 再発性多発軟骨炎

- 原因不明であるが，軟骨に対する自己免疫疾患と考えられており，全身の軟骨，特に耳介，鼻，喉頭や気管支などに再発性進行性炎症をきたす．プロテオグリカンを含む組織（眼，心臓，血管，内耳など）にも炎症をきたす．
- 2010年のわが国の症例数は500例程度である．
- 好発年齢は中年以降であるが，全年齢層に分布する．
- 血管炎，RA，SLE，Behçet病，橋本病などの自己免疫疾患に合併することがある．
- 耳介軟骨炎以外に発熱，皮疹，肺浸潤影，骨髄異形成症候群，血管炎など多彩な全身症状を伴う治療抵抗性の男性症例で，末梢血白血球または骨髄組織由来のゲノムDNAに*UBA1*遺伝子の体細胞変異を認める「VEXAS（vacuoles，E1 enzyme，X-linked，autoinflammatory，somatic）症候群」が提唱されている．

a 臨床所見

- 初発症状としては耳介軟骨炎が最も多く，耳介の腫脹・発赤・疼痛を認める．軟骨の存在しない耳垂は侵されず，両側性で自然軽快する点が感染や凍傷などによる耳介の炎症との鑑別点となる．
- 再発と軽快を繰り返し，耳介/鼻の変形をきたす．鞍鼻は感染症や多発血管炎性肉芽腫症との鑑別を要する．
- 内耳障害では，感音難聴，耳鳴り，めまいを認める．
- 関節炎は，左右非対称性かつ移動性で，骨びらんはない．
- 喉頭，気管，気管支の軟骨病変により嗄声，窒息感，喘鳴，呼吸困難，圧痛，自発痛などの症状を認める．
- 気道閉塞は次第に非可逆的となり，生命予後に影響するため，気道症状がなくても呼吸機能検査と胸部CT検査などが望まれる．
- 強膜炎，結膜炎，ぶどう膜炎を伴い，時に視神経炎を伴うこともある．

- 大動脈弁閉鎖不全や僧帽弁閉鎖不全などの心臓弁膜症，動脈瘤などの大動脈病変を伴うことがある．

b 検査所見

1）血液検査

- 炎症反応高値：白血球増多，CRP 上昇，赤沈亢進．
- 約 30～50％で血清Ⅱ型コラーゲン抗体が陽性となる．

2）画像検査

- 胸部 CT で気管・気管支内腔の狭窄とびまん性で平滑な壁肥厚像を認める．呼気時 CT でのみ気道虚脱や末梢肺の air trapping を検出できることがある．

3）病理検査

- 軟骨細胞の変性，壊死，線維組織による置換や，リンパ球や好中球，形質細胞を中心とした炎症細胞浸潤を認めるが，本疾患に特異的なものではない．

c 診断のポイント

- 診断基準を参考に診断する（表 1）．発症初期には症状や各検査所見が揃わないことも多く，経過観察も重要である．

d 治　療

- まれな疾患であり，各治療法を比較した臨床試験の報告はほとんどない．
- 軽症例では NSAIDs を使用するが，炎症が強く臓器障害を有する場合は，中等量～大量の経口ステロイド（PSL 換算 0.5～1.0 mg/日）を開始する．

> • PSL 1 回 10～20 mg，1 日 3 回内服

- 気道病変の急速進行例ではステロイドパルス療法や，免疫抑制薬として MTX, CyA, CY などが用いられる（保険適用外）．
- 治療抵抗例では TNF 阻害薬や IL-6 受容体阻害薬であるトシリズマブ（TCZ）などが有効であったとする報告もある．
- 気管切開，ステント留置などの処置が必要な場合もある．

表1 再発性多発軟骨炎の診断基準

① McAdam ら（1976年）
1. 両側外耳軟骨炎
2. 非びらん性血清反応陰性多発関節炎
3. 鼻軟骨炎
4. 眼の炎症（結膜炎，角膜炎，強膜炎，上強膜炎，ぶどう膜炎）
5. 気道軟骨炎（喉頭，気管）
6. 蝸牛および前庭機能障害
上記のうち3項目以上を満たし，病理学的に確認されたものを確定診断とする
② Damiani ら（1979年）
1. ① McAdam らの診断基準のうち3項目以上あれば病理所見は不要
2. ① McAdam らの診断基準のうち1項目以上と病理所見
3. 解剖学的に異なる2ヵ所以上の軟骨炎とステロイド/ダプソンに反応する場合

1) McAdam LP et al：Medicine **55**：193-215, 1976
2) Damiani JM et al：Laryngoscope **89**：929-943, 1979
［1, 2) を基に作成］

e 予 後

- 気道病変が予後を左右する.
- 診断の遅れが不可逆的な臓器障害へとつながり，生命予後を左右するため，早期診断のためにも本疾患を疑うことが重要である.

参考文献

1) McAdam LP et al：Relapsing polychondritis prospective study of 23 patients and a review of the literature. Medicine **55**：193-215, 1976
2) Damiani JM et al：Relapsing polychondritis：report of ten cases. Laryngoscope **89**：929-943, 1979
3) Ferrada MA et al：Somatic mutations in UBA1 define a distinct subset of relapsing polychondritis patients with VEXAS. Arthritis Rheumatol **73**：1886-1895, 2021

6 好酸球性筋膜炎（びまん性筋膜炎）

- 四肢の筋膜に炎症と線維化をきたす疾患である.
- 2016 年のわが国での報告例は 100 例程度である.
- 好発年齢は 30〜60 歳代であるが，全年齢層にみられる.
- 男女比は 1.5：1 で男性にやや多い.
- 病因は不明であるが，さまざまな誘因が知られている.
- 40%程度で激しい運動や外傷が誘因となる.
- 皮膚硬化を認めるが, 病変の主座は真皮深層から筋膜であり, 表皮から真皮浅層は侵されない.
- 病態や診断における好酸球の位置づけは明確でなく，欧米では「diffuse fasciitis with or without eosinophilia」の病名が提唱されている.

a 臨床所見

- 比較的急性の経過で四肢や体幹の対称性浮腫性変化と皮膚硬化が進行する.
- 手指と顔面は侵されない点や, 皮膚はつまみあげられないが, 皺を生じる（板状皮膚硬化）点が，全身性強皮症（SSc）との鑑別点である.
- Raynaud 現象，爪周囲毛細血管異常，皮膚以外の臓器病変を認めない点も重要である.
- 真皮深層から筋膜の線維化が腱を巻き込み，手指ないし手の屈曲拘縮，足関節の可動域制限を高率に認める.
- 静脈周囲の線維化と癒着を反映し，groove sign（静脈の走行と一致した皮膚の凹み）を認める.
- 慢性期には皮膚表面に凹凸を生じる（orange-peel sign）.
- 筋痛や非破壊性の関節炎を認めることがある.

b 検査所見

1）血液検査

- 80%程度で経過中に好酸球の増加を認め，病初期に頻度が高いが，診断に必須な所見ではない．

- 血清クレアチニンキナーゼ値は正常であるが，血清アルドラーゼ値の上昇を60％程度で認める．治療により低下し再燃時に再上昇する．
- CRP増加，赤沈の亢進，多クローン性高γグロブリン血症を伴うことが多い．
- リウマトイド因子や抗核抗体は通常陰性であり，疾患特異的な自己抗体も陰性である．

2）画像検査

- MRI検査で筋膜に沿った著明な肥厚と浮腫を呈し，ガドリニウム造影効果を認める．

3）病理所見

- 皮膚，皮下組織，筋層を一括して採取するブロック生検が必要である．
- 病変の主座は真皮深層から筋膜であり，表皮から真皮浅層は侵されない．
- 筋膜の著明な肥厚および線維化と炎症性変化が特徴的である．筋膜への好酸球浸潤は30％程度の症例で認めず，診断に必須ではない．

c 診断のポイント

- 特徴的な身体所見，MRI所見，病理所見などを合わせ，他疾患，特にSScを鑑別し総合的に診断する．

▶鑑別診断

- 鑑別疾患として，SSc，慢性移植片対宿主病，環境要因により誘発される皮膚硬化症（L-トリプトファン，菜種食用油，ガドリニウム造影剤などによる）を除外する．
- 傍腫瘍症候群として発症することがあり，特に治療反応不良例では悪性腫瘍の検索を要する．

d 治　療

- 中等量～大量のステロイド（PSL換算0.5～1 mg/kg）が使用される．

- PSL 1 回 10 ～ 20 mg，1 日 3 回内服

- 2 週間ごとに漸減し，1～2 年で中止をめざす．
- 浮腫が高度の例や進行が急速な例ではステロイドパルス療法を検討する．
- 早期例では 70～90％程度で数週～数ヵ月かけてゆっくりと臨床症状の改善を認める．
- 治療目標は皮膚硬化消失と関節可動域の正常化である．
- 屈曲拘縮に対して理学療法も行う．

e 予　後

- 生命予後は良好である．
- 機能予後の不良因子として，若年発症，斑状強皮症の併発，体幹に及ぶ皮膚硬化がある．
- 早期例では副腎皮質ステロイド療法に対する反応性は良好であり，早期診断がきわめて重要である．

参考文献

1）Pinal-Fernandez I et al：Diagnosis and classification of eosinophilic fasciitis. Autoimmun Rev **13**：379-382, 2014
2）Yamamoto T et al：Characteristics of Japanese patients with eosinophilic fasciitis：a multicenter brief study. J Dermatol **47**：1391-1394, 2020

7 サルコイドーシス

- 病変部位に非乾酪性類上皮細胞肉芽腫を形成する，原因不明の全身性肉芽腫性疾患である．
- 罹患率は人口 10 万人対 0.3〜1.7 である．
- 男女比は 1：1.7 である．
- 20〜30 歳代と 50〜60 歳代の 2 つの発症ピークがある．

a 臨床所見

- 全身症状として，発熱や倦怠感などを認める．
- 両側肺門リンパ節，肺，眼，皮膚の罹患頻度が高く，心臓，神経，筋，腎臓，骨，消化器など全身臓器に及ぶ．
- 以下に各臓器病変について記載する．

1) 眼病変

- 眼病変はぶどう膜炎が多く，霧視や視力低下を呈する．

2) 心病変

- 心病変は，不整脈と心機能低下がある．
- 不整脈は無症状から致死的不整脈にいたるものまである．
- 心機能低下例では拡張型心筋症を呈することが多い．
- 数年を経て心病変が明らかになる場合があり，サルコイドーシスと診断された症例では，定期的に心電図，心エコー検査を行う必要がある．

3) 呼吸器病変

- 咳，息切れ，喘鳴，呼吸困難などの症状を呈する．
- 肺病変は胸部 X 線像上，5 つの病期がある（表 1）．

表 1 胸部単純 X 線像上の病期分類

病期	所見
Stage 0	正常な胸部 X 線像
Stage I	両側肺門リンパ節腫大
Stage II	両側肺門リンパ節腫大 + 肺野陰影
Stage III	肺野陰影のみ
Stage IV	肺線維化（蜂巣肺，ブラ，嚢胞，気腫などを伴う）

- 胸部CTで気管支・血管束周囲肥厚，粒状影，気管支変形・拡張や無気肺，蜂巣肺，嚢胞，気腫などを認める．

4) 皮膚病変

- サルコイドーシスによる皮膚病変の分類を**表2**に示す．
- 皮膚サルコイドと瘢痕浸潤は病理で類上皮細胞肉芽腫が陽性となり，結節性紅斑では肉芽腫を認めない．
- 皮下型は自然消褪することが多い．
- 結節型は顔面や四肢に好発し，1 cm以上の大結節型は消褪しにくく，小結節型は多発するが消褪しやすい．
- びまん浸潤型，局面型は自然消褪しない．

5) 腎病変

- 間質性腎炎，高カルシウム血症による腎障害などを呈する．

6) 神経病変

- 脳実質，髄膜，脳神経，脊髄，末梢神経などあらゆる場所に発生し，尿崩症や顔面神経麻痺が多い．

b 検査所見

1) 血液検査

- 検査所見は血清アンジオテンシン変換酵素（ACE）およびリゾチーム活性の上昇，血清可溶性インターロイキン-2受容体高値，血清・尿中カルシウム高値，高γグロブリン血症などを認める．気管支肺胞洗浄液のリンパ球比率上昇（非喫煙者20%，喫煙者10%が目安となる）またはCD4/CD8比の上昇（3.5が目安となる）を認める．

2) 画像所見

- ガリウムシンチグラフィ，PET-CTは臓器病変の広がりを評価する際に有用である．

表2 皮膚病変の分類

1. 皮膚サルコイド ［①結節型，②局面型，③びまん浸潤型（lupus pernio），④皮下型，⑤その他］
2. 瘢痕浸潤
3. 結節性紅斑

- 心サルコイドーシスは心室中隔基部の菲薄化，ガリウムシンチグラフィの異常集積，心筋血流シンチグラフィの灌流異常，ガドリニウム造影 MRI の心筋遅延造影所見などが参考となる．

3) 病理所見

- 肉芽腫は類上皮細胞間にリンパ球浸潤を伴い，異物型巨細胞，Langhans 型巨細胞も認める．
- アクネ菌が病変部から高率に分離培養される．

C 診断のポイント

- 以下の 4 点により診断する．

> ①非乾酪性類上皮細胞肉芽腫の組織学的証明
> ②各臓器に特徴的な臨床所見
> ③サルコイドーシスに特徴的な検査所見
> ④他疾患の除外

- 日本サルコイドーシス/肉芽腫性疾患学会の診断基準（**表 3**）

表 3 診断基準（日本サルコイドーシス/肉芽腫性疾患学会）

【組織診断群】
全身のいずれかの臓器で壊死を伴わない類上皮細胞肉芽腫が陽性であり，かつ，既知の原因の肉芽腫およびサルコイド反応を除外できているもの．特徴的な検査所見および全身の臓器病変を十分検討することが必要

【臨床診断群】
類上皮細胞肉芽腫病変は証明されていないが，呼吸器，眼，心臓の 3 臓器中の 2 臓器以上において本症を強く示唆する臨床所見を認め，かつ，下記の特徴的検査所見の 5 項目中 2 項目以上が陽性のもの

【特徴的検査所見】
1）両側肺門縦隔リンパ節腫脹
2）血清アンジオテンシン変換酵素（ACE）活性高値または血清リゾチーム値高値
3）血清可溶性インターロイキン-2 受容体（sIL-2R）高値
4）^{67}Ga シンチグラムまたは ^{18}F-FDG/PET における著明な集積所見
5）気管支肺胞洗浄検査でリンパ球比率上昇，CD4/CD8 比≧ 3.5

［サルコイドーシス診療の手引き 2022．日本サルコイドーシス/肉芽腫性疾患学会雑誌編集委員会（編）〈https://www.jssog.com/wp/wp-content/themes/jssog/images/system/guidance/2-2-2.pdf〉より引用（最終確認 2023 年 2 月 21 日）］

には，組織診断群と臨床診断群の２つがある．

- 癌の所属リンパ節では非乾酪性類上皮細胞肉芽腫（サルコイド反応）を認めるため鑑別に注意する．
- 結核，真菌などの感染症，癌，転移性悪性腫瘍，悪性リンパ腫，IgG4 関連疾患，Sjögren 症候群，過敏性肺炎，じん肺症，薬剤性などの除外を慎重に行う．

d 治　療

- 現在のところ根治療法はない．
- 多くの症例では無治療で経過観察される．
- 日常生活が障害される症例（眼病変，皮膚病変）や，生命予後に関与する病変（中枢神経病変，心病変，腎病変など）ではステロイドを中心とした治療が行われる．
- 治療ガイドラインは存在せず，PSL 0.5 mg/kg/日程度から開始して漸減することが多い．

> • PSL 1 回 10 mg，1 日 3 回内服

- 再燃例も多く，MTX や AZP などの免疫抑制薬の併用も行われる．

e 予　後

- 心病変を有する場合などを除き，生命予後は基本的に良好である．
- 死因の半数は心病変である．

参考文献

1）山口哲生：呼吸器疾患と全身の関わり―サルコイドーシスとその全身病変．日内会誌 **100**：2517-2523，2011
2）Dempsey OJ et al：Sarcoidosis. BMJ **339**：b3206, 2009

8 アミロイドーシス

- アミロイドーシス（amyloidosis）は，アミロイド前駆蛋白がアミロイド線維を形成し，種々の臓器に病的に沈着することによって機能障害を引き起こす疾患群である．
- 全身諸臓器にアミロイドが沈着する全身性と，特定の臓器に限局して沈着する限局性に大別され，さらに沈着するアミロイド蛋白の種類によって分類される．

> - 全身性：AL アミロイドーシスや AA アミロイドーシス，ATTR アミロイドーシスなど
> - 限局性：脳アミロイドーシスや内分泌アミロイドーシスなど

- AL アミロイドーシスは，異常形質細胞による産生される M 蛋白の L 鎖に由来するアミロイドが沈着することで生じる．意義不明の単クローン性免疫グロブリン血症（MGUS）を背景とした原発性 AL アミロイドーシスと，多発性骨髄腫など B 細胞性腫瘍に伴う続発性 AL アミロイドーシスとに分かれる．血液内科により化学療法や自家末梢血幹細胞移植が行われる．
- ATTR アミロイドーシスはトランスサイレチン（TTR）がアミロイドを形成し沈着することで生じる．*TTR* 遺伝子変異が原因となる ATTRv アミロイドーシスと野生型 TTR が沈着する ATTRwt アミロイドーシスに分かれる．従来肝移植が行われていたが，近年 TTR 四量体安定化薬（タファミジス）や TTR mRNA を標的とした siRNA 製剤（パチシラン）が認可されている．
- AA アミロイドーシスは，関節リウマチ（RA）をはじめとした慢性炎症性疾患に合併するため二次性アミロイドーシスとも呼ばれる．その 90％が RA に続発し，全 RA 患者の約 6％に認められる．本項では AA アミロイドーシスについて記載する．

a 臨床所見

- 全身性アミロイドーシスでは全身倦怠感，体重減少，障害臓器の臓器症状が初発症状となることが多い．
- 腎障害：浮腫，蛋白尿，低蛋白血症や腎機能低下．
- 消化器症状：食欲不振，嘔吐，下痢，吸収不良，イレウス症状など．
- 心症状：うっ血性心不全，刺激伝導系障害による不整脈など．
- その他：手根管症候群，多発関節炎，硝子体混濁，リンパ節腫大など多彩な症状がみられる．

b 検査所見

- RA などの慢性炎症性疾患を基礎疾患に持つ AA アミロイドーシスでは，CRP や血清アミロイド A（SAA）などの炎症反応マーカーが高値を示す．
- 心症状を伴うアミロイドーシスでは，心電図で低電位，V_1～V_3 の QS パターン，伝導ブロック，不整脈を認め，心エコーで壁肥厚や高輝度エコー（granular sparkling 像），心筋シンチグラフィでの異常集積を呈する．
- アミロイドの観察には，コンゴ・レッド染色が有用である．また，アミロイドは偏光顕微鏡下で観察すると緑色複屈折を呈する．アミロイドのタイプ決定には抗体を用いた免疫染色が用いられる．

c 診断のポイント

- アミロイドーシスの診断の第一歩であり，最も重要なことは患者の症候からアミロイドーシスを疑うことである．
- RA の長期罹患例で腎障害，消化管障害がみられたら二次性アミロイドーシスを疑う．
- アミロイド腎を合併した RA 患者では，投与されている抗リウマチ薬（例：ブシラミンなど）による薬剤性膜性腎症やその他の腎症の合併などの鑑別に注意する．
- 確定診断には罹患臓器の生検が必要である．全身性アミロイドーシスの場合，胃，十二指腸，結腸，直腸，肛門粘膜，腎臓または腹壁脂肪織の生検を行う.

- 診断には病理所見が重要であり，アミロイドーシスを疑って生検を行った場合，病理医にその旨を伝え，コンゴ・レッド染色や偏光顕微鏡での観察を行ってもらうことが重要である.

d 治療

- 一般的にアミロイドーシスは予後不良疾患である.
- アミロイドーシスに対する治療は沈着そのものを阻止する抗アミロイド療法と，アミロイド沈着の結果生じた臓器障害に対する対症療法に大別される.
- RA などの慢性炎症性疾患に続発した AA アミロイドーシスの治療においては，原疾患の病勢をコントロールすることが重要である.
- 抗 IL-6 受容体抗体であるトシリズマブは，SAA の産生を抑制し血中 SAA レベルを正常化させるため，AA アミロイドーシスの治療薬として期待されている.

> • トシリズマブ　1 回 8 mg/kg を 4 週間隔で点滴静注

参考文献

1）奥田恭章：慢性炎症性疾患と反応性 AA アミロイドーシス - 基礎疾患と治療法. 医学のあゆみ **258**：653-659，2016
2）山田正仁ほか：アミロイドーシス診療ガイドライン 2010，アミロイドーシスに関する調査研究班，2010
3）北岡裕章ほか：2020 年版 心アミロイドーシス診療ガイドライン，日本循環器学会，2020

9 小児膠原病

1 若年性特発性関節炎 (JIA)

●「16歳未満で発症し，6週間以上持続する原因不明の関節炎で，他の病因によるものを除外したもの」と国際リウマチ学会 (ILAR) の小児リウマチ常任委員会が定義している．

●ILAR分類では病型を7つに分類している．臨床的には全身型，少関節炎型，多関節炎型として理解する．

●わが国の罹患率は人口10万対で約10人であり，小児の慢性関節炎では最多である．男女比は全身型で1：1.2，少関節炎1:2.5，リウマトイド因子陰性多関節炎・付着部関節炎1:2.2，リウマトイド因子陽性多関節炎が1：8.0であった．

●病因は不明で，各病型により病態が異なる．全身型は自己炎症の要素が強く，少関節炎やリウマトイド因子陽性多関節炎は自己抗体の頻度が高い．リウマトイド因子陰性多関節炎・付着部関連関節炎ではHLA遺伝子多型の関与が示されている．

●発症10年後でも約半数が関節炎を残し，30％にX線上関節障害を残すが，その他はclass Ⅱ以下であり支障なく日常生活を送っている．

a 臨床所見

1) 全身型

●全身型は，いわゆるStill病であり，同様の病像が成人に発症した場合を成人発症Still病［⇒「Ⅳ-A-5．成人発症Still病」参照，p157］と呼ぶ．弛張熱とリウマトイド疹が特徴的である．

●リウマトイド疹はサーモンピンク色で一過性に出現し，瘙痒感を伴わない．発熱は38℃以上を示すが，自然解熱することもある．

●関節炎の頻度は高いが，軽度であったり，全身症状に伴って消褪することがある．関節炎が長期に持続すると骨破壊をきたし，強直から機能障害を呈する．

- その他，心膜炎，肝脾腫なども出現する．
- 炎症が高度に持続進行すると，時にマクロファージ活性化症候群（macrophage activating syndrome：MAS）[⇒「V-C-3. 血球貪食症候群」参照, p309]，播種性血管内凝固症候群（DIC）などの重篤な合併症を引き起こすことがある．

2）少関節炎型

- 発症6ヵ月以内の罹患関節数が4関節以下の病型とされる．関節炎は持続型と進展型に分けられる．
- 5歳以下の女児に発症することが多く，しばしば抗核抗体（ANA）陽性で30〜50%にぶどう膜炎を伴う．無症候性で前部に起こり，放置すると失明率が高い（15〜20%）．

3）多関節炎型

- 発症6ヵ月以内の罹患関節数が5関節以上の病型とされる．RF陽性のものは陰性に比して関節予後がわるい．

b 検査所見

1）全身型

- 好中球優位の白血球増多，赤沈値，CRP値，血清アミロイドA（SAA）は高値を示す．RF，ANA，他の自己抗体は陰性である．血清MMP-3の増加を認めることがある．ステロイド投与により上昇するため，判定には注意する．
- 高サイトカイン血症を反映して，フェリチン値の上昇を示すことがある．フェリチン高値はMASのリスク因子であることが知られている．

2）少関節炎型，多関節炎型

- 炎症所見を反映しCRPや赤沈が軽度〜中等度上昇する．ANA陽性者が30%程度いる．
- 画像検査ではMRI検査で滑膜肥厚，関節液貯留や骨髄浮腫を認める．関節超音波検査も有用である．
- 単純X線では病初期での変化はまれであるが，進行すると関節裂隙の狭小化，骨びらん，亜脱臼，関節強直などがみられる．

c 診断のポイント

- 疾患特異的な検査項目はなく，感染症，悪性腫瘍，他の発熱性疾患を除外することが重要である．
- リウマトイド疹，RF，虹彩毛様体炎，頸椎障害，心膜炎，腱鞘炎，弛張熱などはJIAを特徴づける症状である．

d 治　療

- 診断が確定するまではNSAIDsを用いる．

1）全身型

- ステロイド療法が基本となる．

  - 軽症例：ステロイド1～2 mg/kg/日±NSAIDs
  - 中等症：mPSLパルス療法＋後療法としてステロイド0.7～0.9 mg/kg/日，MTXなどの免疫抑制薬の併用を考慮する．
  - 重症：血漿交換を必要とする場合もある．

- 難治例に対しては生物学的製剤であるトシリズマブが適応となる．
- 臓器病変をコントロールした後にmPSLを漸減する．

2）少関節炎型，多関節炎型

- 関節炎に対してはNSAIDsとともに，早期にMTX（4～10 mg/週）による治療を検討する．約20～30％の難治例では，生物学的製剤（エタネルセプト，アダリムマブ，トシリズマブ，アバタセプト）投与の適応となる．

2 小児全身性エリテマトーデス

- 全身性エリテマトーデス（SLE）は全身性の自己免疫疾患である．
- 小児SLEとは16歳未満で発症したものを指し，SLE全体の15～25％を占める．
- 罹患率は小児人口10万に対し約5人である．男女比は1：5～

6であり，成人例（1：10〜12）と比して男児の比率がやや高い．

- 発症年齢は10歳以降が多い．
- 成人例と比較して，発熱など全身症状が顕著であり，腎障害，中枢神経症状などの臓器障害の進行が早く重篤な経過をたどりやすい．
- 初発時〜3年の経過でループス腎炎が90％の症例でみられ，組織所見も発症時からすでに重症例が多い．
- 約半数に他のリウマチ性疾患などのオーバーラップを認める場合が多い．
- 小児SLEの予後不良因子として，男児，腎組織所見がISN/RPS分類でclass Ⅲ以上，中枢神経症状を有する他のリウマチ性疾患の合併などがあげられる．

a 臨床所見

- 初発症状として，発熱，全身倦怠感，皮膚の紅斑，関節痛，筋痛，出血傾向，腎炎による浮腫，痙攣など多様な症状が報告されているが，いずれも特異的ではないので，診断までに時間を要することがある．
- 蝶形紅斑は本症に特徴的（80％に出現）であり，発症早期から出現するためしばしば診断の契機となる．日光過敏症やRaynaud症状もみられる．
- 粘膜障害としては，無痛性口内炎を上口蓋に認めることが多く，SLEに特異度の高い所見であるが，無症状のため見落としに注意する．
- 関節炎（40％）が認められるが，その頻度は成人（80％）ほど多くない．通常は一過性または移動性であり，X線にて骨びらんなどの骨破壊像を認めないのが特徴である．
- 初診時の50％，全経過で60％に腎炎を発症するが，尿異常があっても通常は無症状なことが多い．
- 痙攣や意識障害，精神症状などの中枢神経症状は約20％でみられる．頭痛も高頻度に認める．
- 心病変の多くは心外膜炎であり，心嚢液が貯留する．
- その他，網膜炎，肺胞出血，ループス腸炎，ループス膀胱炎など，成人SLEと同様に多彩な臨床像を認める．

b 検査所見

1）血液検査

- 白血球減少，ヘモグロビン低下，血小板減少を示す．
- CRP は陰性であることが特徴的である．
- ANA はほぼ全例で陽性となる．抗 dsDNA 抗体，抗 Sm 抗体は SLE に特異度が高く診断に有用である．血清補体価の低下は病勢を反映する．

2）尿検査

- 腎炎がある場合：尿蛋白，血尿，尿沈渣異常．

3）脳血流シンチグラフィ，MRI 検査

- 中枢神経症状を欠く例でも，血流シンチグラフィでの血流低下や頭部 MRI で皮質下の微小梗塞様所見などの異常所見を認める例が多い．

c 診断のポイント

- SLE の診断には，成人と同じ ACR 基準あるいは SLICC 分類基準が用いられる［⇒付録①参照，p336］．
- 鑑別疾患は感染症（風疹，パルボウイルス感染症など），悪性腫瘍，その他の膠原病［皮膚筋炎（DM），RA など］，薬物アレルギーなどである．臨床症状，検査所見，生検所見から総合的に判断する．

d 治　療

- ステロイド療法が基本になる．PSL 0.2～0.5 mg/kg/日程度が目安であるが，病態の重症度に応じて中～高用量の PSL 内服，mPSL パルス療法を行う．
- 寛解が得られれば，寛解状態を維持しながらステロイドは漸減し，免疫抑制療法（Tac，MMF，CyA）の併用を検討する．生物学的製剤（ベリムマブ），ヒドロキシクロロキン（HCQ）も有効である．
- 小児膠原病ではステロイドによる成長障害や思春期前期～思春期後期への免疫抑制薬の影響が問題となる．
- 小児期から SLE で入退院を繰り返すうちに社会的に隔絶し

てしまう症例もあり，配慮が必要である．

3 若年性皮膚筋炎/多発性筋炎

- 16歳未満で発症し，特徴的な皮疹と近位筋優位の筋力低下を主症状とする慢性炎症性疾患である．
- 症状や病態では成人皮膚筋炎と多くの共通点がありながら，血管障害が強い，潰瘍性病変が多い，石灰化しやすい一方，間質性肺炎や悪性腫瘍の合併が少ないなどの違いがみられる．古典的な皮膚症状を呈しながらも明らかな筋症状を認めないものは若年発症無症候性皮膚筋炎（JCADM）とされる．
- 炎症性筋炎を呈しながら，皮膚症状を呈さないものは若年性多発性筋炎とされるが，小児ではまれである．小児の若年性皮膚筋炎の有病率は小児人口10万人に対し1.74人で，女児が70%を占める．
- 好発年齢は5〜10歳であるが，乳児も発症しうる．

a 臨床所見

- 早期より皮疹が出現し，筋症状に先行することが多い．
- 上眼瞼のヘリオトロープ疹，手背のGottron徴候，肘や膝など関節伸側に軽度隆起生紫紅色紅斑を認めることがある．爪郭周囲の発赤，毛細血管の拡張なども高頻度にみられる．
- 筋力低下は近位筋に強く，つまずきやすくなったり，階段で転ぶ，運動を嫌がるなどから，寝たきり・寝返りができなくなったなど重度なものまである．炎症部位によっては嚥下困難や呼吸困難も呈することがある．
- 発熱や倦怠感などの非特異的症状を呈することが多い．
- 急性期を過ぎた後に皮膚や皮下組織，筋・筋膜，骨などの石灰化が5〜30%に認められることがある．石灰化は治療不十分さと関連する．合併症として，間質性肺炎，消化管潰瘍，出血，心電図異常，心筋障害，心膜炎，非破壊性関節炎などがある．

b 検査所見

- CK，アルドラーゼ，LDH，AST，ALTといった筋原性酵素が上昇する．
- 抗Jo-1抗体をはじめ，抗アミノアシルtRNA合成酵素（ARS）抗体はほとんど検出されない．
- 間質性肺炎合併例では抗CADM-140（MDA5）抗体が高率にみられる．
- 画像検査では筋肉のMRI検査が診断に役立つ．また間質性肺炎をはじめ，その他の臓器障害の有無を調べるためにCT検査を行う．
- 筋生検組織所見は成人例とほぼ同様であるが，血管障害は若年性皮膚筋炎（JDM）でより強い．

c 診断のポイント

- 特徴的な皮疹，近位筋優位な筋力低下より本疾患を疑う．
- 他の自己免疫性疾患（SLE，JIA，血管炎など），先天性筋疾患との鑑別が必要である．

d 治　療

- 重症度と合併症の評価をしっかり行う．治療の遅れや不十分な治療は異所性石灰化と関連することが知られており，早期に強力な治療を導入する必要がある．
- 治療の中心は副腎皮質ステロイドとなる．一方で，成長過程にある小児に対するステロイド薬の長期大量投与は副作用の観点より避けることが望ましく，免疫抑制薬を併用していく．
- 寛解導入治療として副腎皮質ステロイド（PSL換算で2 mg/kg）とMTXの併用を行う．MTX不応例の場合はメチルプレドニゾロン（mPSL）パルス療法を行い，後療法として副腎皮質ステロイドとCyA，Tac，CYの併用が選択される．重症例や難治例の場合にはmPSLパルス療法の後，副腎皮質ステロイドとシクロホスファミド大量静注療法（IVCY）の併用が推奨されている．またRTXの使用も考慮される．
- 皮下石灰化に対してはビスホスホネート製剤やカルシウム拮抗薬が有効との報告があるが，いずれも高い効果はない．外科的治療も考慮される．
- 近年治療のにより死亡率は数%まで低下したが，死亡例の多くは間質性肺炎によるものである．

参考文献

1) リウマチ病学テキスト改訂第3版, 日本リウマチ学会生涯教育委員会ほか(編), 南江堂, 東京, 2022
2) Ruperto N et al : Prednisone versus prednisone plus ciclosporin versus prednisone plus methotrexate in new-onset juvenile dermatomyositis : a randomised trial. Lancet **387** : 671-678, 2016
3) Deakin CT et al : Efficacy and safety of cyclophosphamide treatment in severe juvenile dermatomyositis shown by marginal structural modeling. Arthritis Rheumatol **70** : 785-793, 2018

H. その他の全身性疾患

10 内分泌・代謝疾患，悪性腫瘍，血液疾患に伴う関節炎

- 関節炎を合併する内分泌・代謝疾患としては，糖尿病，甲状腺機能亢進症・低下症，アミロイドーシスなど［⇒「Ⅳ-H-8. アミロイドーシス」参照，p271］が知られている．
- 関節内出血に伴う関節腫脹をきたす血液疾患として，血友病をはじめとした出血傾向を伴う疾患があげられる．
- 悪性腫瘍にも腫瘍随伴症候群として関節炎が合併することがある．この場合，骨転移による骨痛や抗癌薬による副作用との鑑別が重要である．

1 糖尿病

a 臨床所見

- 近位指節間（PIP）と中手指節（MCP）関節に硬化および屈曲性変形をきたす糖尿病性手症候群，手掌腱膜の線維化により屈曲硬直をきたすDupuytren拘縮，進行性・難治性の関節破壊をきたすCharcot関節がある．

b 検査所見

- 糖尿病に伴う関節症では，関節破壊は乏しいが，Charcot関節は単純X線像で関節破壊所見を認めることがある．

c 治　療

- 疼痛に対し必要に応じてNSAIDsを投与する．

> • セレコキシブ　1回200 mg，1日2回内服

2 甲状腺機能亢進症

a 臨床所見

- 骨関節症，甲状腺性指端症がまれに認められる．四肢末端の肥大に伴うばち指を認める．

b 検査所見

- 単純X線像上で指尖の軟部組織の肥厚と指の骨幹に骨膜下骨新生像（骨膜反応，骨皮質の肥厚）が認められる．

c 治　療

- 抗甲状腺薬（プロピルチオウラシル，チアマゾール），ヨード剤の内服，アイソトープ内服，手術療法がある．

> • チアマゾール　1回5 mg，1日1回内服

3 甲状腺機能低下症

a 臨床所見

- 膝と手関節に関節炎を認めることが多い．手根管症候群を認める場合もある．

b 検査所見

- X線像にて関節軟骨石灰化が認められる．
- 関節液は粘稠度が高く，白血球数の少ない非炎症性所見を呈する．

c 治　療

> • レボチロキシン　100 μg/日，1日1回内服

4 悪性腫瘍

a 臨床所見

- 悪性腫瘍の骨転移による実質的な疼痛と，腫瘍随伴症候群としての多関節炎がある．
- 血液腫瘍では，急性白血病，リンパ腫，特に血管免疫芽球性T細胞リンパ腫で多く，固形腫瘍では肺癌，乳癌で多い．乳癌ではレトロゾールなどのアロマターゼ阻害薬の副作用で関節炎が発症することがある．

b 検査所見

- 画像検査，血液検査などで各種癌の検索を行う．

c 治　療

- 骨転移についてはNSAIDsより開始し，症状に応じてオピオイドを追加する．
- 腫瘍随伴症候群については手術，化学療法，放射線治療による各種原病の治療を行う．
- NSAIDsや疾患修飾性抗リウマチ薬（DMARDs）よりも原病治療のほうが疼痛コントロールに有効である．
- 腫瘍の再発により関節炎も再発する．

> • フェンタニル（パッチ）　1回2.5 mg，72時間ごと＋ジクロフェナク（坐剤）　1回25 mg，1日2回

5 血友病性関節症

a 臨床所見

- 軟部組織，筋肉，関節内に出血をきたす．関節内出血を繰り返すことにより滑膜に炎症が起こり，慢性滑膜炎，変形性関節症，関節拘縮などが起こる．

b 検査所見

- 第Ⅷ因子（血友病 A）あるいは第Ⅸ因子（血友病 B）の活性が25％未満である．
- X 線所見として，関節裂隙狭小化，軟骨下骨硬化，軟骨下骨嚢胞などがみられる．

c 治　療

- 関節内出血が持続する際には因子補充療法を行う．疼痛緩和目的で NSAIDs を使用することもある．

> - 乾燥濃縮人血液凝固第Ⅷ因子（クロスエイト MC®）1,000 単位静注＋セレコキシブ（セレコックス®） 1回 200 mg，1日2回

参考文献

1) 塩沢俊一：膠原病学，改訂 6 版，丸善出版，東京，2015
2) リウマチ病学テキスト改訂第 3 版, 日本リウマチ学会生涯教育委員会ほか（編），診断と治療社，東京，2022
3) 日本血栓止血学会診療ガイドライン〈https://www.jsth.org/wordpress/guideline/〉（最終確認 2023 年 2 月 21 日）
4) Khan F et al：Paraneoplastic musculoskeletal syndromes. Rheum Dis Clin North Am **46**：577–586, 2020

11 線維筋痛症

- 原因不明の全身性疼痛を主症状とする．精神神経症状，自律神経症状を随伴することが多い．
- 40～50歳代の女性に多いが，病態や発症機序は不明である．
- 関節リウマチなどの膠原病の合併がなければ，ペインクリニックなどで治療を行うことが多い．

a 臨床所見/検査所見

- 全身の広汎な慢性疼痛とこわばりが中心症状であり，随伴症状として疲労，しびれ感，睡眠障害などがある．
- 一般検査では異常所見を認めないことが特徴である．

b 診断のポイント

- 1990年のACR分類基準を参考に，3ヵ月以上持続し，以下の2点を満たす場合に分類される．

> ①広範囲な疼痛
> ②18ヵ所の圧痛点（両側後頭部，頸椎下方部，僧帽筋上縁部，第2肋骨，肘外側上顆，臀部，大転子部，膝関節部）のうち，11ヵ所以上の疼痛

- 膠原病の合併について検索する．

c 治　療

- 精神科やペインクリニックにて，疼痛に対しプレガバリンや，抗痙攣薬などが使用される．
- 精神神経症状に対しては，抗うつ薬などが使用される．

> • プレガバリン　1回75 mg，1日2回

参考文献

1）線維筋痛症診療ガイドライン2017，日本線維筋痛症学会（編），日本医事新報社，東京，2017

12 免疫関連副作用

- がん免疫治療で用いる免疫チェックポイント阻害薬は，殺細胞性の抗癌薬とは作用機序が異なるため，その副作用も異なる．
- 免疫チェックポイント阻害薬による副作用として，免疫抑制が解除されたT細胞が活性化して，全身の各臓器に浸潤し過剰な免疫反応を呈する．
- 自己免疫疾患に類似した症状を呈し，免疫関連副作用（immune-related adverse event：irAE）と呼ばれる．

a 臨床所見/検査所見

- irAEでは，血液，筋骨格，呼吸器，内分泌，消化器，神経，皮膚など，全身のあらゆる臓器に過剰な免疫反応による炎症を呈する．
- 比較的頻度の高いirAEとして胃腸障害，肝障害，内分泌障害（主に甲状腺障害），皮膚障害，関節炎，間質性肺障害などがある．
- 脳・髄膜炎，心筋炎，多発筋炎（呼吸筋麻痺），重症筋無力症，Guillain-Barré症候群，1型糖尿病，下垂体不全，副腎不全などは，比較的頻度は低いが重篤化あるいは致死的となりうる．
- 殺細胞性抗癌薬の副作用は投薬を中止すれば改善するが，irAEは投薬を中止しても持続することが多い．

b 診断のポイント

- 免疫チェックポイント阻害薬による治療中に新たな症状を認めた場合は，irAEを疑う．
- 時に致死的となるため早期発見と治療が重要である．
- irAEは治療開始後2ヵ月以内に認めることが多いが，どの時期でも発現しうるため治療期間中および治療終了後も半年程度はモニタリングが必要である．

- 鑑別として癌自体の進行，感染症の合併，併用薬の副作用を除外することが重要である．
- 重症度は Common Terminology Criteria for Adverse Events（CTCAE）v5.0 を用いてグレード 1～4 で評価する．
- irAE のうち重症（グレード 3 以上）は抗 PD-1 または PD-L1 薬単剤の 3％程度，抗 CTLA-4 抗体薬単剤の 10％程度，両薬剤の併用で 20％程度で認める．

c 治　療

- 標的臓器ごとに各専門家へコンサルトする．
- irAE の治療は下記の重症度による．

> - グレード 1：慎重な管理のもと免疫チェックポイント阻害薬を継続する．
> - グレード 2：免疫チェックポイント阻害薬を休薬し，症状がグレード 1 に改善した場合は投与の再開を考慮する．また，プレドニゾロン 0.5～1 mg/kg/日による治療を検討する．
> - グレード 3：免疫チェックポイント阻害薬を休薬し，プレドニゾロン 1～2 mg/kg/日を開始する．症状が改善したら，プレドニゾロンは少なくとも 4～6 週かけて漸減する．症状が改善しない場合は，インフリキシマブや免疫抑制薬の追加投与を検討する．
> - グレード 4：免疫チェックポイント阻害薬は中止する．

- 例外として劇症 1 型糖尿病，下垂体不全，腸穿孔などではステロイドの使用は推奨されない．

d 予　後

- irAE の発現は免疫チェックポイント阻害薬に対する良好な腫瘍反応性と関連する．
- プレドニゾロンなどに抵抗性の致死的な irAE の発現は，0.5～1％程度である．

参考文献

1) Brahmer JR et al：Management of immune-related adverse events in patients treated with immune checkpoint inhibitor therapy：American Society of Clinical Oncology Clinical Practice Guideline. J Clin Oncol **36**：1714-1768, 2018
2) Haratani K et al：Association of immune-related adverse events with nivolumab efficacy in non–small-cell lung cancer. JAMA Oncol **4**：374-378, 2018
3) Martins F et al：Adverse effects of immune-checkpoint inhibitors：epidemiology, management and surveillance. Nat Rev Clin Oncol **16**：563-580, 2019
4) NCCN 腫瘍学臨床診療ガイドライン：免疫療法関連毒性の管理. 日本臨床腫瘍学会（監訳），第 2 版，2019

V

リウマチ・膠原病領域における エマージェンシー

間質性肺疾患と急性増悪

- 膠原病（connective tissue disease：CTD）では呼吸器病変の合併率が高く，予後を規定する重要な合併症である．
- 全身性強皮症（SSc），多発性筋炎/皮膚筋炎，混合性結合組織病で特に高率に合併する．間質だけでなく，気道，胸膜，血管にも病変をきたすが，特に間質性肺疾患（interstitial lung disease：ILD）は頻度が高い（**表1**）．
- 臨床的または血清学的に，膠原病が疑われるものの診断基準を満たさないが，特徴を有する症例について，近年 interstitial pneumonia with autoimmune features（IPAF）と統一して分類されるようになった．
- CTD-ILD の治療反応性や予後は疾患や患者背景によって異なり，一症例ごとに治療目標を定めマネジメントする必要がある．

a 臨床所見/検査所見

- CTD-ILD の臨床症状は非特異的であり，慢性咳嗽や呼吸困難などを訴える．問診は非常に重要で，過去も含めて膠原病

表1 CTDに合併する呼吸器病変

	間質性病変	気道病変	胸膜病変	肺高血圧	肺胞出血
SSc	高	—	—	高	—
多発性筋炎/皮膚筋炎	高	—	—	低	—
混合性結合組織病	中	低	低	中	—
RA	中	中	中	低	—
Sjögren 症候群	中	中	低	低	—
SLE	低	低	高	低	中

［Fischer A et al：Lancet **380**：689-698, 2012 を基に筆者作成］

表2 膠原病と関連した症状

• ドライアイ・ドライマウス	• 嚥下困難
• 逆流性食道炎	• 手の潰瘍
• 体重減少	• 口腔内潰瘍
• 足の腫脹	• Raynaud 現象
• 関節痛・関節腫脹	• 朝のこわばり
• 紅斑	• 近位筋の筋力低下
• 光線過敏	

に関連した症状（**表2**）や全身性炎症症状を網羅的に聴取する．

- 関節リウマチ（RA），臨床的に筋炎所見に乏しい皮膚筋炎（clinically amyopathic dermatomyositis：CADM），全身性エリテマトーデス（SLE）では重篤な急性経過を呈する場合がある．
- 聴診による fine crackle の有無と胸部 X 線所見でスクリーニングを行い，疑わしい場合は HRCT を撮像する．HRCT は CTD-ILD の診断に必須であるが，パターン分類については議論の余地の残るところであり，所見はしばしば混在する（**表3**）．
- KL-6，SP-D，SP-A，LDH などの血清バイオマーカーはいずれも非特異的であるが，ある程度重症度と相関し，治療効果のフォローに有用である．CTD-ILD に絶対的なバイオマーカーはなくあくまでも補助的である．
- 呼吸機能検査および 6 分間歩行検査は機能的評価として有用である．可能であれば経時的にフォローすることが望ましい．
- 気管支肺胞洗浄の CTD-ILD における有用性は現在のところ乏しく，感染症や悪性腫瘍など他疾患の除外目的で行われる．

b 診断のポイント

- 下気道症状を呈する膠原病患者は，CTD-ILD 以外にも，免疫抑制薬使用下の感染症や薬剤性肺炎など他疾患も想定し鑑別を進めていく．

表3 主なHRCTによる画像パターン分類

	主な特徴	代表的疾患
UIPパターン	• 下肺野胸膜下優位に不均等に広がる網状影やすりガラス影 • 時に蜂巣肺を伴う	• RA
fNSIPパターン	• 下肺野優位に気管支に沿って分布する網状影やすりガラス影 • 気管支拡張を認めることもあり，肺容積の減少を示す • subpleural sparingがみられる	• SSc • 多発性筋炎/皮膚筋炎 • 混合性結合組織病
NSIP with OP overlapパターン（FOPパターン）	• 早期は下肺野胸膜下に斑状の浸潤影やすりガラス影 • 活動期に両肺下肺野の気管支周囲の浸潤影 • 長期的には網状影主体のNSIPパターンを示す	• 多発性筋炎/皮膚筋炎，CADM
LIPパターン	• 小葉中心性の淡い陰影とすりガラス影，気管支血管束肥厚と小葉中心性分岐粒状影，小葉間隔壁の肥厚が典型的である • 嚢胞形成を認める	• Sjögren症候群
OPパターン	• 末梢胸膜下優位の非区域性浸潤影，すりガラス影を特徴とし，reversed halo signやperilobular opacitiesがみられることもある	• RA
DADパターン	• 容積減少や牽引性気管支拡張を伴う浸潤影・すりガラス影 • 超急性に進行する場合と急性に進行する場合がある	• SLE（超急性例） • 多発性筋炎/皮膚筋炎（急性進行例）

1) Travis WD et al：Am J Respir Crit Care Med **188**：733-748, 2013
2) Kondoh Y et al：Respir Investig **59**：709-740, 2021
［1, 2）を基に筆者作成］

1) SScに合併する間質性肺疾患

- ILDはSScの死因として最も多く，<u>無症状であってもHRCTおよび呼吸機能検査が推奨される</u>．HRCTによる病変の広がりと肺活量によるILD予後予測アルゴリズムがある．
- SSc発症から4年以内に進行し，その後の進行は緩徐となることが多く，治療適応の見極めが重要である．

- ILD 発症リスクとして，男性，重症な皮膚硬化，抗 Scl-70 抗体陽性などが知られている．

2) 多発性筋炎/皮膚筋炎に合併する間質性肺疾患

- 抗 ARS 抗体や抗 MDA5 抗体など自己抗体により病態は異なり，筋炎特異自己抗体を測定すべきである．急性・亜急性か慢性か，発症経過の判断は重要である．
- 抗 MDA5 抗体陽性 CADM では，しばしば急速進行性 ILD を呈し，予後不良である．高齢発症，急性または亜急性発症，CADM，肺活量の低下，血清中のフェリチン高値，KL-6 高値，ESR 高値は予後不良因子である．
- 画像上は胸膜直下を主体とする収縮傾向を伴う浸潤影と周囲のすりガラス影が特徴である．
- 機械工の手，関節炎，Raynaud 現象，筋症状がないことが ILD 合併と関連すると報告されている．
- 抗 ARS 抗体陽性例では全身症状に先行し肺病変のみで発症する症例が多く，抗 ARS 抗体症候群と呼ばれることもある．各抗 ARS 抗体ごとに ILD や筋炎などの臓器障害の関連は異なるが，共通して ILD，筋炎，多関節炎，Raynaud 現象を認める．ILD は基本的には慢性の経過で，肺容積減少を伴うことも多く，寛解導入療法成功例でもしばしば再燃する．

3) 混合性結合組織病に合併する間質性肺疾患

- 混合性結合組織病の ILD 像は全身性強皮症，多発性筋炎/皮膚筋炎のコンパートメントを呈し，それぞれのマネジメントと共通する．

4) RA に合併する間質性肺疾患

- 男性，高齢者，長期の罹患歴，喫煙，リウマチ因子・抗 CCP 抗体陽性などが ILD 合併因子である．
- UIP パターンは NSIP パターン・OP パターンと比べ予後不良であり，喫煙歴があると肺癌合併率が高い．
- まれに急性増悪をきたし，DAD パターンの場合は非常に予後がわるい．メトトレキサート（MTX）の使用，高齢，UIP パターンが急性増悪のリスク因子である．

5) Sjögren 症候群に合併する間質性肺疾患

- 一般的に予後は良好である.
- 急性発症は少なく，UIP や fNSIP パターンを呈する慢性経過が多い.

6) SLE に合併する間質性肺疾患

- SLE の肺病変は，胸膜病変，肺胞出血，ループス肺炎，気道病変など非常に多彩であるが，頻度は 1％程度と低い．そのため SLE 患者に ILD を認める場合は他の膠原病の合併の有無を検索する.
- 急性ループス肺炎はまれだが予後はわるい．免疫複合体による組織障害が一因と考えられ，DAD の所見を呈する.

7) interstitial pneumonia with autoimmune features (IPAF)

- IPAF という概念は，CTD の診断はつかないものの膠原病的特徴を有する ILD 患者に対して研究を行ううえでの統一基準として，米国胸部疾患学会（ATS）および欧州呼吸器学会（ERS）により提唱された．したがって臨床に用いるにはいまだ不十分であり，今後さらに改訂が必要である.
- IPAF は，間質性肺疾患があり，膠原病の診断がつかず，その他の鑑別可能な疾患がない患者において，臨床ドメイン・血清学的ドメイン・形態的ドメインの 3 つのうちの 2 つ以上を満たす場合に分類される（**表 4**）.

C 治療・予防

- CTD-ILD に共通した一般的な確立された治療法はなく，治療適応を見極めたうえで抗炎症薬としてステロイド，免疫抑制薬を単剤もしくは併用した治療，および抗線維化薬を組み合わせる.
- 共通して感染症や誤嚥は ILD 増悪リスクであり，禁煙指導，感染予防や生活指導を徹底する.
- 必要に応じて在宅酸素療法や呼吸リハビリテーションを併用する.

1) SSc に合併する間質性肺疾患

- ステロイドの有効性は確立されていない.

表 4　IPAF の基準

【臨床ドメイン】
- 機械工の手
- 指先潰瘍
- 関節炎または 60 分以上の朝のこわばり
- 手掌の血管拡張
- Raynaud 現象
- 手指の腫脹
- Gottron 徴候

【血清学的ドメイン】
- 抗核抗体≧ 320 倍または nucleolar パターン陽性または centromere パターン陽性
- リウマチ因子が正常上限の 2 倍以上
- 抗 CCP 抗体
- 抗 dsDNA 抗体
- 抗 SS-A 抗体
- 抗 SS-B 抗体
- 抗 RNP 抗体
- 抗 Sm 抗体
- 抗 Scl-70 抗体
- 抗 tRNA 合成酵素抗体（抗 ARS 抗体，抗 OJ 抗体，抗 KS 抗体，抗 Zo 抗体など）
- 抗 PM-Scl 抗体
- 抗 MDA 抗体

【形態的ドメイン】
- HRCT パターン：NSIP，OP，NSIP with OP，LIP
- 肺病理：NSIP，OP，NSIP with OP，LIP，胚中心を伴う間質性リンパ球の集簇，びまん性リンパ形質細胞浸潤
- 原因不明のその他の合併症：心嚢液貯留・心膜肥厚，胸水・胸膜肥厚，気道病変，肺高血圧症

［Fischer A et al：Eur Respir J **46**：976-987, 2015 を基に筆者作成］

- シクロホスファミド（CY），リツキシマブ（RTX），ミコフェノール酸モフェチル（MMF）（保険適用外），トシリズマブ（TCZ）（保険適用外）など免疫抑制薬を単剤または併用する．少量のステロイドは免疫抑制薬の作用の増強効果を期待する目的で使用してもよい．

- ニンテダニブの併用はFVCの低下に対して有効である.
- 誤嚥はILDの増悪リスクであり，逆流性食道炎に対するプロトンポンプ阻害薬も併用する.

> - ①を用い, ②は適宜併用する
> ①シクロホスファミド大量静注療法（IVCY）：1回500～1,000 mg，4週ごとに点滴静注
> ②ニンテダニブ 200～300 mg，1日1回，経口投与

2) 多発性筋炎/皮膚筋炎に合併する間質性肺疾患

- 概して呼吸器症状や画像上の増悪があれば治療を開始するが，急速進行性ILDは呼吸器症状の増悪がなくとも診断後すみやかな治療介入を検討する.
- 寛解導入療法として大量ステロイドと免疫抑制薬としてCY，MTX，アザチオプリン（AZP），カルシニューリン阻害薬［タクロリムス（Tac）のみ保険適用］を併用する．重症な場合はステロイドパルス療法を行う場合もある．保険適用外だが，MMF，リツキシマブ（RTX）が欧米で用いられている.

> - 急性・亜急性経過の場合は以下を併用する
> ① PSL　1回20 mg，1日3回
> ② IVCY　1回500～1,000 mg，4週ごとに点滴静注
> ③ Tac　1回1.5～2 mg，1日2回
> - 慢性経過の場合は，①+②または①+③または①+④
> ① PSL　1回20 mg，1日3回
> ② IVCY　1回500～1,000 mg，4週ごとに点滴静注
> ③ Tac　1回0.5～1.5 mg，1日1～2回
> ④ AZP　1回50 mg，1日1～2回

3) 混合性結合組織病に合併する間質性肺疾患

- ILDの発症経過やどの疾患コンパートメントが優位かによってその疾患の治療に準じて治療を行う.

4) RAに合併する間質性肺疾患

- UIP病変のみの場合のステロイドや免疫抑制薬の効果は不明である.
- NSIPおよびOP病変に対して中等量～大量ステロイドと免疫抑制薬を併用する.

- ①を用い，②，③は適宜併用する
  ① PSL　1回10～20 mg，1日2～3回
  ② Tac　1回1.5～3 mg，1日1回
  ③ AZP 1回50 mg，1日1～2回
  ※急性増悪例ではステロイドパルス療法に加えてIVCYまたはカルシニューリン阻害薬またはAZPを併用するが，エビデンスに乏しいのが現状である

5）Sjögren症候群に合併する間質性肺疾患

- 嚢胞を伴うことが多く，ステロイド治療中はアスペルギルスなどの感染症の合併にも留意し，漫然と長期にステロイドを使用することは避ける．
- 治療はステロイドに加え，特にfNSIPパターンでは免疫抑制薬を併用する．近年はRTXの有効性も報告がある．

- PSL　1回10～20 mg，1日2～3回

6）SLEに合併する間質性肺疾患

- 急性ループス肺炎に対しては早期の治療介入が必要である．ステロイドパルス療法に加えCYまたはMMFに加え，カルシニューリン阻害薬またはAZP，RTXの併用も報告がある．
- 慢性ループス肺炎に対しては呼吸機能の低下など認める場合は治療介入を検討する．

- 急性ループス肺炎の場合は以下を併用する
  ① mPSLパルス療法：1回1,000 mg，3日間点滴静注
  ② IVCY　1回500～1,000 mg，4週ごとに点滴静注
- 慢性ループス肺炎の場合は①を用い，②は適宜併用する
  ① PSL　1回10～20 mg，1日2～3回
  ② MMF　1回500～1,000 mg，1日2回

7）IPAF

- IPAFは臨床目的の基準ではなく治療指針は存在しない．
- 症例ごとに，特徴を有する膠原病および特発性間質性肺疾患の両方の特徴をよく検討し，進行度や病態を考慮したうえで，ステロイドや免疫抑制薬または抗線維化薬が用いられている．

参考文献

1) Fischer A et al：Interstitial lung disease in connective tissue disorders. Lancet **380**：689-698, 2012
2) Travis WD et al：An official American Thoracic Society/European Respiratory Society statement：Update of the international multidisciplinary classification of the idiopathic interstitial pneumonias. Am J Respir Crit Care Med **188**：733-748, 2013
3) Kondoh Y et al：2020 guide for the diagnosis and treatment of interstitial lung disease associated with connective tissue disease. Respir Investig **59**：709-740, 2021
4) Fischer A et al：An official European Respiratory Society/American Thoracic Society research statement：interstitial pneumonia with autoimmune features. Eur Respir J **46**：976-987, 2015

B 肺胞出血

- 肺胞出血にはびまん性のものと，腫瘍や非定型抗酸菌症の病変からの局所的な出血がある．
- 本項では特に膠原病に合併することの多いびまん性肺胞出血について述べる．
- 頻度は低いが，進行が急速で重篤化することが多く，迅速に診断と治療を行う必要がある．
- 原因疾患の特定を待たずに治療を開始することも多い．
- 共通病態は，肺の微小血管の破綻により起こる肺胞内への出血で，急激な呼吸不全を呈する．
- 肺の微小血管炎に伴うもの，びまん性肺胞傷害（DAD）に合併するもの，非炎症性のもの，薬剤・化学物質によるものに分類できる（表1）．

a 臨床所見

- 関節リウマチ（RA）以外の疾患でも陽性になるため注意が必

表1　びまん性肺胞出血をきたす疾患

肺血管炎が伴うもの	DADによるもの	薬剤・化学物質によるもの
全身性エリテマトーデス Goodpasture症候群 ANCA関連血管炎 抗リン脂質抗体症候群 血栓性血小板減少性紫斑病 IgA血管炎 Behçet病 クリオグロブリン血症 混合性結合組織病 SSc RA	急性呼吸窮迫症候群 ウイルス性肺炎 **非炎症性のもの** 凝固異常 うっ血性心不全（僧帽弁狭窄症） 特発性肺ヘモジデローシス 特発性肺線維症 肺静脈閉塞症	抗凝固薬 D-ペニシラミン プロピルチオウラシル カルバマゼピン フェニトイン アミオダロン レチノイン酸 イソシアネート ニトロフラントイン 無水トリメリット酸

要である.

- 急速に進行する呼吸困難，喀血・血痰，貧血，肺のびまん性陰影を特徴とする.
- 胸部X線像で広範な陰影を認めても喀血・血痰のない症例もあり，その際は出血源のはっきりしない貧血の存在が手がかりとなる.
- 膠原病に伴うものの場合は原疾患の症状も出現するため，参考にする.

b 検査所見

- 先述の症状に加え，血液検査で急性炎症反応（白血球，赤沈，CRPの上昇），ヘモグロビン低値を認める．原因疾患によっては凝固異常を認める．血管炎によるものでは，腎障害を合併する病態も多く，クレアチニンの上昇をしばしば認める.
- 免疫学的検査は結果が出るまで数日かかるものが多いが，抗核抗体，補体，抗dsDNA抗体，抗Sm抗体，抗U1-RNP抗体，抗糸球体基底膜（GBM）抗体，抗好中球細胞質抗体（ANCA），抗リン脂質抗体，クリオグロブリンなど，原疾患の鑑別に有用な項目は治療開始前に提出しておく.
- 胸部X線像では，典型例は肺門を中心とした両側性の淡い斑状影や融合影を認める.
- 胸部CTでは，小葉単位での出血の広がりを反映して，小葉中心性のすりガラス影が両側びまん性に認められる．胸膜直下は陰影が少ないことが多い．原疾患によっては肉芽腫や空洞，胸水などを伴う.
- 呼吸機能検査では，一酸化炭素肺拡散能（DLco）が上昇する点が特徴的で，これは出血した赤血球が一酸化炭素（CO）を吸収するためである.
- 確定診断がつかない場合には気管支鏡を考慮する．50 mL×3回の標準的な気管支肺胞洗浄（BAL）では，1回目より3回目のほうが血性成分が濃くなること，またBAL液の細胞診でヘモジデリン貪食マクロファージを認めることが特徴である.

c 治　療

- 緊急性の高い病態であり，各種検査の提出後，ほぼ同時に治療を開始する．基本は，呼吸補助や止血薬などの対症療法＋原因疾患に対する治療である．
- 免疫学的機序が想定される場合には，ステロイドパルス療法や大量ステロイド療法，重症例では血漿交換を行う．病態に応じてシクロホスファミドやリツキシマブなどの免疫抑制薬を追加するが，その選択は各疾患を参照のこと．
- 感染の除外ができるまでは抗菌薬の併用を考慮する．

> - カルバゾクロム　1回100 mg，1日1回，点滴静注
> - トラネキサム酸　1回1,000 mg，1日2回，点滴静注
> - メチルプレドニゾロン　1回1,000 mg，1日1回，点滴静注を3日間．その後，プレドニゾロン　1 mg/kg/日，連日1日1〜3分割，点滴静注

d 予　後

- 原疾患と出血の程度によりさまざまであるが，全身性エリテマトーデス，Goodpasture症候群，ANCA関連血管炎などでは，死亡率は25〜50%程度と予後不良である．

参考文献

1) Lara AR et al：Diffuse alveolar hemorrhage. Chest **137**：1164, 2010
2) Sonye KD et al：The diffuse alveolar hemorrhage syndromes. UpToDate, Jan 24, 2022
3) リウマチ病学テキスト（改訂第2版），日本リウマチ財団 教育研修委員会ほか（編），診断と治療社，東京，2016

C. 血液障害を伴う免疫病態

1 secondary ITP

- 特発性血小板減少性紫斑病（idiopathic thrombocytopenic purpura：ITP）と呼称されてきたが，現在では免疫学的機序の関与が判明し，欧米においては免疫性血小板減少症（immune thrombocytopenia）の名称が一般的になっている.
- 一次性（primary）と二次性（secondary）に分類される.
- secondary ITPの原疾患：全身性エリテマトーデス（SLE），抗リン脂質抗体症候群（APS），橋本病/バセドウ病，リンパ増殖性疾患，感染症［COVID-19，ヒト免疫不全ウイルス（HIV），サイトメガロウイルス（CMV），Epstein-Barrウイルス（EBV）など］.

a 臨床所見

- 出血症状：鼻粘膜や歯肉，消化管からの出血など.

b 検査所見

- 血小板減少（<10万/μL）.
- 幼若血小板比率（IPF：immature platelet fraction）の上昇：血小板が消費および破壊される病態で、産生障害がなければ上昇する（正常は3%程度）.
- 血小板関連IgG（PA-IgG）は非特異的なIgGも検出するため診断的意義は乏しい.

c 診断のポイント

- 偽性血小板減少症，薬剤性，肝硬変，骨髄線維症，敗血症，悪性腫瘍などといった，他の血小板減少性疾患を除外する.
- secondary ITPの原因となる基礎疾患の診断に努める.

d 治　療

- おのおのの原疾患の治療が優先される.
- primary ITPで有効な脾摘や *H.pylori* 除菌のsecondary ITP

への効果は限定的である.

- SLE などの自己免疫疾患による secondary ITP の場合には, primary ITP に準じて副腎皮質ステロイド, 免疫グロブリン大量静注療法やリツキシマブ (RTX), トロンボポエチン受容体作動薬の使用も選択肢となりうる.
- 2022 年 12 月に primary ITP に対する脾臓チロシンキナーゼ (Syk) 阻害薬が製造承認されたため, 今後選択肢となりうる (2023 年 2 月現在薬価未収載).

> - プレドニゾロン (PSL) 0.5～1 mg/kg/日を 2～4 週間の経口内服, その後減量
> - ヒト免疫グロブリン G 200～400 mg/kg を 5 日間点滴静注
> - RTX 375 mg/m^2 を 1 週間隔で計 4 回点滴静注
> - エルトロンボパグ 12.5～50 mg/日, 1 日 1 回, 食事前後 2 時間を避けて空腹時に内服, 12.5 mg 内服から開始し, 効果不十分な場合は 2 週間ごとに 50 mg まで増量
> - ホスタマチニブ 200 mg/日から開始. 4 週間以上投与しても効果不十分な場合は 300 mg/日に増量 (2023 年 2 月現在薬価未収載).

参考文献

1) 成人特発性血小板減少性紫斑病治療の参照ガイド 2019 改訂版. 臨床血液 **60**：877-896, 2019
2) Tatiana CI et al：Efficacy and safety of rituximab in the treatment of non-renal systemic lupus erythematosus: a systematic review. Semin Arthritis Rheum **44**：175-185, 2014

2 血栓性微小血管症

- 血栓性微小血管症（thrombotic microangiopathy：TMA）は以下を３徴とする疾患の総称である.

①微小血管内血小板血栓
②血小板減少
③微小血管障害性溶血性貧血

- 血栓性血小板減少性紫斑病（thrombotic thrombocytopenic purpura：TTP）と溶血性尿毒症症候群（hemolytic uremic syndrome：HUS）はTMAを本態とする代表的疾患である.
- **表1**に古典的な臨床的特徴を示すが，いずれにおいても血小板減少と溶血性貧血が必発であるものの，その他の所見は必須ではなく鑑別できないことが判明している.

a 臨床所見

- TMAに共通する症状：血小板減少による紫斑，溶血性貧血による全身倦怠感・動悸・呼吸困難，腎機能障害.
- HUS：志賀毒素を産生する病原性大腸菌が原因であるTMAをHUSと定義する．重度の腎不全が前景に立つ．典型例では腸管出血性大腸菌性腸炎が先行し，数日後からHUSを発症する.
- 近年，補体関連因子の遺伝子異常や抗体によるHUSが非典型HUS（atypical HUS：aHUS）として独立した.
- TTP：ADAMTS13活性著減（＜10％）によるTMAがTTP

表1 TTPとHUSの典型的徴候

TTP	HUS
血小板減少 微小血管障害性溶血性貧血 発熱 腎機能障害 精神神経障害	血小板減少 微小血管障害性溶血性貧血 急性腎不全

と定義される．高熱と時間帯により変動する精神障害が特徴的である．HUS に比して腎機能障害は軽度である．

- その他，**表 2** の背景疾患によるものは二次性 TMA として区別される．

b 検査所見

- 血小板減少（<10 万/μL）．
- 溶血性貧血所見（ヘモグロビン低下，LDH 上昇，間接ビリルビン上昇，ハプトグロビン低下）．
- 破砕赤血球の出現（典型例では>1.0%）．
- 腎機能障害：血清クレアチニン上昇，尿素窒素上昇，蛋白尿，血尿．
- 膠原病関連の TMA でも ADAMTS13 活性低下，抗 ADAMTS13 抗体（インヒビター）陽性となる症例がある．

c 診断のポイント

- 血小板減少，貧血，腎機能障害を同時に呈した場合には TMA を考慮する．破砕赤血球の検出が診断に有用．
- 鑑別疾患：播種性血管内凝固症候群（DIC），免疫性血小板減少性紫斑病（ITP），血球貪食症候群（HPS），骨髄低形成，ヘパリン起因性血小板減少症，CMV などの感染症など．

d 治　療

- TTP に対する治療の基本は新鮮凍結血漿（FFP）を用いた血漿交換療法［⇒「Ⅲ-A-8．血漿交換療法」参照，p131］．

表 2　二次性 TMA	
膠原病	SLE，抗リン脂質抗体症候群，血管炎，多発性筋炎/皮膚筋炎，強皮症（腎クリーゼ）
妊娠	HELLP 症候群
移植関連	造血幹細胞移植後が多い
薬剤性	抗悪性腫瘍薬，抗血小板薬，免疫抑制薬など
悪性腫瘍	転移を伴う進行性の胃癌，大腸癌，前立腺癌など
感染症	肺炎球菌，HIV，HCV，CMV など
代謝関連	コバラミン代謝異常（生後 1 年以内）

- 血小板数や腎機能を確認しつつ，FFPの間隔や期間を調整する．
  - 膠原病に伴うTMA：ADAMTS13活性著減かつ抗ADAMTS13抗体陽性例では血漿交換に加えてステロイド大量療法，治療抵抗例にはシクロホスファミド大量静注療法（IVCY）やリツキシマブ（保険適用外）などの免疫抑制薬を併用する．抗ADAMTS13抗体陰性例では難治例が多い．
  - 強皮症腎クリーゼ：ステロイドや免疫抑制薬は使用しない．アンジオテンシン変換酵素（ACE）阻害薬により血圧のコントロールができればTMAも改善することが多い．
  - 補体関連のaHUS：抗C5ヒト化モノクローナル抗体（エクリズマブ）．
  - 腸管出血性大腸菌性腸炎に続発するHUS：大半が自然軽快するため支持療法が中心である．腎機能障害が重度ならば一時的な血液透析を考慮する．
  - 薬剤性のTMA：原因薬剤を中止する．
  - 臓器移植，造血幹細胞移植，悪性腫瘍に伴うTMA：治療方法は現時点で未確立であり予後不良である．
- TMAでは血小板輸血は原則禁忌（血小板血栓の材料を増やすので病態が増悪する）であるが，出血傾向が強い場合には血漿交換後に慎重に血小板輸血をすることもある．

e 臓器障害時の対応

- 腎機能障害：腎不全にいたれば血液透析を行う．

参考文献

1) 非典型溶血性尿毒症症候群診断基準改訂委員会：非典型溶血性尿毒症症候群（aHUS）診療ガイド2015．日腎会誌 **58**：62-75，2016
2) 厚生労働科学研究費補助金（難治性疾患政策研究事業）「血液凝固異常症等に関する研究」班TTPグループ：血栓性血小板減少性紫斑病（TTP）診療ガイド2020〈https://www.naramed-u.ac.jp/~trans/news/pdf/ttp.pdf〉（最終確認2023年2月21日）
3) Nina K et al：Secondary thrombotic microangiopathy in systemic lupus erythematosus and antiphospholipid syndrome, the role of complement and use of eculizumab：Case series and review of literature. Semin Arthritis Rheum **49**：74-83, 2019

3 血球貪食症候群

- 網内系での組織球・マクロファージの異常な活性化による血球貪食を特徴とする疾患である.
- 血球貪食症候群 (hemophagocytic syndrome：HPS) 以外に血球貪食性リンパ組織球症 (hemophagocytic lymphohistiocytosis：HLH) も用いられる.
- 一次性 (原発性) と二次性 (続発性) に分類される.
- 一次性はパーフォリンなどの遺伝子異常に伴い小児期に発症する.
- 二次性は基礎疾患に続発して発症する (感染症, 悪性腫瘍, 自己免疫疾患).
- 自己免疫疾患に伴う場合はマクロファージ活性化症候群 (macrophage activation syndrome：MAS) とも呼ばれ, 小児では全身型若年性特発性関節炎 (sJIA), 成人では全身性エリテマトーデス (SLE) や成人発症 Still 病 (AOSD) での報告が多い.

a 臨床所見

- 発熱, リンパ節腫脹, 肝脾腫.
- 易出血性 (血小板減少や凝固異常時).

b 検査所見

- 2 系統以上の血球減少.
- 高フェリチン血症：通常 1,000 ng/mL 以上.
- 肝機能障害：AST・ALT・γ-GTP 上昇, TG 上昇.
- 凝固異常：FDP・D ダイマー上昇, FNG 低下.
- 骨髄検査：低形成や異形性なし. 赤芽球や顆粒球を貪食した組織球 (血球貪食像, 成人では 2～3%の組織球が貪食像を示せば HPS と診断) を 25～100%に認め, 活性化されたマクロファージの浸潤をみる. 病初期には血球貪食が目立たないこともある.

表 1　HLH-2004 診断基準

以下の 1，2 いずれかを満たせば HLH と診断する．
1．一次性/遺伝性 HLH と合致する遺伝子異常が存在．
2．下記 8 つのうち 5 つ以上を満たす．
　①発熱
　②脾腫
　③ 2 系統以上の血球減少
　　Hb＜9.0 g/dL，血小板＜10 万 /μL，好中球＜1,000/μL
　④高中性脂肪 もしくは 低フィブリノゲン血症
　　空腹時中性脂肪≧265 mg/dL，フィブリノゲン≦150 mg/dL
　⑤骨随，脾臓，リンパ節における血球貪食像（悪性所見なし）
　⑤ NK 細胞活性の低下・消失
　⑦フェリチン≧500 ng/mL
　⑧可溶性 IL-2 受容体≧2,400 U/mL

［Henter JI et al：Pediatr Blood Cancer **48**：124-131, 2007 より引用］

- 肝，脾，リンパ節でも血球貪食像やマクロファージ浸潤をみることがある．

c 診断のポイント

- HLH-2004 診断基準（**表 1**）が使用されているが，一次性 HLH を念頭に作成されたものである，早期には感度が十分でない，NK 細胞活性が実臨床では評価できないなどの問題がある．
- 2016 年に sJIA に伴う MAS の分類基準が提唱[2]され，AOSD など他疾患においても有用性と至適カットオフ値が検討されている．
- 治療開始が遅れると重篤化のおそれがあるため，HPS を強く疑えば治療開始を検討すべきである．
- 成人発症の場合は二次性が多く原因検索に努める．
- 感染症関連として，ウイルス（EBV，CMV，HIV）や細菌，真菌などの各種感染症の検索を行う．
- 悪性腫瘍関連では，悪性リンパ腫関連が大部分を占めるため，全身検索を行う．
- 自己免疫疾患関連では小児では sJIA，成人では SLE や AOSD の頻度が高い．成人での症例数は SLE が最多だが，発生頻度は AOSD でより高い．

d 治 療

- 二次性 HPS では基礎疾患の治療が重要であり，感染症関連 HPS であれば抗菌薬・抗ウイルス薬，悪性腫瘍関連 HPS であれば化学療法，自己免疫関連 HPS であれば免疫抑制療法などを考慮する．
- 病勢が強い場合には，高サイトカイン血症の改善を目的にメチルプレドニゾロンパルス療法（1,000 mg/日を 3 日間）や IVCY，シクロスポリン（保険適用外）などの免疫抑制療法を行う．
- EBV 関連 HPS の場合には一般的には自然軽快するが，時にモノクローナル化し治療抵抗性となる．その際は免疫グロブリン大量静注療法（IVIG），エトポシドや抗胸腺グロブリンの併用も考慮する．
- AOSD に対する生物学的製剤使用にあたっては，使用開始後の MAS 発症が報告されており，注意を要する．

参考文献

1) Henter JI et al：HLH-2004：Diagnostic and therapeutic guidelines for hemophagocytic lymphohistiocytosis. Pediatr Blood Cancer **48**：124-131, 2007
2) Ravelli A et al：2016 Classification Criteria for Macrophage Activation Syndrome Complicating Systemic Juvenile Idiopathic Arthritis：A European League Against Rheumatism/American College of Rheumatology/Paediatric Rheumatology International Trials Organisation Collaborative Initiative. Ann Rheum Dis **75**：481-489, 2016

D 強皮症腎クリーゼ

- 発症早期の全身性強皮症（SSc）に急性発症する高血圧性腎障害であり，腎微小血管の内皮障害から急激なレニン-アンジオテンシン系の亢進をきたすことが原因とされる．
- 微小血管障害性溶血性貧血［血栓性微小血管症（TMA），微小血管内皮障害による溶血と血小板減少］を伴う．
- 致死的な病態であるが，アンジオテンシン変換酵素（ACE）阻害薬の投与が行われるようになり，著明な予後の改善を認めた．
- ハイリスク例をスクリーニングし，発症早期に治療することが重要である．

a 臨床所見

- 急激な血圧上昇とともに乏尿性腎不全をきたす．
- 倦怠感，頭痛，痙攣，発熱，脳症，視力障害，呼吸困難感などを伴う．
- 肺水腫，不整脈，心筋炎，心膜炎を合併することもあり，その場合は予後不良である．
- 10％程度の症例で高血圧を認めない（normo-tensive renal crisis）ため注意が必要であるが，その場合も個々人のベースラインよりは血圧上昇を認めていることが多い．

b 検査所見

- 血清クレアチニンの上昇．
- 溶血と血小板減少（<5 万/μL），破砕赤血球の出現．
- 高レニン血症：基準値の 30〜40 倍．
- 検尿異常：ネフローゼにはいたらない蛋白尿や顕微鏡的血尿，時に顆粒円柱など．

c リスク因子およびスクリーニング

- 表 1 のリスク因子がある症例では強皮症腎クリーゼを発症

表 1 強皮症腎クリーゼのリスク因子
①びまん性の皮膚硬化
②急速な皮膚硬化の進行
③罹病期間が 4 年未満
④抗 RNA ポリメラーゼ III 抗体陽性
⑤新規の貧血
⑥新規の心疾患イベント (心囊液貯留, うっ血性心不全)
⑦ステロイド (PSL 換算で 15 mg 以上) の使用

しやすい. ステロイドの使用には注意が必要である.

- **表 1 のリスク因子のある症例は自宅での血圧測定と, 3 日連続で拡張期血圧が 10 mmHg 以上の上昇を認める場合には来院を指示**する.

d 診断のポイント

- Steen らによる基準が提唱されている (**表 2**). [国際的な分類基準は現在作成中である (Arthritis Rheum **71**: 964, 2019)]
- 腎病理所見では糸球体変化に乏しく腎の小血管内の血栓や内膜肥厚が認められるが, 特異的な所見ではない.
- SSc に合併した血栓性血小板減少性紫斑病 (TTP) と鑑別が困難なことがあるが, TTP は血漿交換, 強皮症腎クリーゼは ACE 阻害薬投与と治療法がまったく異なるため, 鑑別を要する.
- 強皮症腎クリーゼのリスク因子の検索の他, ADAMTS13 活性の測定が両者の鑑別に有用なことがある.
- SSc に抗好中球細胞質抗体 (ANCA) 関連血管炎を合併することがある. 罹病期間の長い限局皮膚硬化型での合併が多く強皮症腎クリーゼの好発例とは異なるが, この場合の治療は血管炎に準じたものとなるため, ANCA 測定, 腎生検も考慮する.

e 治療/予防

- **診断後すぐに短時間作用型の ACE 阻害薬 [カプトプリル (カプトリル®)] で治療を開始する.**
- カプトプリル投与は少量から開始し漸増, 72 時間以内に血

表 2　Steen らによる強皮症腎クリーゼの診断基準

A．高血圧を伴う強皮症腎クリーゼ［以下の 1），2）をともに満たす］

1）①～④のうちいずれかを満たす新規発症の高血圧
　①収縮期血圧 140 mmHg 以上
　②拡張期血圧 90 mmHg 以上
　③収縮期血圧の 30 mmHg 以上の上昇
　④拡張期血圧の 20 mmHg 以上の上昇
2）①～⑤のうちいずれかを満たす
　① Cr のベースラインから 1.5 倍以上の上昇もしくは施設の基準範囲上限から 120%を超えた上昇
　②定性の蛋白尿 2＋ 陽性
　③定性の顕微鏡的血尿陽性 2＋，もしくは尿沈渣で赤血球が 10/HPF 以上
　④血小板＜10 万/μL
　⑤他の原因によらない溶血性貧血で以下の 1，2 どちらかを満たす
　　1．分裂赤血球もしくは破砕赤血球を血液塗抹標本で認める
　　2．網状赤血球数の増加を認める

B．高血圧を伴わない強皮症腎クリーゼ［以下の 1），2）をともに満たす］

1）Cr のベースラインから 1.5 倍以上の上昇もしくは施設の基準範囲上限から 120%を超えた上昇
2）①～⑤のうちいずれかを満たす
　①定性の蛋白尿 2＋ 陽性
　②定性の顕微鏡的血尿陽性 2＋，もしくは尿沈渣で赤血球が 10/HPF 以上
　③血小板＜10 万/μL
　④他の原因によらない溶血性貧血で以下の 1，2 どちらかを満たす
　　1．分裂赤血球もしくは破砕赤血球を血液塗抹標本で認める
　　2．網状赤血球数の増加を認める
　⑤腎生検で強皮症腎クリーゼに矛盾しない微小血管障害の所見を認める

Cr：クレアチニン
［Steen VD et al：Clin Exp Rheumatol **21**（Suppl 29）：S29-S31, 2003 より引用］

圧 120/80 mmHg 以下をめざして降圧する．

- 血圧の安定後は長時間作用型の ACE 阻害薬に変更する．
- ACE 阻害薬のみで血圧コントロールがむずかしい場合にはカルシウム拮抗薬，利尿薬などを併用してもよい．
- 腎不全にいたった場合には透析を考慮するが，18ヵ月までは腎機能が改善する可能性があり，カプトプリルは継続する．
- アンジオテンシンⅡ受容体拮抗薬（ARB）に関しては，ACE

阻害薬ほどのエビデンスはなく効果も弱い可能性がある.

- 予防的な ACE 阻害薬投与は有用性が示されていない. むしろ死亡リスクを上昇させるとの報告もある.
- エンドセリン受容体拮抗薬が有効な可能性があるが, 現時点でのエビデンスは乏しい (保険適用外).

> ①カプトプリル　1回6.25〜50 mg, 1日3回 (少量から開始し漸増)
> ②エナラプリル　1回2.5〜10 mg, 1日1回, もしくは1.25〜5 mg, 1日2回
> 血圧が安定したら①から②への変更を検討する

- ACE 阻害薬の使用で死亡率は劇的に改善したが, いまだ高い (近年の前向き研究でも1年での死亡率は36%と報告されている).
- 高齢, 男性, 血圧のコントロールが不良, 発症時の血圧が正常な場合, うっ血性心不全の合併などが予後不良のリスク因子とされている.

参考文献

1) Bose N et al：Scleroderma renal crisis. Semin Arthritis Rheum **44**：687-694, 2015
2) Bruni C et al：Kidney involvement in systemic sclerosis：From pathogenesis to treatment. J Scleroderma Relat Disord **3**：43-52, 2018
3) Bussone G et al：The scleroderma kidney：progress in risk factors, therapy, and prevention. Curr Rheumatol Rep **13**：37-43, 2011

E 結合組織病に伴う肺高血圧症

- 結合組織病に伴う肺高血圧症は，全身性エリテマトーデス（SLE），Sjögren 症候群，混合性結合組織病（MCTD），全身性強皮症（SSc）に合併することが多い．
- 原疾患が SSc 以外である場合には，免疫抑制療法が奏効する場合がある．
- 肺高血圧症の病型分類のうち肺動脈性肺高血圧症（1 群）が多いが，左心疾患に伴う肺高血圧症（2 群），呼吸器疾患または低酸素血症に伴う肺高血圧症（3 群）や慢性血栓塞栓症性肺高血圧症（4 群）が起こりうるため，右心カテーテル検査や胸部 CT・肺機能検査，肺換気血流シンチグラフィなどを組み合わせ，正確な病態把握が重要である．
- 急激に肺高血圧症が進行し，右心不全をきたす肺高血圧症クリーゼを合併することがある．肺動脈圧クリーゼは原病の活動性だけでなく低酸素血症，感染症などが誘因となり注意を
- 循環器内科とともに専門施設での加療を行う．

a 臨床所見

- 労作時の呼吸困難，咳嗽や息切れの増悪，低酸素血症が出現する．重篤な例では失神することもある．
- 右心不全の進行による血圧低下，不整脈を認める．
- 身体所見上，頸静脈の怒張，胸骨左縁での収縮期雑音聴取（三尖弁逆流）と吸気による増悪（Rivero-Carvallo 徴候），肝触知，腹水貯留，末梢浮腫などを認める．

b 検査所見

1）心エコー

- 循環器内科とともに専門施設での加療を行う．
- 非侵襲的に右心室-肺動脈圧格差，推定肺動脈収縮期圧および右心負荷の所見を得られ，経過観察するうえで有用である．
- 右心カテーテル検査と比較し，正確性を欠くことは留意すべ

きである.

- 重症の肺高血圧症では三尖弁逆流の他，右心負荷を反映し右心室の拡大・肥大，心室中隔の左心側への偏移（そのため左心がD-shapeとなる）が認められる.
- 左心負荷の所見，弁膜症，心臓内のシャントについても情報が得られる.

2) 胸部X線像，胸部CT

- 肺動脈の拡張所見や心胸郭比の上昇を認める.
- 肺高血圧症の原因もしくは低酸素血症の鑑別として，肺病変の有無，造影CTでは肺血栓塞栓の有無を確認することが重要である.

3) 心電図

- 右心負荷の所見として右軸偏移，V_1誘導でR波>0.5 mV，R/S比>1，肺性Pなどを認めるが感度は低い.

4) 血液検査

- 血中のBNP上昇，時に心筋逸脱酵素の上昇をきたす.
- 多血症がある場合は慢性的な低酸素血症の存在を疑う.
- 初診で原因不明の肺高血圧症の場合は，自己抗体の検出が膠原病の診断の糸口になることもある.

c 誘発因子

- 誘発因子の同定と治療を早期に行うことが重要である.
- 感染，貧血，外傷，手術，妊娠，治療コンプライアンス不良，肺血栓塞栓，不整脈などが肺高血圧症の増悪因子として知られている.

d 診断のポイント

- 循環器内科とともに専門施設での加療を行う.
- 肺高血圧症をきたす膠原病（SLE，Sjögren症候群，MCTD，SScなど）で呼吸不全をきたした場合は，本症を鑑別にあげて精査する.
- 疑わしい症例では早急に心エコーを行い，主に推定肺動脈収縮期圧が上昇していないか（38 mmHg以上）確認する.

- 胸部画像検査で肺疾患の関与の評価や，可能であれば造影CTにより肺血栓塞栓の有無を評価する．

e 治 療

1）選択的肺血管拡張薬

- 結合組織病に伴う肺高血圧症において選択的肺血管拡張薬の有用性に関するエビデンスレベルは高い．
- 現在プロスタサイクリン誘導体，選択的プロスタサイクリン受容体作動薬，エンドセリン受容体拮抗薬，ホスホジエステラーゼ阻害薬，可溶性グアニル酸シクラーゼ刺激薬が承認されている．
- 近年では多剤同時併用療法（アップフロント療法）の有用性が報告されている．2群や3群合併例では肺血管拡張薬は肺循環動態を増悪させ，予後を悪化させる可能性があり注意を要する．

2）免疫抑制療法

- 膠原病に合併する肺高血圧症の特徴として，免疫抑制療法が奏効することがある（ただし，SScに合併する肺高血圧症には効果がないため行わない）．
- 大量ステロイド（プレドニゾロン1 mg/kg/日）とシクロホスファミド大量静注療法（IVCY，600 mg/m^2/月×6ヵ月），維持療法としてアザチオプリン（AZP）を用いることが多い．

3）支持療法，誘発因子の治療

- SpO_2が少なくとも92%以上を維持できるよう，十分な酸素投与を行う．低酸素血症は肺動脈圧を上昇させるが，酸素投与により肺動脈圧の改善が認められる．
- 感染，貧血，不整脈など誘発因子を治療する．
- 肺高血圧症には上室性頻拍を合併することが多いが，カルシウム拮抗薬やβ遮断薬の投与は右心不全の増悪をきたすため，除細動を行い，アミオダロンの使用を考慮する．
- 人工呼吸器の使用は陽圧換気が肺血管抵抗の上昇や心拍出量の低下をきたすため，できる限り避ける．
- やむをえず人工呼吸器を使用する場合は1回換気量を抑え，呼気終末陽圧（PEEP）も低く保つ（3〜8 cmH_2O）が，高二酸化炭素血症も肺動脈圧を上昇させるため注意を要する．

4) in out バランスの管理

- 体液量が過剰になっていることが多く，利尿薬（フロセミド）の使用を考慮する．
- 一方で，心拍出量の低下をきたしている症例での利尿薬の使用は血行動態の破綻をきたす可能性があり，血圧（拡張期血圧 60 mmHg 以下を保つ），血中乳酸値（2.0 mmol 以下をめざす），心エコーの所見などを参考に慎重に管理を行う．

5) 心拍出量の改善

- 肺血管拡張薬と同様に支持療法，体液量の管理のみでは状態が改善しない場合に強心薬の使用を考慮する．
- ドブタミンは肺血管抵抗を上昇させず心拍出量を増加させるが，高用量では効果が増強しないだけでなく不整脈を起こす頻度が増えるため，少量から開始し漸増，5γ を超える用量は使用しない．
- ミルリノンも肺血管抵抗の低下や心拍出量の増加のために使用されるが，体血管の拡張で血圧の低下もきたすことが多く使用には注意が必要である．

6) 昇圧薬の使用

- 先述の 1)～4) の加療を行っても体循環が保てない場合に，ノルアドレナリン，バソプレシンの使用を考慮する．
- ノルアドレナリンは肺血管抵抗を上昇させる作用があるため使用は最低限にとどめる．
- 低用量のバソプレシンは肺血管抵抗を上昇させずに血圧を上昇させるとされるが，その他の薬剤と比較してもエビデンスに乏しい．

7) 肺移植，膜型人工肺（ECMO）

- 最重症の肺高血圧症では肺移植，それまでのブリッジングとして ECMO を使用することがある．

参考文献

1) Humbert M et al：2022 ESC/ERS Guidelines for the diagnosis and treatment of pulmonary hypertension. Eur Heart J **43**：3618-3731, 2022
2) Kuwana M et al：Initial combination therapy of ambrisentan and tadalafil in connective tissue disease-associated pulmonary arterial hypertension（CTD-

PAH) in the modified intention-to-treat population of the AMBITION study：post hoc analysis. Ann Rheum Dis **79**：626-634, 2020
3) Kato M et al：Diagnostic and prognostic markers and treatment of connective tissue disease-associated pulmonary arterial hypertension：current recommendations and recent advances. Expert Rev Clin Immunol **16**：993-1004, 2020
4) Fayed H et al：Pulmonary Hypertension Associated with Connective Tissue Disease. Semin Respir Crit Care Med **40**：173-183, 2019

F ステロイド，免疫抑制薬，生物学的製剤を使用中の重症感染症

1 細菌感染症

- 膠原病患者では，治療により免疫抑制状態となり，細菌感染の罹患や重症化のリスクが高い．
- 早期に感染症を発見し，治療を行うことが重要である．
- 特に高用量のステロイドやIL-6阻害薬使用中の患者では，感染時にも発熱や特異的な症状が出現しにくいこともあり，注意が必要である．

a 臨床所見

- 細菌感染症では発熱や悪寒・戦慄に加えて，肺炎では発熱，湿性咳嗽，痰，呼吸困難を，尿路感染では排尿時痛，頻尿，腰背部痛などをきたす．
- 薬剤により症状が出現しにくく，特に高齢者での食思不振，倦怠感などには注意が必要である．
- 高齢，生物学的製剤やステロイド使用中が発症リスク因子である．

b 診断のポイント

- 免疫抑制患者での発熱の場合には，一般採血・尿検査，胸部X線検査，血液培養2セットを含めた各種培養の提出する．結果に応じて，CTでの精査を検討する．
- 高用量のステロイドやIL-6阻害薬を使用中には重症感染症でも，発熱や特異症状が出現しないこともあるため，検査の閾値を下げる．
- 特にIL-6阻害薬使用中はCRPは通常上昇しないため，CRPが正常範囲であっても感染を除外しない．

c 治　療

- 各種培養や画像検査を行い，メロペネムやタゾバクタム / ピ

ペラシリン（TAZ/PIPC）など広域抗菌薬で治療を開始する．

- 血流感染が否定しきれない場合（画像でフォーカス不明，中心静脈カテーテルなど挿入中）には，MRSA カバーでバンコマイシンの併用を検討する．
- 起因菌や感受性が判明した時点で，抗菌薬の de-escalation を検討する．

d 予　防

- 肺炎球菌ワクチンの接種を検討する（インフルエンザワクチンも同様に）．
- ステロイドの量が多い場合には，人混みは避ける．

2 真菌感染症（主にニューモシスチス肺炎）

- 原因微生物は真菌の *Pneumocystis jirovecii*（以前の呼称は *Pneumocystis carinii*）である．
- ヒト免疫不全症ウイルス（HIV）患者には日和見感染症を起こすが，膠原病領域では過剰な免疫応答から肺障害を起こすと考えられている．
- 徐々に進行する日和見感染と異なり，膠原病患者では発症が急性で，酸素化も悪化しやすい．
- 免疫抑制患者では，アスペルギルスや深在性カンジダ感染などのリスクも上昇する．

a 臨床所見

- 高齢，ステロイド使用中，既存の肺病変の存在，リンパ球減少が発症リスク因子である．
- 症状は発熱，咳嗽，急性発症の呼吸困難と非特異的なものが多い．

b 診断のポイント

- 誘発喀痰や気管支肺胞洗浄液（BALF）検体の顕鏡による真菌の検出が診断のゴールドスタンダードであるが，膠原病領域では菌量が少ないため検出率は低く，PCR 法も行う．

- PCR法は感度99%と高いが，菌定着でも検出してしまうという欠点がある．
- 血清β-D-グルカンはカットオフ値を31.1 pg/mLとすると感度92%，特異度86%という報告もある．
- CTでは両側肺野に比較的広範なすりガラス影を呈し，胸膜直下がスペアされる場合が多い．
- 画像所見はMTX肺炎と類似しており，CTのみで鑑別するのは困難である．
- アスペルギルス感染症では，血清アスペルギルス抗原陽性，空洞を伴う肺結節影などの所見を呈する．

c 治療

- 治療の第1選択はST合剤である．ただし，皮疹，肝障害，低ナトリウム血症，クレアチニンの上昇などの副作用が多い．
- ST合剤を継続できない場合はペンタミジンを用いる．こちらも低血圧，低血糖，腎毒性などに注意が必要である．
- 最近ではアトバコンも使用可能になった．
- 上記薬剤の投与期間は，2〜3週間程度を目安とする．
- 先述のとおり，病態は過剰な免疫応答であり，低酸素血症を伴う際はステロイドを併用する．

> - ST合剤（トリメトプリムとして） 15〜20 mg/kg/日，1日3回に分け経口または点滴静注
> - ペンタミジン 1回4 mg/kg，1日1回，点滴静注
> - アトバコン 1回750 mg，1日2回，経口投与
> - 低酸素血症を伴う場合，PSL 1 mg/kg/日，1日1〜3分割，経口または点滴静注を併用

- アスペルギルス肺炎では，ボリコナゾールやミカファンギンなどで治療を行う．

d 予防

- <u>ハイリスク患者には発症予防が推奨される</u>．わが国では厚生労働省の研究班が作成した基準がある（表1）．

表1　免疫疾患におけるニューモシスチス肺炎予防基準

年齢≧50歳で次のうちいずれかを満たす場合に予防投与を行う
1. PSL換算で1.2 mg/kg/日以上
2. PSL換算で0.8 mg/kg/日以上かつ免疫抑制薬併用時
3. 免疫抑制薬使用中で末梢血リンパ球数≦500/μL

［厚生労働省免疫疾患の合併症と治療法に関する研究班：免疫疾患に合併するニューモシスチス肺炎の予防基準．厚生労働省免疫疾患の合併症と治療法に関する研究班2004年度報告書より引用］

- ST合剤　1回1錠，1日1回，経口投与
- ペンタミジン　300 mg＋生理食塩水　10 mL，1ヵ月ごと吸入

3 ウイルス感染症（主にサイトメガロウイルス感染症，帯状疱疹）

- 免疫抑制状態では，サイトメガロウイルスの再活性化や帯状疱疹のリスクが増大する．
- サイトメガロウイルスアンチゲネミア：大量ステロイド使用中など免疫抑制下では，既感染していたサイトメガロウイルスが再活性化し，血球減少，肝障害，網膜症，腸炎などをきたすことがある．
- JAK阻害薬使用者では，帯状疱疹のリスクが上昇することが報告されており，注意が必要である．

a 臨床所見

- サイトメガロウイルスの再活性化では，臨床所見が乏しいことが多いが，ウイルス量が増えると血球減少，肝障害，腸炎，肺炎，網膜炎などをきたすことがある．
- 帯状疱疹では，皮疹の出現に伴い皮膚のピリピリとした痛みが出現することが多い．

b 診断のポイント

- ステロイド中等量以上での免疫抑制治療中は，定期的にサイトメガロウイルスアンチゲネミアのスクリーニングを実施する．

- 皮膚の表面にピリピリとした痛みを伴う発疹が神経領域に沿って出現した場合には，帯状疱疹を疑い，皮膚科にコンサルトする．
- JAK 阻害薬使用者では，帯状疱疹リスクが高いため，事前に患者に説明し，疑わしい場合にはすぐに医療機関を受診するように指導する．

c 治　療

【サイトメガロウイルス再活性化】
- バルガンシクロビル　1 回 900 mg，1 日 2 回
- ガンシクロビル　5 mg/kg/ 回，1 日 2 回，12 時間ごとに 1 時間以上かけて

【帯状疱疹】
- バラシクロビル　1 回 1,000 mg，1 日 3 回，7 日間内服
- アメナメビル　1 回 400 mg，1 日 1 回食後，7 日間内服

d 予　防

- 免疫抑制薬使用中に接種可能な帯状疱疹ワクチン（シングリックス®）が使用可能になり，リスクに応じて接種を検討する．

4 COVID-19

- リウマチ・膠原病患者の中でも，免疫抑制治療の強度が高い場合，入院にいたるリスク，および死亡リスクが増加する可能性が報告されている．
- 特に PSL 換算で 10 mg を超えるステロイド内服者や，リツキシマブ（RTX），アザチオプリン（AZP），シクロホスファミド（CY），シクロスポリン（CyA），タクロリムス（Tac），ミコフェノール酸モフェチル（MMF）を含む免疫抑制薬の併用が，COVID-19 関連死のリスク因子として抽出されている．

a 臨床所見

- 感染株により症状が異なることが知られているが，初期には上気道症状，発熱，倦怠感を認める．
- 発熱が持続し，発症から5〜7日前後でCOVID-19に伴う肺炎を発症する．症例によっては，その後呼吸不全が進行，重症化にいたる場合がある．
- リウマチ・膠原病患者においても，肥満，高血圧，2型糖尿病，既存の肺障害などは重症化のリスク因子である．
- COVID-19罹患により，背景のリウマチ疾患の増悪（免疫性血小板減少症など）がみられることがある．

b 診断のポイント

- 初期には通常の感冒と区別は困難で，治療により発熱がマスクされる可能性もある．
- 採血で炎症反応高値に加えて，軽度の白血球減少，血小板減少，LDH上昇などが認められた際にはCOVID-19を疑ってもよい．なお血清フェリチン値や，Dダイマーは，発症早期では上昇しないことが多い．
- 初期には呼吸困難を認めづらいことも多い（silent hypoxia），急な経過で労作時呼吸困難や低酸素血症，肺障害が進行した場合，原病の増悪や他の感染症とともに，COVID-19も鑑別する．

c 治　療

- 初期にはリスク因子に応じてレムデシビルやニルマトレルビル/リトナビルなどの抗ウイルス薬，中和抗体製剤を用いる．
- 中等症以上では，ステロイド（デキサメタゾン）に加え，重症化が予測される患者では，関節リウマチにも使用される，トシリズマブやバリシチニブを投与する場合がある．

【COVID-19 中等症の治療】
- デキサメタゾン　6 mg，1日1回，経口投与または点滴静注，10日間
- トシリズマブ　8 mg/kg/回，8時間以上の間隔をあけて，8 mg/kg を1回追加投与できる
- バリシチニブ　4 mg，1日1回，経口投与．14日間まで

MEMO

SARS-CoV-2 に感染・発症した場合，リウマチ・膠原病の治療をどうするか？

- COVID-19 を発症した場合は，通常の感染症時と同様に，ステロイドは原則同じ用量で維持，免疫抑制薬は減量や投与の一時的延期などを専門科の判断のもと，慎重に検討する．
- 原則，ヒドロキシクロロキン，サラゾスルファピリジン，メトトレキサート（MTX）を含む免疫抑制薬，IL-6 阻害薬以外の生物学的製剤，分子標的合成抗リウマチ薬はいったん休薬，もしくは投与を延期する．COVID-19 にも用いられる IL-6 阻害薬は，専門科との協議のうえ，継続される場合がある．
- COVID-19 にリウマチ・膠原病疾患の増悪が重複した場合，呼吸器科・救急科など COVID-19 診療チームと協議しながら，並行して原疾患の治療にあたることを考慮する．

d 予　防

- SARS-CoV-2 ワクチン接種：健常人と比較し，中和抗体の誘導効率が落ちる（特に RTX，MMF，MTX などの免疫抑制薬使用者）ことが知られているが，ワクチン接種による重症化，感染予防効果が示されている．
- 飛沫感染が主な感染経路であり，マスクの着用は効果的である．

参考文献

1）Fragoulis GE et al：Systematic literature review informing the 2022 EULAR recommendations for screening and prophylaxis of chronic and opportunistic infections in adults with autoimmune inflammatory rheumatic diseases. RMD Open **8**：e002726, 2022

2）Ota Y et al：Association between mortality and cytomegalovirus reactivation during remission induction therapy in patients with rheumatic diseases. Clin Exp Rheumatol **39**：1324-1330, 2021

付　録

①各疾患の分類基準・診断基準

②各疾患の重症度分類/活動性評価/damage index など

付録①　各疾患の分類基準・診断基準

a 関節リウマチ（rheumatoid arthritis：RA）

● American College of Rheumatology（ACR）分類基準（1987年）

1. 朝のこわばり：最大の改善をみるまでに1時間以上
2. 同時に3領域以上（下記の14関節のうち）の関節炎
   左右の［PIP，MCP，手，肘，膝，足，MTP］
3. 手，PIP，MCPの少なくとも1領域の関節炎
4. 対称性の関節炎
5. リウマトイド結節
6. リウマトイド因子（RF）陽性
7. X線所見変化：手関節/指関節の正面撮影での罹患関節近傍の骨びらん，骨の脱石灰化像，近傍の骨萎縮

［判定］ 7項目中4項目以上でRAと分類

［注意事項］ 1〜4の項目は6週以上持続するものを陽性とする

［Arnett FC et al：Arthritis Rheum **31**：315-324, 1988より引用］

● ACR/EULAR（European League Against Rheumatism）分類基準（2010年）

項　目	スコア
腫脹または圧痛関節数[*1]	
＝1	0
＞1大関節[*2]	1
1〜3小関節[*3]	2
4〜10小関節	3
＞10大小問わず	5
RFまたは抗CCP抗体	
陰性	0
低値	2
高値[*4]	3
罹病期間	
＜6週間	0
＞6週間	1
CRPまたは赤沈	
正常	0
高値	1

［判定］
合計スコア≧6点でRAと分類

[*1] 1ヵ所以上の滑膜炎を伴い，かつRA以外では説明不可なもの．罹患関節数は画像評価で検出されるものも含むことができる

[*2] 大関節：肩，肘，股，膝，足関節

[*3] 小関節：PIP，MCP，第2〜第5MTP，第1指IP，手関節
DIP関節，第1指CMC関節，第1趾MTP関節は評価の対象からはずす

[*4] 高値：≧施設上限値の3倍

［Aletaha D et al：Arthritis Rheum **62**：2569-2581, 2010より引用］

b 悪性関節リウマチ（malignant rheumatoid arthritis：MRA）

・欧米では同様の疾患概念は rheumatoid arthritis with vasculitis と呼ばれる.

●厚生労働省診断基準（1998 年）

【A. 臨床症状，検査所見】

1. 多発性神経炎：知覚障害，運動障害いずれを伴ってもよい
2. 皮膚潰瘍または梗塞または指趾壊疽：感染や外傷によるものは除く
3. 皮下結節：骨突起部，伸側表面もしくは関節近傍にみられる皮下結節
4. 上強膜炎または虹彩炎：眼科的に確認，他の原因によるものを除く
5. 滲出性胸膜炎または心囊炎：感染症など他の原因によるものを除く
6. 心筋炎
7. 間質性肺炎または肺線維症
8. 臓器梗塞：血管炎に起因した腸管，心筋，肺などの臓器梗塞
9. RF 高値：2 回以上 RAHA テストで 2,560 倍以上
10. 血清低補体価または血中免疫複合体陽性：2 回以上確認

【B. 組織所見】

皮膚，筋，神経，その他の臓器の生検により，小ないし中動脈に壊死性血管炎，肉芽腫性血管炎ないしは閉塞性内膜炎を認めること

［判定］ RA の分類基準を満たし，① A の 3 項目以上または，② A の 1 項目以上と B の項目を満たすものを MRA と診断する

［鑑別疾患］ 感染症，アミロイドーシス，Felty 症候群，全身性エリテマトーデス，多発性筋炎，MCTD，その他の血管炎など

MCTD：混合性結合組織病

付録①

C リウマチ性多発筋痛症（polymyalgia rheumatica：PMR）

●Bird の診断基準（1979 年）

1. 両肩の疼痛および/またはこわばり
2. 2 週間以内の急性発症
3. 赤沈亢進（≧40 mm/ 時）
4. 1 時間以上持続する朝のこわばり
5. 年齢≧65 歳以上
6. 抑うつ症状および/または体重減少
7. 両側上腕筋の圧痛

［判定］　7 項目中 3 項目以上が陽性の場合，または 1 項目以上が陽性で臨床的，病理学的に側頭動脈の異常を認める場合，probable PMR と診断する．かつ，ステロイドが有効であれば definite PMR と診断する

［Bird HA et al：Ann Rheum Dis **38**：434-439, 1979 より引用］

●ACR/EULAR 暫定分類基準（2012 年）

以下基準適用上の 3 要件：50 歳以上，両側肩部痛，CRP/赤沈上昇

項　目	エコーありの点数*	エコーなしの点数*
朝のこわばり＞45 分	2	2
臀部痛または可動域制限	1	1
RF 陰性，抗 CCP 抗体陰性	2	2
その他の関節症状なし	1	1
1 つ以上の肩関節に，三角筋下滑液包炎および/または上腕二頭筋の腱鞘滑膜炎および/または肩甲上腕関節の滑膜炎 および 1 つ以上の股関節に，滑膜炎および/または転子部滑液包炎	1	−
両側の肩関節に，三角筋下滑液包炎または上腕二頭筋の腱滑膜炎または肩甲上腕関節の滑膜炎	1	−

［判定］
*エコーなしの場合 4 点以上（6 点満点），エコーありの場合 5 点以上（8 点満点）で PMR と分類する

［Dasgupta B et al：Ann Rheum Dis **71**：484-492, 2012 より引用］

d 成人発症 Still 病（adult onset Still's disease：AOSD）

●山口分類基準（1992 年）

［大項目］
1）39℃以上の発熱が 1 週間以上続く
2）関節症状が 2 週間以上続く
3）定型的な皮膚発疹
4）80%以上の好中球増加を伴う白血球増多

［小項目］
1）咽頭痛
2）肝機能障害
3）リウマトイド因子陰性および抗核抗体陰性

［除外項目］
・感染症（特に敗血症，伝染性単核球症）
・悪性腫瘍（特に悪性リンパ腫）
・膠原病（特に結節性多発動脈炎，悪性関節リウマチ）

⇒ 2 項目以上の大項目を含む総項目数 5 項目以上で成人発症 Still 病と分類する．ただし，除外項目を鑑別することが必要である

［Yamaguchi M et al：J Rheumatol **19**：424–430, 1992 より引用］

e 血清反応陰性脊椎関節症（seronegative spondyloarthropathy：SNSA），体軸性脊椎関節炎（axial SpA）

●ASAS（国際脊椎関節炎評価学会）分類基準（2009 年）

発症年齢＜45 歳，3 ヵ月以上持続する背部痛

脊椎関節炎の画像所見
＋
1 つ以上の脊椎関節炎の
臨床所見

または

HLA-B27 陽性
＋
その他に 2 つ以上の
脊椎関節炎の臨床所見

脊椎関節炎の画像所見

①MRI で脊椎関節炎に伴う仙腸関節炎を示唆する所見（脂肪抑制 T2 強調turbo spin-echo法もしくはSTIR法での骨髄浮腫/骨炎）

または

②改訂 New York 基準を満たす仙腸関節炎の X 線所見

脊椎関節炎の臨床所見

・炎症性背部痛*　・関節炎
・付着部炎（踵部）　・ぶどう膜炎
・指炎　・乾癬
・Crohn 病/潰瘍性大腸炎
・NSAIDs への反応性良好
・脊椎関節炎の家族歴
・HLA-B27　・CRP 上昇

*炎症性背部痛の定義
下記 5 つの項目のうち 4 つ以上を満たすものを炎症性背部痛とする
(1)40 歳以下の発症　(2)緩徐な発症　(3)労作で改善
(4)安静で改善しない　(5)夜間痛（起床で改善）

［Rudwaleit M et al：Ann Rheum Dis **68**：770-776, 2009 より引用］

f 末梢性脊椎関節炎（peripheral SpA）

●ASAS（国際脊椎関節炎評価学会）分類基準（2011 年）

関節炎または付着部炎または指炎

下記の 1 つ以下が存在

・乾癬
・炎症性腸疾患
・先行感染
・HLA-B27
・ぶどう膜炎
・MRI または X 線で仙腸関節炎

または

下記の 2 つ以上が存在

・関節炎
・付着部炎
・指炎
・過去の炎症性背部痛
・脊椎関節炎の家族歴

［Rudwaleit M et al：Ann Rheum Dis **70**：25-31, 2011 より引用］

g 強直性脊椎炎（ankylosing spondylitis：AS）

●改訂 New York 診断基準（1984 年）

1. 臨床基準
   a) 運動で改善し，安静では改善しない，3 ヵ月以上持続する腰痛
   b) 矢状面，前頭面両方における腰椎可動域制限
   c) 年齢，性別によって補正した正常値と比較した，胸郭拡張制限
2. X 線基準
   両側グレード 2 以上の仙腸関節炎，または片側のグレード 3〜4 の仙腸関節炎

[判定]
1. definite AS：
   X 線基準と，1 項目以上の臨床基準を満足する場合
2. probable AS：
   a) 臨床基準 3 項目を満足する場合
   b) X 線基準を満足するが，臨床基準が 1 つもみられない場合

［van der Linden S et al：Arthritis Rheum **27**：361-368, 1984 より引用］

h 乾癬性関節炎（psoriatic arthritis：PsA）

●CASPAR 分類基準（2006 年）

炎症性関節炎（関節，脊椎，腱付着部炎）の存在＋以下 5 カテゴリーの 3 点以上で乾癬性関節炎と分類する

1. 乾癬
   皮膚乾癬の存在（2 点），既往（1 点），家族歴（1 点）
   現存乾癬はリウマチ医または皮膚科医の診断とする．乾癬既往については患者本人からの情報でもよい．家族歴については第 1 または第 2 親等者の乾癬存在
2. 爪病変（1 点）
   爪甲離床症，爪陥凹，過角化を含む典型的な乾癬の爪変化
3. RF 陰性（1 点）
4. 指炎
   指全体の腫脹．現症またはリウマチ専門医により記載された既往症でもよい
5. 手または足の X 線像における傍関節骨形成（1 点）
   関節辺縁の病的な骨化であって，骨棘ではない

［Taylor W et al：Arthritis Rheum **54**：2665-2673, 2006 より引用］

i 全身性エリテマトーデス（systemic lupus erythematosus：SLE）

●ACR 改訂分類基準（1997 年）

1. 顔面（頬部）紅斑
2. 円板状皮疹（ディスコイド疹）
3. 光線過敏症
4. 口腔潰瘍（無痛性で口腔あるいは鼻咽喉に出現）
5. 非びらん性関節炎（2 関節以上）
6. 漿膜炎：ⓐ胸膜炎またはⓑ心膜炎
7. 腎障害：ⓐ 0.5 g/日以上または尿定性 3＋以上の持続性蛋白尿またはⓑ細胞性円柱
8. 神経障害：ⓐ痙攣またはⓑ精神障害
9. 血液異常：ⓐ溶血性貧血，ⓑ白血球減少症（＜ 4,000/μL），ⓒリンパ球減少症（＜1,500/μL），ⓓ血小板減少症（＜10 万 /μL）
10. 免疫異常：ⓐ抗 dsDNA 抗体，ⓑ抗 Sm 抗体，ⓒ抗リン脂質抗体の陽性（① IgG または IgM 抗カルジオリピン抗体の異常値，②ループス抗凝固因子陽性，③梅毒血清反応生物学的偽陽性のいずれか）
11. 抗核抗体陽性

［判定］ 11 項目中 4 項目以上を満たす場合，SLE と分類する

［Hochberg MC et al：Arthritis Rheum **40**：1725, 1997 より引用］

●SLICC（Systemic Lupus International Collaborating Clinics）分類基準（2012 年）

［Clinical Criteria］

1. 急性皮膚ループス：頬部紅斑を含む（頬部ディスコイドは含まない），水疱性ループス，中毒性表皮壊死症（TEN）亜型，丘疹状 lupus rash，光線過敏症性 lupus rash
2. 慢性皮膚ループス：ディスコイド疹，肥大性（疣贅性）ループス，ループス脂肪組織炎，粘膜ループス，腫瘍性紅斑性狼瘡，凍瘡状ループス
3. 口腔内潰瘍：口蓋，口腔，舌，鼻腔の潰瘍（多くは無痛性であるが，時に疼痛を伴う）．他の原因（血管炎，Behçet 病，感染（特にヘルペス），炎症性腸疾患（IBD），反応性関節炎，酸性の強い食べ物など）を除外する
4. 非瘢痕性脱毛（びまん性の毛髪の菲薄化または脆弱性）：他の原因（円形脱毛症，薬剤，鉄欠乏，男性ホルモン性脱毛）を除外する
5. 2 関節以上における関節滑膜炎：30 分以上の 朝のこわばりを特徴とする

［続く］

6. 漿膜炎：1日以上持続する典型的な胸膜炎または胸水または胸膜摩擦音または1日以上持続する典型的な心臓周囲痛（臥位にて増強，坐位にて改善），または心嚢液貯留，または心膜摩擦音，または心電図（ECG）上の心膜炎所見
   他の原因［感染性のもの，尿毒症，心筋梗塞後の心膜炎（Dressler症候群）を除外する］
7. 腎病変：尿蛋白/Cr比≧0.5 g/gCr，または24時間蓄尿蛋白≧0.5g，または赤血球円柱
8. 神経障害：
   - 痙攣発作または精神症状または多発単神経炎：他の原因（一次性血管炎性脊髄炎など）を除外する
   - 末梢性あるいは脳神経性ニューロパチー：他の原因（血管炎，感染症，糖尿病など）を除外する
   - 急性錯乱状態：他の原因（急性薬物中毒，尿毒症，代謝性疾患など）を除外する
9. 溶血性貧血
10. 白血球減少症（＜4,000/μL，他の原因：Felty症候群，薬剤性，門脈圧亢進症など）を除外する，またはリンパ球減少症（＜1,000/μL，他の原因：ステロイド使用など薬剤性，感染症など）を除外する
11. 血小板減少症（＜100,000/μL）
    （他の原因：薬剤性，門脈圧亢進症，TTPなど）を除外する

［Immunological Criteria］

1. 抗核抗体≧施設基準値上限（40倍）
2. 抗dsDNA抗体≧施設基準値上限
   （ELISAでは上限の2倍以上）
3. 抗Sm抗体陽性
4. 抗リン脂質抗体陽性：以下のいずれでも可
   ループス抗凝固因子陽性，梅毒生物学的偽陽性（RPR＋，TPHA－），抗カルジオリピン抗体陽性（中等度以上），抗β_2GP I抗体陽性
5. 低補体血症：C3，C4低値またはCH50低値
6. 直接Coombs試験陽性（ただし，溶血性貧血がない場合に限る）

［判定］

1) 少なくともClinical/Immunological Criteriaのうち1項目以上を満たし，かつ4項目以上を満たす
2) ループス腎炎の組織診断があり，かつ抗核抗体または抗dsDNA抗体陽性

⇒1）または2）のいずれかを満たす場合，SLEと分類する

［Petri M et al：Arthritis Rheum **64**：2677-2686, 2012より引用］

付録①

●ACR/EULAR 分類基準（2019 年）

〈エントリー基準〉
・少なくとも 1 回の抗核抗体 80 倍以上陽性

	カテゴリー	項　目	点数
臨床所見	全身	発熱＞38.3℃	2
	皮膚	●非瘢痕性脱毛	2
		●口腔潰瘍	2
		●亜急性皮膚エリテマトーデス	4
		●急性皮膚エリテマトーデス	6
	関節	●関節病変（2 関節以上の腫脹や滑液貯留を伴う滑膜炎，または 2 関節以上の疼痛と 30 分以上の朝のこわばり）	6
	神経[*1]	●せん妄	2
		●精神障害	3
		●痙攣（全般発作，部分発作，焦点発作）	5
	漿膜炎	●胸水または心嚢液貯留	5
		●急性心外膜炎[*2]	6
	血液	●白血球減少症（＜4,000/μL）	3
		●血小板減少症（＜10 万 /μL）	4
		●自己免疫性溶血性貧血	4
	腎臓	●0.5g/日（あるいは同等の UPCR）以上の尿蛋白	4
		●腎生検でクラス II または V のループス腎炎	8
		●腎生検でクラス III または IV のループス腎炎	10
免疫異常	抗リン脂質抗体	●抗カルジオリピン IgG 抗体の中等度以上陽性（＞40 APL/GPL/MPL unit または＞99 パーセンタイル，抗 β_2GP I 抗体（IgA/IgG/IgM）陽性，またはループスアンチコアグラント陽性	2
	補体	●C3 または C4 の一方のみ低値	3
		●C3，C4 共に低値	4
	特異抗体	●抗 ds-DNA 抗体陽性	6
		●抗 Sm 抗体陽性	6

・SLE 以外で説明される所見では加点しない
・症状は経過中一度でも出現すれば加点し，同時期に出現する必要はない
・各項目で高い方の点を採用する
*1 せん妄は，1）集中力低下を伴う意識や覚醒レベルの変化，2）数時間から 2 日未満での症状完成，3）症状の日内変動，4）急性/亜急性での認知の変化（記憶障害や見当識障害など），または行動/気分/感情の変化（落ち着きのなさ，睡眠/覚醒サイクルの逆転など）．精神障害は見当識を欠く妄想や幻覚だが，せん妄のない状態
*2 急性心外膜炎：以下の 2 つ以上を満たす．1）心膜性の胸痛（典型的には鋭い，吸気で悪化，前傾で改善する痛み），2）心膜摩擦音，3）心電図にて広範誘導での ST 上昇または PR 低下，4）新規または増悪した心嚢液の

画像所見（超音波，X線，CT，MRIなど）
［判定］
臨床項目1つ以上を含み，かつ合計点数≧10点でSLEと分類する（感度96.1%，特異度93.4%）

［Arthritis Rheumatol **71**：1400-1412, 2019を基に筆者作成］

j 抗リン脂質抗体症候群（antiphospholipid syndrome：APS）

●Sydney改変診断基準（2006年）

［臨床基準］
1. 血栓症：画像診断または組織学的に証明された明らかな血管壁の炎症を伴わない動静脈あるいは小血管の血栓症
   ・過去の血栓症も，診断方法が適切で明らかな他の原因がない場合は臨床所見に含めてよい．表層性の静脈血栓は含まない
2. 妊娠合併症：以下a～cのいずれか
   a. 妊娠10週以降で，他に原因のない正常形態胎児の死亡
   b. （1）子癇，重症の妊娠高血圧腎症
      （2）胎児機能不全による妊娠34週以前の正常形態胎児の早産
   c. 3回以上連続した，妊娠10週以前の流産（母体の解剖学的異常，内分泌学的異常，父母の染色体異常を除外する）

［検査基準］
1. ループス抗凝固因子（LA）が12週間以上の間隔をおいて2回以上検出される
2. 中等度以上の力価の（>40 GPLまたはMPL，または>99パーセンタイル）IgG型またはIgM型の抗カルジオリピン抗体（aCL）が，12週以上の間隔をおいて2回以上検出
3. 中等度以上の力価の（>99パーセンタイル）IgG型またはIgM型の抗β_2GPI抗体が，12週以上の間隔をおいて2回以上検出

［判定］
臨床基準の1項目以上が存在し，かつ検査基準のうち1項目以上が存在する時，抗リン脂質抗体症候群（APS）とする

［注意事項］
1. 臨床症状とaPL検出の間隔が12週以下または5年以上の時，APSの分類を行うべきではない
2. 先天性・後天性の血栓素因が共存してもAPSを除外する理由とはならないが，年齢（男性>55歳，女性>65歳）や動脈硬化のリスク因子について，ⓐあり，ⓑなしでサブグループに分類する

［Miyakis S et al：J Thromb Haemost **4**：295-306, 2006より引用］

k Sjögren 症候群（Sjögren's syndrome：SjS）

●厚生省研究班の分類基準（1999 年）

1. 生検病理組織検査で次のいずれかの陽性所見を認めること
   a）口唇腺組織でリンパ球浸潤が 1/4 mm^2 あたり 1 focus 以上*1
   b）涙腺組織でリンパ球浸潤が 1/4 mm^2 あたり 1 focus 以上*1
2. 口腔検査で次のいずれかの陽性所見を認めること
   a）唾液腺造影で Stage I（直径 1 mm 以下の小点状陰影）以上の異常所見
   b）唾液分泌量低下（ガムテスト 10 mL/10 分以下，またはサクソンテスト 2 分間 2 g 以下）があり，かつ唾液腺シンチグラフィにて機能低下の所見
3. 眼科検査で次のいずれかの陽性所見を認めること
   a）シルマー試験で 5 mm/5 分以下かつローズベンガルテストで陽性
   b）シルマー試験で 5 mm/5 分以下で，かつフルオレセイン試験で陽性
4. 血清検査で次のいずれかの陽性所見を認めること
   a）抗 SS-A 抗体陽性，b）抗 SS-B 抗体陽性

［判定］

1〜4 のいずれか 2 項目が陽性で Sjögren 症候群と診断する

*1 Greenspan 分類とリンパ球浸潤
グレード 0：細胞浸潤なし
グレード 1：軽度の細胞浸潤を認める
グレード 2：中等度の細胞浸潤または 4 mm^2 あたり 1 focus 未満
グレード 3：4 mm^2 あたり 1 focus
グレード 4：4 mm^2 あたり 2 focus 以上
1 focus ＝導管周囲に 50 個以上の単核細胞の浸潤巣

●ACR 分類基準（2012 年）

1. 抗 SS-A 抗体，または抗 SS-B 抗体陽性，または（RF 陽性かつ ANA 320 倍以上）
2. 口唇腺生検でリンパ球浸潤が 1/4 mm^2 あたり 1 focus 以上
3. ocular staining score で 3 点以上の乾燥角結膜炎：患者が現在，緑内障で点眼薬を使用しておらず，過去 5 年間に角膜手術や美容目的の眼瞼手術を受けていないことを前提とする

［判定］

3 項目のうち，2 項目以上を満たした場合に Sjögren 症候群と分類する

［除外疾患］

・頭頸部への放射線照射の既往　・HCV 感染症　・後天性免疫不全症
・サルコイドーシス　・アミロイドーシス　・移植片対宿主病（GVHD）
・IgG4 関連疾患

［Shiboski SC et al：Arthritis Care Res **64**：475-487, 2012 より引用］

I 全身性強皮症（systemic sclerosis：SSc）

●ACR 分類予備基準（1980 年）

[大基準]
手指あるいは足趾以上に及ぶ皮膚硬化
[小基準]
1）手指あるいは足趾に限局する皮膚硬化
2）手指尖端の陥凹性瘢痕あるいは指腹の萎縮
3）両側性肺基底部の線維症
[判定]
大基準あるいは小基準 2 項目以上を満たせば全身性硬化症と診断される
[除外疾患]
限局性強皮症と pseudo sclerodermatous disorder を除外する

[Arthritis Rheum **23**：581–590, 1980 より引用]

●厚生労働省基準（2003 年）

[大基準]
手指，あるいは足趾を越える皮膚硬化*1
[小基準]
1. 手指，あるいは足趾に限局する皮膚硬化
2. 手指先端の陥凹性瘢痕，あるいは指腹の萎縮*2
3. 両側性肺基底部の線維症
4. 抗 Scl-70 抗体（抗トポイソメラーゼ I 抗体），抗セントロメア抗体，または抗 RNA ポリメラーゼⅢ抗体陽性

*1 限局性強皮症（いわゆるモルフィア）を除外する
*2 手指の循環障害によるもので，外傷などによるものを除く

[判定]
大基準，あるいは小基準の 1 および 2〜4 のうち，1 項目以上で強皮症と診断
・診断を目的とした皮膚生検は不要
[付記]
・本基準は早期診断には不向きであり，非合致によって診断を否定しないように留意する
・本症を疑った際には診断基準に含まれない種々の症状の観察，可能であれば診断基準に含まれない特殊な自己抗体の検出，前腕伸側よりの皮膚生検などによって積極的に診断を進める必要がある

●ACR/EULAR 分類基準（2013 年）

項　目	副項目	スコア
MCP 関節より近位の皮膚硬化	—	9
手指の皮膚硬化 （得点の高いほうのみカウント）	puffy finger MCP より遠位であるが PIP を越える皮膚硬化	2 4
指尖部潰瘍	指尖部潰瘍 瘢痕性指尖部潰瘍	2 3
毛細血管拡張	—	2
爪郭部毛細血管異常*	—	2
PAH および/または間質性肺疾患 （両方あっても 2 点）	—	2
Raynaud 現象	—	3
抗セントロメア抗体，抗 Scl-70 抗体，抗 RNA ポリメラーゼ III 抗体	—	3

*爪郭部毛細血管異常は capillaroscopy を用いての観察が望ましい

［判定］

合計スコア≧ 9 点で全身性強皮症と分類する

［除外基準］

手指を避けるかたちで皮膚硬化がある場合，類似の他疾患（腎性全身性線維症，全身性斑状強皮症，好酸球性筋膜炎，糖尿病性浮腫性硬化症，移植片対宿主病，糖尿病性手関節症など）にはこの基準を適応しない

［van den Hoogen F et al：Arthritis Rheum **65**：2737-2747, 2013 より引用］

m 多発性筋炎/皮膚筋炎 (polymyositis/dermatomyositis：PM/DM)

●Bohan & Peter の診断基準 (1975 年)

1. 体幹近位筋（四肢近位筋および頸部屈筋）の両側性の筋力低下（嚥下障害および呼吸筋力低下の有無は問わない）
2. 筋生検で定型的筋病理組織所見：筋線維の変性，壊死，貪食像，萎縮，再生，大小不同および炎症性細胞の浸潤
3. 血清中の筋原性酵素（CK，アルドラーゼ，AST，ALT，LDH）の上昇
4. 定型的筋電図所見：筋電図で安静時における攣縮，随意収縮時の低電位，持続の短縮および多相電位
5. 定型的皮膚症状（ヘリオトロープ疹，Gottron 徴候，膝，肘，頸，顔面の紅斑）

［判定］

definite：4 項目以上（5 を含む場合は definite DM）
probable：3 項目以上（5 を含む場合は probable DM）
possible：2 項目以上（5 を含む場合は possible DM）

［Bohan A et al：N Engl J Med **292**：344-347, 1975 より引用］

●厚生労働省研究班の改訂診断基準 (2014 年)

【A. 診断基準項目】

1. 皮膚症状
   (a) ヘリオトロープ疹：両側または片側の眼瞼部の紫紅色浮腫性紅斑
   (b) Gottron 丘疹：手指関節背面の丘疹
   (c) Gottron 徴候：手指関節背面および四肢関節背面の紅斑
2. 上肢または下肢の近位筋の筋力低下
3. 筋肉の自発痛または把握痛
4. 血清中筋原性酵素（CK またはアルドラーゼ）の上昇
5. 筋炎を示す筋電図変化
6. 骨破壊を伴わない関節炎または関節痛
7. 全身性炎症所見（発熱，CRP 上昇，または赤沈亢進）
8. 抗アミノアシル tRNA 合成酵素抗体（抗 Jo-1 抗体を含む）陽性
9. 筋生検で筋炎の病理所見：筋線維の変性および細胞浸潤

【B. 診断基準】

皮膚筋炎：1 皮膚症状の (a)〜(c) の 1 項目以上を満たし，かつ経過中に 2〜9 の 4 項目以上を満たすもの．なお，皮膚症状のみで皮膚病理学的所見が皮膚筋炎に合致するものは無筋症性皮膚筋炎として皮膚筋炎に含む

多発性筋炎：2〜9 の項目中 4 項目以上を満たすもの

●EULAR/ACR 特発性炎症性筋疾患（IIM）の分類基準（2017 年）

項 目	スコア	
	筋生検なし*1	筋生検あり*2
発症年齢		
18～39 歳	1.3	1.5
40 歳以上	2.1	2.2
筋力低下		
客観的に認められる対称性（通常進行性の）筋力低下		
上肢，近位筋優位	0.7	0.7
下肢，近位筋優位	0.8	0.5
頸部屈筋の筋力低下（頸部伸筋と比較して）	1.9	1.6
下腿における近位筋の筋力低下	0.9	1.2
皮膚症状		
ヘリオトロープ疹	3.1	3.2
Gottron丘疹	2.1	2.7
Gottron 徴候	3.3	3.7
その他の臨床所見		
嚥下障害または食道の運動障害	0.7	0.6
血液検査		
抗 Jo-1 抗体　陽性	3.9	3.8
CK または LDH または AST または ALT のいずれかの上昇	1.3	1.4
筋生検所見		
筋内膜周囲に浸潤する単核球，ただし筋線維を侵さない	—	1.7
筋周膜および/または血管周囲に浸潤する単核球	—	1.2
筋束周辺部筋萎縮（perifascicular atrophy）	—	1.9
縁取り空胞（rimmed vacuoles）	—	3.1

*1 筋生検なし
- probable IIM：6.7～8.6（55～90%）
- definite IIM：8.7～（≧90%）

*2 筋生検あり
- probable IIM：5.5～7.4（55～90%）
- definite IIM：7.5（≧90%）

［Lundberg IE et al：Ann Rheum Dis **76**：1955–1964, 2017 より引用］

● 特発性炎症性筋疾患の亜分類アルゴリズム

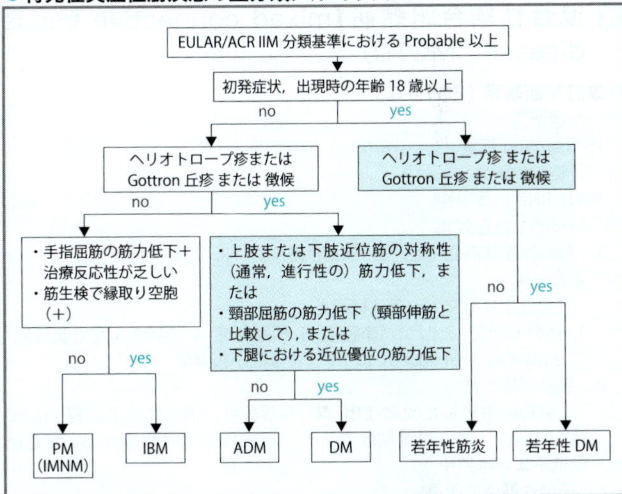

PM：多発性筋炎，IBM：封入体筋炎　ADM：無症候性皮膚筋炎　DM：皮膚筋炎

［Lundberg IE et al：Ann Rheum Dis **76**：1955-1964, 2017 より引用］

n 混合性結合組織病（mixed connective tissue disease：MCTD）

●改訂診断基準（2019年）

Ⅰ．共通所見
 1．Raynaud 現象，2．手指ないし手背の腫脹
Ⅱ．免疫学的所見
 抗 U1-RNP 抗体陽性
Ⅲ．特徴的な臓器障害
 1．肺動脈性肺高血圧症，2．無菌性髄膜炎，3．三叉神経障害
Ⅳ．混合所見
 A．全身性エリテマトーデス様所見
  1. 多発関節炎，2. リンパ節腫脹，3. 顔面紅斑，4. 心膜炎または胸膜炎，5. 白血球減少（4,000/μL 以下）または血小板減少（10万/μL 以下）
 B．強皮症様所見
  1．手指に限局した皮膚硬化，2．肺線維症，拘束性換気障害（% VC＝80%以下）または肺拡散能低下（% DLco＝70%以下），3．食道蠕動低下または拡張
 C．多発性筋炎様所見
  1．筋力低下，2．筋原性酵素（CK 等）上昇，3．筋電図における筋原性異常所見

［診断］
- 成人では下記のいずれかを満たす場合に混合性結合組織病と診断する
 ①Ⅰの1所見以上が陽性，Ⅱの所見が陽性，Ⅲの1所見異常が陽性
 ②Ⅰの1所見以上が陽性，Ⅱの所見が陽性，ⅣのA,B,C項のうち，2項以上からそれぞれ1所見以上が陽性
- 小児ではⅠの1所見以上が陽性，Ⅱの所見が陽性，ⅣのA,B,C項のうち，1項以上からそれぞれ1所見以上が陽性の場合に混合性結合組織病と診断する

［付記］
 1．抗 U1-RNP 抗体の検出は二重免疫拡散法あるいは酵素免疫測定法（ELISA）のいずれでもよい．ただし，二重免疫拡散法が陽性で ELISA の結果と一致しない場合には，二重免疫拡散法を優先する
 2．以下の疾患標識抗体が陽性の場合は，混合性結合組織病の診断は慎重に行う
  ①抗 ds-DNA 抗体または抗 Sm 抗体
  ②抗トポイソメラーゼⅠ抗体（抗 Scl-70 抗体）または抗 RNA ポリメラーゼⅢ抗体
  ③抗 ARS 抗体，抗 MDA5 抗体
 3．「Ⅲ．特徴的な臓器障害」については十分な鑑別を行う．たとえば無菌性髄膜炎の場合，感染性（主にウイルス性），薬剤誘発性，腫瘍関

連などを鑑別するべきである．鑑別診断については患者により異なるため，鑑別について不明な点がある場合はリウマチ専門医に相談する

［Ohmura K：Mod Rheumatol **31**：29–33, 2021 を基に筆者作成］

o 高安動脈炎（Takayasu arteritis：TAK）

●ACR 分類基準（1990 年）

1. 高安大動脈炎と関連する症状や所見が 40 歳以下で出現
2. 一肢以上（特に上肢）で，運動時に筋疲労や不快感が増悪する
3. 片側または両側上腕動脈の脈動の低下
4. 両上肢間で収縮期血圧に 10 mmHg 以上差がある
5. 片側または両側の鎖骨下動脈，または腹部大動脈で血管雑音の聴取
6. 大動脈，主要分枝，四肢の中枢の大血管で画像上の狭窄や閉塞を認める．ただし，動脈硬化，線維筋性異形成などによるものではない

6 項目中，3 項目以上で分類する

［Arend WP et al：Arthritis Rheum **33**：1129–1134, 1990 より引用］

●厚生労働省基準（2006 年）

1. 症状
 (1) 頭部虚血症状：めまい，頭痛，失神発作，片麻痺など
 (2) 上肢虚血症状：脈拍欠損，易疲労感，指のしびれ感，冷感，上肢痛
 (3) 心症状：息切れ，動悸，胸部圧迫感，狭心症状，不整脈
 (4) 呼吸器症状：呼吸困難，血痰
 (5) 高血圧
 (6) 眼症状：一過性または持続性の視力障害，失明
 (7) 下肢症状：間欠跛行，脱力，下肢易疲労感
 (8) 疼痛：頸部痛，背部痛，腰痛
 (9) 全身症状：発熱，全身倦怠感，易疲労感，リンパ節腫脹（頸部）
 (10) 皮膚症状：結節性紅斑
2. 診断上重要な身体所見
 (1) 上肢の脈拍ならびに血圧異常　(2) 下肢の脈拍ならびに血圧異常
 (3) 頸部/背部/腹部での血管雑音　(4) 心雑音（大動脈弁閉鎖不全症が主）
 (5) 若年者の高血圧　(6) 眼底変化（低血圧眼底，高血圧眼底，視力低下）
 (7) 顔面萎縮，鼻中隔穿孔　(8) 炎症所見：微熱，頸部痛，全身倦怠感
3. 診断上参考となる検査所見
 (1) 炎症反応：赤沈亢進，CRP 促進，白血球増加，γグロブリン増加
 (2) 貧血　(3) 免疫異常：免疫グロブリン増加，補体上昇
 (4) 凝固線溶系：凝固亢進（線溶異常），血小板活性化亢進
 (5) HLA：HLA-B52，HLA-B39

4. 画像診断による特徴
(1) 大動脈石灰化像 (2) 胸部大動脈壁肥厚 (3) 動脈閉塞，狭窄病変
(4) 拡張病変 (5) 肺動脈病変 (6) 冠動脈病変 (7) 多発病変
が DSA，CT，MRA によって確認される
5. 診断
(1) 確定診断は画像診断（DSA，CT，MRA）によって行う
(2) 若年者の血管造影で大動脈とその第一次分枝に閉塞性あるいは拡張性病変を多発性に認めた場合は，炎症反応陰性でも高安動脈炎を疑う
(3) これに炎症反応が陽性ならば，高安動脈炎と診断する
(4) 下記の鑑別疾患を除外する
6. 鑑別疾患
①動脈硬化症，②炎症性腹部大動脈瘤，③血管性 Behçet 病，
④梅毒性中膜炎，⑤側頭動脈炎（巨細胞性動脈炎），⑥先天性血管異常，
⑦細菌性動脈瘤

● ACR/EULAR 分類基準（2022 年）

〈エントリー基準〉
• 診断時年齢≦60 歳 かつ画像検査*1における大動脈または大動脈一次分枝の血管炎所見

項 目	点数
1. 女性	1
2. 狭心痛または虚血性心痛	2
3. 上肢または下肢の跛行	2
4. 血管雑音	2
5. 上肢の脈拍減弱	2
6. 頸動脈の異常	2
7. 左右上肢の収縮期血圧差≧20 mmHg	1
8. 罹患動脈領域*2の数=1	1
9. 罹患動脈領域*2の数=2	2
10. 罹患動脈領域*2の数≧3	3
11. 対称性の動脈罹患*3のペア数≧1	1
12. 腎動脈または腸間膜動脈を含む腹部大動脈領域の罹患	3

［判定］
5 点以上で高安動脈炎と分類する

*1 CTA，MRA，カテーテル血管造影，超音波，PET 検査
*2 9 つの動脈領域：①胸部大動脈，②腹部大動脈，③腸間膜動脈，④左頸動脈，⑤右頸動脈，⑥左鎖骨下動脈，⑦右鎖骨下動脈，⑧左腎動脈，⑨右腎動脈
*3 対称性の動脈罹患領域ペア：①頸動脈，②鎖骨下動脈，③腎動脈

［Grayson PC et al：Arthritis Rheumatol **74**：1872-1880, 2022 より引用］

p 巨細胞性動脈炎 (giant cell arteritis：GCA)

●ACR 分類基準 (1990 年)

1. 発症年齢が 50 歳以上
2. 新たに出現した，または新たな様相の頭部に限局した頭痛
3. 側頭動脈の拍動性圧痛，または頸動脈の動脈硬化に起因しない拍動の低下
4. 赤沈亢進：ESR≧50 mm/時
5. 側頭動脈生検組織の異常単核球優位の浸潤，または肉芽腫性炎症（顆粒球による炎症所見，通常・多核巨細胞を伴う）

[判定]

5 項目中 3 項目を満たす

[Hunder GG et al：Arthritis Rheum **33**：1122-1128, 1990 より引用]

●ACR/EULAR 分類基準 (2022 年)

〈エントリー基準〉

- 診断時年齢≧50 歳

項目	点数
1. 肩または首の朝のこわばり	2
2. 突然の失明	3
3. 顎跛行または舌の跛行	2
4. 新規の側頭部頭痛	2
5. 頭皮の圧痛	2
6. 側頭動脈の診察上の異常所見*1	2
7. 血管炎治療前のESR≧50 mm/時またはCRP≧1.0 mg/dL	3
8. 側頭動脈生検における確定的血管炎*2または側頭動脈エコーにおけるhalo sign	5
9. 両側腋窩動脈病変*3	2
10. 大動脈※4のFDG-PET陽性*5	2

[判定]

6 点以上で巨細胞性動脈炎と分類する

*1 脈拍の消失または減弱，圧痛，索状硬化

*2 病理学的な確定的血管炎の定義は今後の課題である

*3 CTA, MRA, カテーテル血管造影，超音波で検出された血管病変（狭窄，閉塞，または瘤），または超音波における halo sign（一様な低エコーを示す壁肥厚所見），または PET における FDG 取り込み

*4 胸部下行大動脈と腹部動脈を合わせた領域

*5 動脈壁への FDG 取り込みが肝臓の FDG 取り込みレベルを超えていること

[Ponte C et al：Arthritis Rheumatol **74**：1881-1889, 2022 より引用]

q 結節性多発動脈炎（polyarteritis nodosa：PAN）

●ACR 分類基準（1990 年）

1. 4 kg 以上の体重減少
2. 四肢，体幹の網状皮斑
3. 睾丸の自発痛または圧痛
4. 筋肉痛，脱力，下肢の圧痛
5. 単神経炎，多発性単神経炎，多発性神経炎
6. 拡張期血圧が 90 mmHg 以上
7. BUN またはクレアチニンの上昇
8. HBs 抗原または抗体が陽性
9. 動脈造影の異常所見
10. 中型または小動脈の炎症を示唆する組織所見

［判定］

10 項目のうち 3 項目以上が認められる場合に分類される

［Lightfoot RW Jr et al：Arthritis Rheum **33**：1088-1093, 1990 より引用］

●厚生労働省基準（2006 年）

［主要項目］

(1) 主要症候

①発熱（≧38℃，2 週以上）と体重減少（6 ヵ月で 6 kg 以上），②高血圧，③急速に進行する腎不全，腎梗塞，④脳出血，脳梗塞，⑤心筋梗塞，虚血性心疾患，心膜炎，心不全，⑥胸膜炎，⑦消化管出血，腸梗塞，⑧多発性単神経炎，⑨皮下結節，皮膚潰瘍，壊疽，紫斑，⑩多関節痛（炎），筋痛（炎），筋力低下

(2) 組織所見：中・小動脈のフィブリノイド壊死性血管炎の存在

(3) 血管造影所見：腹部大動脈分枝の多発小動脈瘤と狭窄・閉塞

(4) 判定

①確実（definite）：主要症候 2 項目以上と組織所見のある症例

②疑い（probable）：(a) 主要症候 2 項目以上と血管造影所見が存在，(b) 主要症候のうち①を含む 6 項目以上が存在

(5) 参考となる検査所見

①白血球増加（≧10,000/μL），②血小板増加（≧40 万/μL），③赤沈亢進，④ CRP 強陽性

(6) 鑑別診断

①顕微鏡的多発血管炎，② Wegener 肉芽腫症，③アレルギー性肉芽腫性血管炎，④川崎病，⑤膠原病（SLE，RA など），⑥紫斑病血管炎

r 多発血管炎性肉芽腫症（granulomatosis with polyangiitis：GPA）
旧称：Wegener 肉芽腫症（WG）

●ACR 分類基準（1990 年）

［基準項目と定義］

1. 鼻あるいは口腔内の炎症
   有痛性または無痛性の口腔内潰瘍，または化膿性あるいは血性鼻汁
2. 胸部 X 線における異常陰影
   結節性陰影，固定性浸潤影，あるいは空洞の存在
3. 尿沈渣
   顕微鏡的血尿（＞赤血球 5 個/HPF）あるいは赤血球円柱
4. 生検における肉芽腫の証明
   動脈壁内，血管周囲（動脈または小動脈）に肉芽腫を認める

［判定］

4 項目のうち 2 項目以上が認められる場合，WG/GPA と判定する

［Leavitt RY et al：Arthritis Rheum **33**：1101–1107, 1990 より引用］

●厚生省診断基準（1998 年）

［主要項目］

(1) 主要症状
- ①上気道（E）症状：鼻（膿性鼻漏，出血，鞍鼻），眼（眼痛，視力低下，眼球突出），耳（中耳炎），口腔・咽頭痛（潰瘍，嗄声，気道閉塞）
- ②肺（L）症状：血痰，咳嗽，呼吸困難
- ③腎（K）症状：血尿/蛋白尿，急速進行性の腎不全，浮腫，高血圧
- ④血管炎による症状
  - (a) 全身症状：（≧38℃，2 週以上）と体重減少（6 ヵ月で 6 kg 以上）
  - (b) 臓器症状：紫斑，多関節炎（痛），上強膜炎，多発性単神経炎，虚血性心疾患（狭心症・心筋梗塞），消化管出血（吐血・下血），胸膜炎

(2) 主要組織所見
- ① E，L，K の巨細胞を伴う壊死性肉芽腫性炎
- ②免疫グロブリン沈着を伴わない壊死性半月体形成腎炎
- ③小・細動脈の壊死性肉芽腫性血管炎

(3) 主要検査所見

PR3–ANCA（蛍光抗体法で cytoplasmic pattern/c–ANCA）が陽性

［判定］

①確実（definite）
- (a) E，L，K それぞれに 1 臓器症状を含め主要症状の 3 項目以上
- (b) E，L，K の臓器症状，血管炎による主要症状のうち 2 項目以上および，主要組織所見①，②，③の 1 項目以上

［続く］

付録①

(c) E，L，K の臓器症状，血管炎による主要症状のうち 1 項目以上と主要組織所見①，②，③の 1 項目以上および c (PR3)−ANCA 陽性

②疑い (probable)

(a) E，L，K の臓器症状，血管炎による主要症状のうち 2 項目以上

(b) E，L，K の臓器症状，血管炎による主要症状のうちいずれか 1 項目および，主要組織所見①，②，③の 1 項目

(c) E，L，K の臓器症状，血管炎による主要症状のいずれか 1 項目と c (PR3)−ANCA 陽性

[参考となる検査所見]

①白血球，CRP の上昇，② BUN，血清クレアチニンの上昇

[鑑別診断]

①他の原因による肉芽腫性疾患：サルコイドーシスなど

②他の血管炎症候群：MPA，EGPA など

[参考事項]

(1) E，L，K の臓器症状すべてが揃う例を全身型，1 あるいは 2 臓器にとどまる例を限局型と呼ぶ

(2) 全身型は E，L，K の順に症状が発現することが多い

(3) E，L の病変は黄色ブドウ球菌を主とした感染症を合併しやすい

(4) PR3−ANCA 力価は疾患活動性と並行しやすい．まれに MPO−ANCA 陽性例を認める

●ACR/EULAR 分類基準 (2022 年)

臨床基準	点数
鼻病変：鼻出血，潰瘍，痂皮，鼻閉，閉塞，鼻中隔欠損/穿孔	+3
軟骨病変：耳介または鼻軟骨の炎症，嗄声，吸気性喘鳴 (stridor)，気管内病変，鞍鼻	+2
伝音性または感音性難聴	+1
検査基準 (血液検査，生検組織)	**点数**
c-ANCA 陽性または PR3-ANCA 陽性	+5
胸部画像検査における肺結節/腫瘤/空洞性陰影	+2
生検で肉芽腫，血管周囲または血管外の肉芽腫性炎症，巨細胞	+2
鼻腔あるいは副鼻腔画像検査における炎症性/浸潤性/滲出性病変あるいは乳突蜂巣炎	+1
腎生検で免疫グロブリン沈着を伴わない (pauci-immune) 糸球体腎炎	+1
p-ANCA 陽性または MPO-ANCA 陽性	−1
好酸球数≧1000/μL	−4

- 血管炎以外の疾患が除外され，小型〜中型血管炎と診断されていることを適用の前提とする
- 合計点数≧5 点で多発血管炎性肉芽腫症に分類する

[Robson JC et al：Arthritis Rheumatol **74**：393-399, 2022 を基に筆者作成]

S 顕微鏡的多発血管炎（microscopic polyangiitis：MPA）

●厚生省診断基準（1998年）

［主要項目］

(1) 主要症状

① RPGN，②肺胞出血もしくは間質性肺炎，

③腎・肺以外：紫斑，皮下出血，消化管出血，多発性単神経炎など

(2) 主要組織所見

細動脈・毛細血管・後毛細血管・細静脈の壊死性血管炎，血管周囲の炎症性細胞浸潤

(3) 主要検査所見

① MPO-ANCA陽性，② CRP陽性，③ 蛋白尿・血尿，BUN，血清クレアチニン値の上昇，④胸部X線所見：浸潤陰影（肺胞出血），間質性肺炎

［判定］

①確実（definite）

(a) 主要症状の2項目以上を満たし，組織所見陽性

(b) 主要症候の①，②を含めた2項目以上と，MPO-ANCA陽性

②疑い（probable）

(a) 主要症候の3項目を満たす例

(b) 主要症候の1項目とMPO-ANCA陽性の例

［鑑別診断］

① PAN，② GPA（旧称 WG），③ EGPA（旧称 AGA/CSS），④川崎病，⑤膠原病（SLE，関節リウマチなど），⑥ IgA血管炎（旧称 紫斑病血管炎）

［参考事項］

(1) 主要症候出現の1〜2週前に先行感染を認める例が多い

(2) 主要症候①，②は約半数例で同時に起こる

(3) 多くの例でMPO-ANCAの力価は疾患活動性と並行して変動する

●ACR/EULAR 分類基準（2022 年）

臨床基準	点数
鼻病変：鼻出血，潰瘍，痂皮，鼻閉，閉塞，鼻中隔欠損/穿孔	−3
検査基準（血液検査，生検組織）	**点数**
p-ANCA 陽性または MPO-ANCA 陽性	+6
胸部画像における肺線維症または間質性肺疾患	+3
腎生検で免疫グロブリン沈着を伴わない（pauci-immune）糸球体腎炎	+3
c-ANCA 陽性または PR3-ANCA 陽性	−1
好酸球数≧1,000/μL	−4

- 血管炎以外の疾患が除外され，小型〜中型血管炎と診断されていることを適用の前提とする
- 合計点数≧5 点で顕微鏡的多発血管炎に分類する

［Suppiah R et al：Arthritis Rheumatol **74**：400–406, 2022 を基に筆者作成］

t 好酸球性多発血管炎性肉芽腫症（eosinophilic granulomatosis with polyangiitis：EGPA）旧称：Churg–Strauss 症候群（CSS）/アレルギー性肉芽腫性血管炎（AGA）

●Lanham 分類基準（1984 年）

1. 気管支喘息
2. 好酸球増多症（＞1,500/μL）
3. 血管炎に起因する 2 臓器以上の臓器障害

［判定］

上記 3 項目すべてを満たす場合，Churg–Strauss 症候群と判定する

［Lanham JG et al：Medicine **63**：65–81, 1984 より引用］

●ACR 分類基準（1990 年）

1. 気管支喘息：喘鳴あるいは呼気時びまん性の高音性ラ音の既往
2. 好酸球増多症：白血球分画における好酸球増加＞10%
3. 単神経障害あるいは多発神経炎：多発神経障害はグローブ/ストッキング状分布を取ることが多い
4. 肺浸潤（非固定性）：全身性血管炎に起因する移動性あるいは一過性の肺浸潤影を示す X 線像（固定性浸潤は含まない）
5. 副鼻腔異常：急性あるいは慢性副鼻腔痛または圧痛の既往，あるいは副鼻腔の X 線像にみられる混濁化所見
6. 血管外組織への好酸球浸潤：動脈，細動脈あるいは細静脈の生検において血管外組織への好酸球浸潤を認める

［判定］
上記 6 項目中 4 項目以上が認められる場合，Churg-Strauss 症候群と判定する

［Masi AT et al：Arthritis Rheum **33**：1094-1100, 1990 より引用］

●厚生労働省基準（1998 年）

［主要項目］

（1）主要臨床所見
①気管支喘息あるいはアレルギー性鼻炎，②好酸球増加，
③血管炎による症状：（≧38℃，2 週以上）と体重減少（6 ヵ月で 6 kg 以上），多発性単神経炎，消化管出血，紫斑，多関節痛（炎），筋肉痛，筋力低下

（2）臨床経過の特徴
主要臨床所見①，②が先行し，③が発症する

（3）主要組織所見
①周囲組織に著明な好酸球浸潤を伴う細小血管の肉芽腫またはフィブリノイド壊死性血管炎の存在
②血管外肉芽腫の存在

［判定］
①確実（definite）
（a）主要臨床所見のうち気管支喘息あるいはアレルギー性鼻炎，好酸球性増加および血管炎による症状のそれぞれ 1 つ以上を示し，同時に主要組織所見の 1 項目を満たす場合
（b）主要臨床所見 3 項目を満たし，臨床経過の特徴を示す場合
②疑い（probable）
（a）主要臨床所見 1 項目および主要組織所見の 1 項目を満たす
（b）主要臨床所見 3 項目を満たすが，臨床経過の特徴を示さない

［参考事項］
①白血球数≧1 万/μL，②血小板数≧40 万/μL，③血清 IgE 増加（≧ 600 IU/mL），④ MPO-ANCA 陽性，⑤ RF 陽性，⑥胸部 X 線所見にて肺浸潤影

●ACR/EULAR 分類基準（2022 年）

臨床基準	点数
閉塞性気道病変	+3
鼻ポリープ	+3
多発単神経炎	+1
検査基準（血液検査，画像，生検組織）	点数
好酸球数≧1,000/μL	+5
生検で好酸球優位な血管外炎症	+2
c-ANCA 陽性または PR3-ANCA 陽性	−3
血尿	−1

- 血管炎以外の疾患が除外され，小型～中型血管炎と診断されていることを適用の前提とする
- 合計点数≧6 点で好酸球性多発血管炎性肉芽腫症に分類する

［Grayson PC et al：Arthritis Rheumatol **74**：386-392, 2022 を基に筆者作成］

u Behçet 病

●厚生労働省診断基準（1987 年診断基準の小改訂版）（2010 年）

1. 主要項目

（1）主症状

①口腔粘膜の再発性アフタ性潰瘍

②皮膚症状：ⓐ結節性紅斑様皮疹，ⓑ皮下の血栓性静脈炎，ⓒ毛嚢炎様皮疹

③眼症状：ⓐ虹彩毛様体炎，ⓑ網膜ぶどう膜炎（網脈絡膜炎），ⓒⓐまたはⓑを経過したと思われる虹彩後癒着，水晶体上色素沈着，網脈絡膜萎縮，視神経萎縮，併発白内障，続発緑内障，眼球癆

④外陰部潰瘍

（2）副症状

①変形や硬直を伴わない関節炎，②副睾丸炎，③回盲部潰瘍で代表される消化器病変，④血管病変，⑤中枢神経病変

［判定］

①完全型：主症状 4 つ

②不全型：ⓐ主症状 3 つ または 主症状 2 つ＋副症状 2 つ

ⓑ定型的眼症状＋主症状 1 つ または定型的眼症状＋副症状 2 つ

③疑い：ⓐ主症状の一部が出現するが不全型の条件を満たさない

ⓑ定型的な副症状が反復あるいは増悪するもの

④特殊病変

（a）腸管 Behçet 病：内視鏡で病変部位を確認する

（b）血管 Behçet 病：動脈瘤，動脈閉塞，深部静脈血栓（DVT），肺塞栓

（c）神経 Behçet 病：髄膜炎，脳幹脳炎など急激な炎症性病態を呈する急性型と体幹失調，精神症状が緩徐に進行する慢性進行型

2. Behçet 病の検査所見
(1) 皮膚針反応：20～22G の比較的太い注射針を用いる
(2) 炎症反応：赤沈亢進，CRP 陽性，白血球増加，補体価の上昇
(3) HLA-B51 陽性（約 60%），HLA-A26（約 30%）
(4) 病理所見：急性期の結節性紅斑様皮疹では，中隔性脂肪組織炎で，浸潤細胞は多核白血球と単核球である．初期に多核球が多いが，単核球の浸潤が中心で，いわゆるリンパ球性血管炎の像を示す．全身的血管炎の可能性を示唆する壊死性血管炎を伴うこともある
(5) 神経型の診断においては，髄液における細胞増多，IL-6 増加，MRI の画像所見（FLAIR 画像での高信号域や脳幹の萎縮像）を参考とする

[鑑別疾患] ⇒「IV-H-1．Behçet 病」(p243) 参照のこと

V IgG4 関連疾患（IgG4-related disease：IgG4-RD）

●2019 ACR/EULAR 分類基準

〈エントリー基準〉
典型的な罹患臓器[*1]における特徴的な臨床像（臓器腫大または腫瘤，ただし胆管では狭窄性病変，大動脈では壁肥厚あるいは瘤状拡大，肺では気管支血管束の肥厚），放射線学的な所見あるいは病理学的所見
[*1] 膵臓，唾液腺，胆管，眼窩，腎臓，肺，動脈，後腹膜病変，肥厚性硬膜炎，甲状腺（Riedel 甲状腺炎）

カテゴリー	項目	点数
病理	非特異的所見	0
	著明なリンパ球，形質細胞浸潤	4
	著明なリンパ，形質細胞浸潤と閉塞性静脈炎	6
	著明なリンパ，形質細胞浸潤と花莚状線維化	13
免疫染色	別表参照[*2]	0～16
IgG4 値	IgG4 値≦ULN（正常上限）または未検	0
	ULN<IgG4 値<ULN × 2	4
	ULN × 2≦IgG4 値<ULN × 5	6
	ULN × 5≦IgG4 値	11
両側の涙腺/耳下腺/舌下腺/顎下腺の罹患	罹患なし	0
	1 セット	6
	2 セット以上	14
胸部	未検あるいは下記の所見なし	0
	気管支血管束の肥厚	4
	胸郭における傍脊椎領域の軟部陰影	10
膵，胆管	未検あるいは下記の所見なし	0
	膵腫大（分葉構造の消退）	8
	膵腫大および濃染遅延を伴う被膜様構造（capsule-like rim）	11
	上記の膵臓所見および胆管病変	19

［続く］

カテゴリー	項　目	点数
腎臓	未検あるいは下記の所見なし	0
	低補体血症	6
	腎盂壁の肥厚および軟部陰影	8
	両側の腎皮質低吸収域	10
後腹膜	未検あるいは下記の所見なし	0
	腹腔大動脈周囲のびまん性肥厚	4
	下行大動脈，腸骨動脈周囲の全周性あるいは前方外側の軟部陰影	8
合計点が 20 点以上の場合に IgG4-RD と分類する		

*2 IgG4 免疫染色の別表

		IgG4 陽性細胞数/HPF			
		0～9	intermediate*3	10～50	51～
IgG4/IgG比	0～40%	0	7	7	7
	intermediate*3	0	7	7	7
	41～70%	7	7	14	14
	71%～	7	7	14	16

*3 intermediate とは病理医が明確な数や割合をカウントできないが，少なくとも 10 個以上/HPF であることが確認できる状況を指す

【除外基準】下記を示すものは除外する

- 臨床基準：発熱（>38℃），ステロイド不応性
- 血清学的基準：原因不明の白血球減少，血小板減少，好酸球増多，ANCA（特に PR3/MPO-ANCA）陽性，抗 SS-A/SS-B 抗体陽性，抗 dsDNA 抗体，抗 RNP 抗体，抗 Sm 抗体陽性，その他の疾患特異的自己抗体陽性，クリオグロブリン血症
- 画像基準：既知あるいは明らかな腫瘍あるいは感染症もしくは十分な精査のなされていないこれらの疑い病変，急速な画像上の進行，Erdheim Chester 病の疑われる長管骨異常，脾腫
- 病理像：腫瘍が示唆される細胞浸潤，炎症性筋線維芽細胞腫瘍（炎症性偽腫瘍）マーカー，好中球優位の炎症像，壊死性血管炎，著明な壊死像，一次性肉芽腫性炎症，Mϕ/組織球症
- 既存疾患：多中心性 Castleman 病，Crohn 病または潰瘍性大腸炎（膵および胆管病変が存在する場合），橋本病（甲状腺病変が存在する場合）

［Wallace ZS et al：Arthritis Rheumatol **72**：7-19, 2020 を基に筆者作成］

●2020 わが国のIgG4-RD改訂包括診断基準（2011基準の改訂版）

1）臨床的および画像的特徴
　単一*または複数臓器に特徴的なびまん性あるいは限局性腫大，腫瘤，結節，肥厚性病変を認める
　*リンパ節は単独病変としては除外する
2）血清学的特徴
　高IgG4血症（≧135 mg/dL）
3）病理学的診断：以下の3項目中2つ以上を満たす
　a）著明なリンパ球，形質細胞の浸潤と線維化
　b）IgG4陽性形質細胞浸潤：IgG4/IgG陽性細胞比≧40％かつIgG4陽性形質細胞が10/HPFを超える
　c）特徴的な線維化，特に花莚状線維化あるいは閉塞性静脈炎のいずれかを認める

【診断】
　1）＋2）＋3）を満たすもの：確定診断群（definite）
　1）＋3）を満たすもの：準確診群（probable）
　1）＋2）のみを満たすもの：疑診群（possible）

※1 臓器別診断基準の併用
本基準で，準確診群（probable），疑診群（possible）であってもIgG4関連疾患の臓器別診断基準で確定診断されたものは，IgG4関連疾患確診群（definite）と判断する．臓器別の診断基準には下記のものがある：①自己免疫性膵炎，②IgG4関連Mikulicz病（涙腺，唾液腺炎），③IgG4関連腎臓病，④IgG4関連硬化性胆管炎，⑤IgG4関連眼疾患，⑥IgG4関連呼吸器疾患，⑦IgG4関連大動脈周囲炎/動脈周囲炎および後腹膜線維症

※2 除外診断
1）可能な限り組織診断を行い，各臓器の悪性腫瘍（癌，悪性リンパ腫など）や類似疾患（Sjögren症候群，原発性硬化性胆管炎，多中心性Castleman病，二次性後腹膜線維症，多発血管炎性肉芽腫症，サルコイドーシス，好酸球性多発血管炎性肉芽腫症など）を鑑別することが重要である
2）高熱，CRP高値，好中球増多を呈している場合，感染性・炎症性疾患を除外することが重要である

※3 病理学的診断
1）経皮・内視鏡下針生検に比して，摘出・部分切除標本では，IgG4陽性細胞数は通常多く認められる
　本疾患は，共通する病理像が特徴ではあるが，細胞数のみに捉われず総合的な判断を行う
2）花筵状線維化（storiform fibrosis）は小型の紡錘形細胞，炎症細胞，膠原線維からなる花筵状の錯綜配列を示す病変である．閉塞性静脈炎（obliterative phlebitis）は，炎症細胞浸潤を伴う線維性の静脈閉塞と定義される．両者ともIgG4関連疾患の診断のために有用であり，病理診断項目におけるb）を伴わないa）とc）は，IgG4およびIgG染色の不良例に適用される

［続く］

※4 ステロイド反応性
IgG4関連疾患は，通常ステロイド治療に良好な反応性を示すが，診断的治療は推奨されない．一方，ステロイド治療に反応しない場合には診断を再考するべきである．

［Umehara H et al：Mod Rheumatol **31**：529-533, 2021を基に筆者作成］

W Castleman病（Castleman disease：CD）

●わが国における暫定的診断基準（2017年）

A. 1つまたは複数の長径1 cmを越えるリンパ節腫大が認められ，リンパ節または臓器の病理組織所見がCastleman病の組織型のいずれかに合致する

- 硝子血管型：リンパ濾胞の拡大と胚中心の萎縮．硝子化を伴う血管増生．形質細胞は少ない
- 形質細胞型：リンパ濾胞の過形成．濾胞間の形質細胞の著増．血管新生がみられることもある
- 混合型：硝子血管型と形質細胞型の混合所見

B. リンパ節腫大の原因として以下の疾患は除外されなければならない

- 悪性腫瘍：血管免疫芽球性T細胞リンパ腫，Hodgkinリンパ腫，濾胞樹状細胞肉腫，腎細胞癌，悪性中皮腫，肺癌，子宮頸癌など
- 感染症：非結核性抗酸菌症，猫引っ掻き病，リケッチア感染症，トキソプラズマ感染症，真菌感染症，伝染性単核球症，慢性活動性EBウイルス感染症，HIV感染症など
- 自己免疫疾患：SLE，Sjögren症候群など
- 他のCastleman病類似疾患：IgG4関連疾患，組織球性壊死性リンパ節炎，サルコイドーシス，特発性門脈圧亢進症など

なお，罹患リンパ節が1つである単中心性Castleman病とHIV感染症でみられるHHV8関連多中心性Castleman病を除外したものを特発性多中心性Castleman病（iMCD）と診断する．

［Fujimoto S et al：Mod Rheumatol **28**：161-167, 2018を基に筆者作成］

●CDCN (Castleman Disease Collaborative Network) による国際診断基準 (2017年)

以下のように主要基準2つを満たし，小基準11項目のうち1つの検査項目を含む2項目以上を満たし，除外基準が除外される場合にiMCDと診断される.

I. 主要基準 (両者を満たすこと)

iMCDに特徴的な病理組織像 (胚中心の萎縮，濾胞樹状細胞の増加，血管増生，胚中心の過形成，形質細胞腫をそれぞれグレード0〜3まで分類する). 少なくともグレード2〜3に相当する胚中心の萎縮あるいは形質細胞増加症がみられること.

- 胚中心の退縮/萎縮/閉鎖，オニオンスキン様のリンパ球の同心円状の輪からなる拡張したマントル層を伴う
- 濾胞樹状細胞が目立つ
- 血管増生は内皮細胞が目立ち，濾胞と濾胞の間を走行したり，ロリポップ様に胚中心を走行する
- シート様の多形性の形質細胞増加症が濾胞と濾胞の間にみられる
- 胚中心の過形成
- 2つ以上の領域でのリンパ節腫大 (短径1 cm以上)

II. 小基準 (検査6項目臨床5項目のうち1つの検査項目を含む2項目以上であること)

1. 検査

① CRP (>1 mg/dL)，血沈 (>15 mm/時)
②貧血 (男性でHb<12.5 g/dL，女性でHb<11.5 g/dL)
③血小板減少 (<15万/uL) あるいは血小板増加 (>40万/uL)
④低アルブミン血症 (<3.5 g/dL)
⑤腎機能障害 (eGFR<60 mL/分/1.73 m^2) または蛋白尿 (150 mg/日または10 mg/dL)
⑥ポリクローナル高ガンマグロブリン血症 (総ガンマグロブリンまたはIgG>1,700 mg/dL)

2. 臨床

①症状：夜間の発汗，発熱 (>38℃)，体重減少，倦怠感 (CTCAEリンパ腫スコアB症状で2以上)
②脾腫あるいは肝腫大
③液貯留：浮腫，アナサルカ (全身性浮腫)，腹水，胸水
④発疹性のチェリー様の血管腫症または紫色丘疹
⑤リンパ球性間質性肺炎

III. 除外基準 (iMCDと似る以下の疾患を除外しなければならない)

1. 感染症の除外

① HHV8 (血液を用いたPCRで感染が証明できる．免疫組織染色でLANA1陽性であればHHV8関連MCDと診断される)

[続く]

②伝染性単核球症や慢性活動性 EB ウイルス感染症などの EB ウイルスリンパ増殖性疾患（低レベルの EB ウイルスの検出だけでは必ずしもリンパ増殖性疾患として除外できない）
③他の制御されていない感染症による炎症やリンパ節腫大（急性や制御されていないサイトメガロウイルス感染症，トキソプラズマ症，HIV，活動性結核）
2. 自己免疫疾患や自己炎症性疾患の除外（臨床基準を満たす必要がある．自己抗体のみ検出では自己免疫疾患として除外されない）
①全身性エリテマトーデス
②関節リウマチ
③成人 Still 病
④若年性特発性関節炎
⑤自己免疫性リンパ増殖性疾患
3. 悪性疾患やリンパ増殖性疾患（これらの疾患は iMCD から除外するために前もってあるいは同時に診断されなければならない）
①リンパ腫（Hodgkin と non-Hodgkin）
②多発性骨髄腫
③原発性リンパ節形質細胞腫
④濾胞樹状細胞肉腫
⑤ POEMS 症候群
4. 診断には必要ないが診断を支持する特徴的所見
- IL-6，sIL-2R，VEGF，IgA，IgE，LDH，B2M などの上昇
- 骨髄のレチクリン線維化（特に TAFRO 症候群の場合）
- iMCD と関連する疾患の診断：腫瘍関連天疱瘡，閉塞性気管支炎，器質化肺炎，自己免疫性血球減少症，多発性神経障害（POEMS 以外），糸球体腎症，炎症性筋線維芽細胞腫

［Fajgenbaum DC et al：Blood **129**：1646-1657, 2017 より引用］

付録② 各疾患の重症度分類/活動性評価/damage index など

a 関節リウマチ (RA)

●Steinbrocker の Stage 分類

Stage	X 線所見
I	• X 線所見上は骨破壊像なし • X 線所見上で骨粗鬆症はあってもよい
II	• X 線所見上で軽度の軟骨下骨の破壊はあってもよい • 関節可動域の制限はあってもよいが，関節変形はない • 関節近傍の筋萎縮 • リウマチ結節，腱鞘炎など関節外病変はあってもよい
III	• X 線所見上で軟骨および骨破壊像が観察される • 亜脱臼，手指尺側偏位，関節過伸展などの関節変形 • 線維性あるいは骨性強直はみられない • 広範な筋萎縮がみられる • リウマチ結節，腱鞘炎など関節外病変はあってよい
IV	• X 線所見上で線維性あるいは骨性強直がみられる • 上記以外は Stage III の基準を満足する

[Steinbrocker O et al：J Am Med Assoc **140**：659-662, 1949 より引用]

●ACR 改訂機能 class 分類

class I：日常生活動作を完全にこなせる（日常の自分の身の回りの世話，職場での機能性，趣味・スポーツなどの活動性すべてが完全に行うことができる）

class II：日常の自分の身の回りの世話および職場での機能性は果たせるが，趣味・スポーツなどの活動性は限定される

class III：日常の自分の身の回りの世話はできるが，職場での機能性，趣味・スポーツなどの活動性は限定される

class IV：日常の自分の身の回りの世話，職場での機能性，趣味・スポーツなどの活動性が限定される

[Hochberg MC et al：Arthritis Rheum **35**：498-502, 1992 より引用]

●RA の活動性評価

■ Disease Activity Score（DAS）

［必要評価項目］

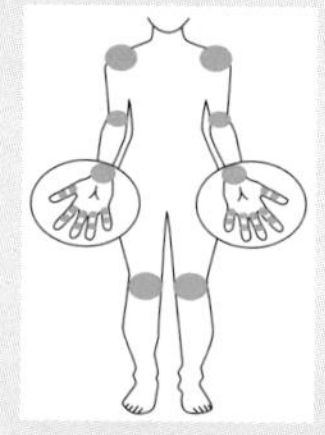

・Tenderness Joint Count（TJC）：圧痛関節数，28 関節で評価
・Swollen Joint Count（SJC）：腫脹関節痛，28 関節で評価
・CRP（mg/dL）または赤沈（ESR）(mm/時)
・Patient's General Assessment（PGA）≒ 患者Visual Analogue Scale（VAS，0～10 cm で表記）による全般的評価

の 4 項目が計算に必要

・通常は PGA を含む 4 項目から算出する DAS-ESR（4）を使用する．

■ DAS28-ESR（4）$=0.56\times\sqrt{TJC}+0.28\times\sqrt{SJC}+0.7\times\ln(ESR)+0.014\times PGA$［mm で計算］

・DAS の計算は DAS のホームページ（http://www.das-score.nl/das28/DAScalculators/dasculators.html）で行うことも可能であり，「Medcalc®」などのアプリで行うこともできる
・DAS 以外にも，上記以外に Evaluator's General Assessment（EGA，医師による全般的評価）を評価項目に加えた CDAI，SDAI といった評価指標がある
　・CDAI（Clinical Disiease Activity Index）
　　CDAI＝TJC＋SJC＋PGA（0～10 cm）＋EGA（0～10 cm）
　・SDAI（Simple Disease Activity Index）
　　SDAI＝TJC＋SJC＋PGA（0～10 cm）＋EGA（0～10 cm）＋CRP（mg/dL）

■ DAS-ESR，CDAI，SDAI による疾患活動性評価

疾患活動性	DAS-ESR（4）	CDAI スコア	SDAI スコア
高	＞ 5.1	＞ 22	＞ 26
中等度	3.2 ≦□≦ 5.1	10 ＜□≦ 22	11 ＜□≦ 26
低	2.6 ≦□＜ 3.2	2.8 ＜□≦ 10	3.3 ＜□≦ 11
寛解	＜ 2.6	≦ 2.8	≦ 3.3

これら疾患活動性の定義の他に，TJC・SJC・PGA・CRP がすべて 1 以下という Boolean 寛解基準がある．

［**DAS**：Ann Rheum Dis **68**：954-960, 2009；**CDAI**：Rheumatology **42**：244-257, 2003；**SDAI**：Arthritis Res Ther **7**：R796-R806, 2005 より引用］

●ACR core set：ACR20，ACR50，ACR70

・ACR core set は，治療法による改善度の違いを患者母集団において検出することを目的としており，個々の患者のある時点での RA 活動性の評価をすることには向いていない.

American College of Rheumatology（ACR）core set

1. 圧痛関節数
2. 腫脹関節数
3. 患者による疾患の評価（VAS）
4. 患者による疾患活動性の全般評価（VAS）
5. 医師による疾患活動性の全般評価（VAS）
6. 患者による身体機能評価（Health Assessment Questionnaire）
7. CRP

［判定方法］

20%改善（ACR20）：項目 1，2 において関節数が 20%以上減少＋項目 3 以下の 5 項目において 3 項目以上で 20%の改善を示した場合

50%改善（ACR50）/70%改善（ACR70）：上記同様

［Felson DT et al：Arthritis Rheum **38**：727-735, 1995 より引用］

b 強直性脊椎炎（AS）

●Bath Ankylosing Spondylitis Disease Activity Index (BASDAI)

・BASDAI は AS の活動性評価指数である．

・患者に最近 1 週間における以下の A)～F) について VAS（0～10 cm）で評価してもらい，BASDAI の点数（最大 10 点）を算出する．

［評価項目］

A）疲労感の程度

B）頸部や背部～腰部または臀部の疼痛の程度

C）上記 B 以外の関節の疼痛・腫脹の程度

D）B，C の領域を触れたり圧迫したりした時に感じる疼痛の程度

E）朝のこわばりの程度

F）朝のこわばりの継続時間（0～120 分：0 分なら「0」，60 分なら「5」，120 分以上なら「10」）

［計算式］

BASDAI ＝ 0.2［A ＋ B ＋ C ＋ D ＋ 0.5（E ＋ F）］

［Sieper J et al：Ann Rheum Dis **68**［Suppl 2］：ii1–ii44, 2009 より引用］

●Bath Ankylosing Spondylitis Functional Index (BASFI)

・BASFI は AS 患者の機能性評価指数である．

・患者に下記の 10 項目について 10 段階で点数化してもらい，以下の計算式で算出した値 を BASFI の点数（最大 10 点）とする．

［評価項目］

①靴下やタイツを補助具あるいは補助なしで履く

②膝を曲げて床のペンを補助なしで拾う

③補助具あるいは補助なしで高い棚に手が届く

④肘かけのない椅子から手を使わずに，または補助具なしで立ち上がる

⑤仰臥位から補助なしで立ち上がる

⑥ 10 分間支えなしで立っていられる

⑦手すりを持たずに，足の運びは交互に上げ 12～15 段の階段を上がる

⑧身体を回さずに首だけ回して肩越しに後方をみる

⑨身体を使う活動ができる（例：体操，庭仕事，スポーツなどをする）

⑩ 1 日がかりの仕事または家事をこなすことができる

［計算式］

BASFI ＝（①～⑩の和）/10

［Sieper J et al：Ann Rheum Dis **68**［Suppl 2］：ii1–ii44, 2009 より引用］

C Sjögren症候群（SjS）

●EULAR Sjögren's Syndrome Disease Activity Index (ESSDAI)

・ヨーロッパリウマチ学会が提唱する，Sjögren症候群の活動性指標である．

・12の臓器領域における点数の総和がスコアとなる．

項目	係数	活動性	点数（係数×活動性スコア）
①全身状態	3	無0□ 低1□ 中2□ 高3□	
②リンパ節腫脹	4	無0□ 低1□ 中2□ 高3□	
③腺症状	2	無0□ 低1□ 中2□	
④関節症状	2	無0□ 低1□ 中2□ 高3□	
⑤皮膚症状	3	無0□ 低1□ 中2□ 高3□	
⑥肺病変	5	無0□ 低1□ 中2□ 高3□	
⑦腎病変	5	無0□ 低1□ 中2□ 高3□	
⑧筋症状	6	無0□ 低1□ 中2□ 高3□	
⑨末梢神経障害	5	無0□ 低1□ 中2□ 高3□	
⑩中枢神経障害	5	無0□ 低1□ 高3□	
⑪血液障害	2	無0□ 低1□ 中2□ 高3□	
⑫生物学的所見	1	無0□ 低1□ 中2□	
ESSDAIスコア	—	—	①～⑫の総和（最大123点）

［判定］
ESSDAI ≧ 5点➡重症
ESSDAI ＜ 5点➡軽症

［Seror R et al：Ann Rheum Dis **69**：1103-1109, 2010より引用］

●ESSDAIの項目における活動性の基準

①全身状態

1. 微熱，間欠熱（37.5～38.5℃），盗汗，あるいは5～10%の体重減少
2. 高熱（>38.5℃），盗汗，あるいは>10%の体重減少（感染症由来の発熱や自発的な減量を除く）

②リンパ節腫脹

1. リンパ節腫脹：領域不問≧1 cmまたは鼠径≧2 cm
2. リンパ節腫脹：領域不問≧2 cmまたは鼠径≧3 cm, あるいは脾腫（触診，画像のいずれか）
3. 現在の悪性B細胞増殖性疾患

③腺症状

1. 耳下腺腫脹（≦3 cm），あるいは限局した顎下腺または涙腺の腫脹
2. 耳下腺腫脹（>3 cm），あるいは目立った顎下腺または涙腺の腫脹

［続く］

④関節症状
1. 朝のこわばり（>30 分）を伴う関節痛
2. 関節滑膜炎が 1～5 個の関節にみられる（28 関節のうち）
3. 関節滑膜炎が 6 個以上の関節にみられる（28 関節のうち）

⑤皮膚症状
1. 多形紅斑
2. 蕁麻疹様血管炎，足首以遠の紫斑，あるいは亜急性皮膚エリテマトーデスを含む限局した皮膚血管炎
3. 蕁麻疹様血管炎，広範囲の紫斑，またはびまん性皮膚血管炎

⑥肺病変
1. 以下の 2 項目のいずれかを満たす
   a）持続する咳や気管支病変で，X 線で異常を認めない
   b）X 線あるいは HRCT で間質性肺病変があるが，息切れはなく呼吸機能検査は正常
2. HRCT で間質性肺病変があり，以下の 2 項目のいずれかを満たす
   a）労作時息切れあり（NYHA II）
   b）呼吸機能検査で 70%>DL_{CO}≧40%，または 80%>FVC≧60%
3. HRCT で間質性肺病変があり，以下の 2 項目のいずれかを満たす
   a）安静時息切れあり（NYHA III，IV）
   b）呼吸機能検査で（DL_{CO}<40%，あるいは FVC<60%）

⑦腎病変
1. 軽度の活動性腎病変（GFR≧60 mL/ 分）
   a）尿細管アシドーシス
   b）糸球体病変で蛋白尿（0.5～1 g/日）を伴い，かつ血尿がない
2. 中等度活動性腎病変
   a）腎不全（GFR<60 mL/分）を伴う尿細管性アシドーシス
   b）糸球体病変で蛋白尿（1～1.5 g/日）を伴い，かつ血尿や腎不全がない
   c）膜性腎症以外の糸球体腎炎，または間質優位のリンパ球浸潤
3. 高度活動性腎病変
   a）糸球体病変で蛋白尿（>1.5 g/日），血尿，または腎不全を認める
   b）増殖性糸球体腎炎または，クリオグロブリン関連腎病変

⑧筋症状
1. 筋電図や筋生検で指摘される軽度の筋炎で，以下の a），b）を満たす
   a）脱力なし，b）CK 上昇はあるが施設上限（ULN）の 2 倍以下（ULN<CK≦2 ULN）
2. 中等度活動性筋炎で，以下の a），b）のいずれかを満たす
   a）脱力（MMT≧4），b）CK 上昇を伴う（2 ULN<CK≦4 ULN）
3. 高度活動性筋炎で，以下の a），b）のいずれかを満たす
   a）脱力（MMT≦3），b）CK 上昇を伴う（CK>4 ULN）

⑨末梢神経障害

1. 軽度活動性の末梢神経障害
   a) 純粋感覚性軸索多発ニューロパチー，b) 三叉神経痛
2. 中等度活動性の末梢神経障害
   a) 運動障害を伴わない軸索性感覚性ニューロパチー
   b) クリオグロブリン性血管炎を伴う純粋感覚ニューロパチー
   c) 軽度か中等度の運動失調のみを伴う神経節炎
   d) 軽度の機能障害を伴った慢性炎症性脱髄性多発神経炎（CIDP）
   e) 末梢神経由来の脳神経障害（三叉神経痛を除く）
3. 高度活動性の末梢神経障害
   a) 最大運動障害≦3/5 を伴う軸索性感覚運動ニューロパチー
   b) 血管炎による末梢神経障害，神経節炎による重度の運動失調
   c) 重度機能障害を伴った CIDP

⑩中枢神経障害

1. 以下に示すような中等度の活動性中枢神経障害
   a) 中枢由来の脳神経障害，b) 視神経炎，
   c) 純粋感覚障害か知的障害を伴う多発硬化症様症候群
2. 以下に示すような高度活動性中枢神経障害
   a) 脳血管障害を伴う脳血管炎または一過性脳虚血発作，b) 痙攣，
   c) 横断性脊髄炎，d) リンパ球性髄膜炎，e) 多発性硬化症様症候群

⑪血液障害

1. 自己免疫性血球減少で以下の 4 項目のいずれかを満たす
   a) 1,000＜好中球＜1,500/μL，b) 10＜ヘモグロビン＜12 g/dL，
   c) 10 万＜血小板＜15 万/μL，d) 500＜リンパ球＜1,000/μL
2. 自己免疫性血球減少で以下の 4 項目のいずれかを満たす
   a) 500≦好中球≦1,000/μL，b) 8≦ヘモグロビン≦10 g/dL，
   c) 5 万≦血小板≦10 万/μL，d) リンパ球≦ 500/μL
3. 自己免疫性血球減少で以下の 3 項目のいずれかを満たす
   a) 好中球＜500/μL，b) ヘモグロビン＜8 g/dL，
   c) 血小板＜5 万/μL

⑫生物学的所見

1. 以下の 3 項目のいずれかを認める
   a) クローン成分，b) 低補体（C3/C4 低値 または CH50 低値），
   c) 高 IgG 血症（1,600≦IgG≦2,000 mg/dL）
2. 以下の 3 項目のいずれかを認める
   a) クリオグロブリンの存在，b) 高 IgG 血症（IgG≧2,000 mg/dL），
   c) 最近出現した低γグロブリン血症，低 IgG 血症（IgG＜500 mg/dL）

d 全身性エリテマトーデス（SLE）

●SLE Disease Activity Index—2K（SLEDAI—2000）

臓　器	所　見	点数
中枢神経	痙攣発作	8
	精神症状	8
	器質性脳症候群	8
	視力障害（眼底異常所見）	8
	脳神経異常（新規）	8
	ループス頭痛（麻薬性鎮痛薬にも不応性）	8
	脳血管障害（新規）	8
血管炎	潰瘍，壊死，爪囲梗塞など	8
筋関節炎	多発性関節炎（≧2 関節）	4
	筋炎	4
腎炎	赤血球円柱	4
	赤血球尿（>5 RBC/HPF）	4
	蛋白尿（>0.5/日）	4
	白血球尿（>5 WBC/HPF）	4
皮膚	炎症性の皮疹	2
	脱毛	2
	粘膜潰瘍（口腔あるいは鼻腔）	2
漿膜炎	胸膜炎	2
	心膜炎	2
検査所見	低補体血症（C3，C4，CH50 の正常下限以下の低下）	2
抗 DNA 抗体高値	Farr 法で>25%の結合能	2
血小板減少	PLT<10 万/μL	1
白血球減少	WBC<3,000/μL	1
発熱	BT≧38.0℃（感染などその他項目は除外）	1
SLEDAI は 24 の項目からなり，最高点は 105 点である		

［Gladman DD et al：J Rheumatol **29**：288-291, 2002 より引用］

●SLEDAI による活動性評価

寛解：SLEDAI 0 点
低疾患活動性：1～5 点
中等度疾患活動性：6～10 点
高度疾患活動性：11～19 点
超高度疾患活動性：≧20 点

［Cook RJ et al：J Rheumatol **27**：1892-1895, 2000 より引用］

●BILAG 2004

[総論事項]

- 1988年に英国のグループ(British Isles Lupus Assessment Group：BILAG)から提唱され，2004年に改定された
- 評価対象はSLEの活動性によると判断されるもので，薬剤や感染症によるもの，不可逆性のもの(骨壊死，皮膚硬化など)は対象としない
- 4週間前のBILAGスコアによるdisease activityと比較する

→各項目について，①改善，②不変，③悪化，④新規出現 を評価する

■ BILAGカテゴリーごとの治療方針

カテゴリー	治療方針
A	以下の治療を要するような重度の疾患活動性 1. 高用量の経口ステロイド：PSL換算＞20 mg/日 2. ステロイドパルス療法：mPSL換算≧500 mg/日 3. 免疫抑制薬：生物学的製剤，IVIG，plasma pheresisを含む 4. 高用量ステロイドや免疫抑制薬，抗凝固療法の併用 (例：ワルファリン使用，target range PT-INR 3～4)
B	以下の治療を要するような中等度の疾患活動性 1. 低用量経口ステロイド：PSL換算≦20 mg/日 2. ステロイド筋注，関節腔内注射，軟部組織への注射：mPSL換算＜500 mg/日 3. 局所ステロイドの使用(外用薬？) 4. 局所的免疫抑制薬の使用(外用薬？) 5. 抗マラリア薬，サリドマイドなど 6. 対症療法(例：炎症性関節炎に対するNSAIDs使用)
C	軽度の疾患活動性であり，安定した状態
D	現在の活動性はないが既往エピソードあり
E	過去，現在ともに臓器障害のエピソードなし

[続く]

①一般全身症状

カテゴリー	定　義
A	「発熱（＞37.5℃）」が 2（不変），3（悪化），4（新たな出現）のいずれかおよび以下 2 つ以上が 2（不変），3（悪化），4（新たな出現） ・5%以上の体重減少　・リンパ節腫脹/脾腫　・食欲低下
B	「発熱（＞37.5℃）」が 2（不変），3（悪化），4（新たな出現）または以下 2 つ以上が 2（不変），3（悪化），4（新たな出現）であるが，カテゴリー A の基準は満たさない ・5%以上の体重減少　・リンパ節腫脹/脾腫　・食欲低下
C	「発熱（＞37.5℃）」が 1（改善）または以下の 1 項目が 2（不変），3（悪化），4（新たな出現）であるが，カテゴリー A，B の基準は満たさない ・5%以上の体重減少　・リンパ節腫脹/脾腫　・食欲低下
D	一般的全身症状の既往はあるが，現在は症状消失
E	一般的全身症状の既往なし

②皮膚粘膜症状

カテゴリー	定　義
A	以下のいずれか 1 項目が 2（不変），3（悪化），4（新たな出現） ・重症皮疹　・重症の血管浮腫　・重症粘膜潰瘍　・重症の脂肪織炎あるいは 水疱性ループス　・皮膚血管炎/血栓
B	カテゴリー A が 1（改善）または以下のいずれか 1 項目が 2（不変），3（悪化），4（新たな出現） ・軽症皮疹　・軽度の脂肪織炎　・指尖部の梗塞または結節性血管炎　・重度の脱毛
C	カテゴリー A またはカテゴリー B のいずれかの項目が 1（改善）または以下のいずれか 1 項目が陽性 ・血管浮腫（mild）　・軽度の粘膜潰瘍　・軽度の脱毛 ・爪周囲紅斑または凍瘡様皮疹　・線状出血
D	粘膜皮膚症状の既往はあるが，現在は症状消失
E	粘膜皮膚症状の既往なし

③神経系症状

カテゴリー	定　義
A	以下のいずれか 1 項目が 2（不変），3（悪化），4（新たな出現） ・無菌性髄膜炎　・脳血管炎　・脱髄疾患　・脊髄症 ・急性錯乱状態　・精神症状（lupus psycosis）　・急性炎症性脱髄性多発ニューロパチー（AIDP）　・多発単神経炎あるいは単神経炎　・神経叢障害　・多発ニューロパチー　・てんかん重積状態 ・小脳失調
B	カテゴリー A が改善または以下のいずれか 1 項目が 2（不変），3（悪化），4（新たな出現） ・脳神経障害　・てんかん発作　・認知障害　・運動障害 ・自律神経障害　・重度の頭痛　・頭蓋内圧亢進による頭痛
C	カテゴリー B のいずれかの項目が 1（改善）
D	神経系症状の既往はあるが，現在症状消失
E	神経系症状の既往なし

④筋骨格系症状

カテゴリー	定　義
A	以下のいずれか 1 項目が 2（不変），3（悪化），4（新たな出現） ・重症筋炎　・重度の関節炎
B	カテゴリー A が 1（改善）または以下のいずれか 1 項目が 2（不変），3（悪化），4（新たな出現） ・軽症筋炎　・中等度の関節炎/腱炎/腱鞘滑膜炎
C	カテゴリー B のいずれか 1 項目が 1（改善），または以下の存在 ・軽度の関節炎あるいは関節痛または筋痛
D	筋骨格系症状の既往はあるが，現在は消失
E	筋骨格系症状の既往なし

⑤心血管系および呼吸器系

カテゴリー	定　義
A	以下のいずれか 1 項目が 2（不変），3（悪化），4（新たな出現） ・心不全　・不整脈　・新規発症の弁膜症　・心タンポナーデ　・呼吸困難を伴う胸水貯留　・肺胞出血 / 血管炎 ・間質性肺炎　・Shrinking lung 症候群　・大動脈炎 ・冠動脈血管炎
B	カテゴリー A が 1（改善）または以下のいずれか 1 項目が 2（不変），3（悪化），4（新たな出現） ・軽度の心筋炎　・軽度の漿膜炎（胸膜あるいは心膜痛）
C	カテゴリー B のいずれか 1 項目が 1（改善）
D	心血管系および呼吸器系の既往はあるが，現在は症状消失
E	心血管系および呼吸器系の既往なし

⑥消化管症状

カテゴリー	定　義
A	以下のいずれか 1 項目が 2（不変），3（悪化），4（新たな出現） ・腹膜炎　・ループス腸炎あるいは大腸炎 ・偽性腸閉塞　・急性ループス胆囊炎　・急性ループス膵炎
B	カテゴリー A が 1（改善）または以下のいずれか 1 項目が 2（不変），3（悪化），4（新たな出現） ・漿膜炎および/または腹水　・吸収不良症候群　・蛋白漏出性胃腸症　・ループス肝炎
C	カテゴリー B のいずれかの項目が 1（改善）
D	消化管症状の既往はあるが，現在は症状消失
E	消化管症状の既往なし

［続く］

⑦眼症状

カテゴリー	定　義
A	以下のいずれか1項目が2（不変），3（悪化），4（新たな出現） ・眼窩内筋炎/眼球突出　・視力障害を伴う重症角膜炎 ・視力障害を伴う重症後部ぶどう膜炎および/または網膜血管炎 ・重症強膜炎　・網膜/脈絡膜血管閉塞症 ・視神経炎　・前部虚血性視神経症
B	カテゴリーAが1（改善）または以下のいずれか1項目が2（不変），3（悪化），または4（新たな出現） ・視力障碍を伴わない軽症角膜炎　・前部ぶどう膜炎 ・視力障碍を伴わない軽症後部ぶどう膜炎および/または網膜血管炎　・軽症強膜炎
C	カテゴリーBのいずれか1項目が1（改善），または以下の存在 ・上強膜炎　・綿花状白斑
D	眼症状の既往はあるが，現在は消失
E	眼症状の既往なし

⑧腎症状

カテゴリー	定　義
A	以下1，4，5のいずれか1項目を含む2項目以上に該当 1. 増悪する尿蛋白（a：定性2＋以上の増加，b：24時間尿蛋白量＞1 g/日かつ≧25％の改善がないもの，c：尿蛋白Cr比＞1 g/gCrかつ≧25％の改善がないもの） 2. 悪性高血圧 3. 腎機能悪化（a：SCr＞1.5 mg/dLで前値の1.3倍以上に増加，b：GFR＜80 mL/分かつ前値の67％未満へ減少，c：GFR＜50 mL/分への減少，ただし前値＞50 mL/分の場合） 4. 活動性尿沈渣：膿尿（＞5 WBC/HPF），血尿（＞5 RBC/HPF），または赤血球円柱の出現 5. 3ヵ月以内に活動性腎炎の組織所見が得られている 6. ネフローゼ症候群
B	1. カテゴリーAのいずれかの1項目のみに該当または以下のいずれか1項目に該当 2. 蛋白尿：カテゴリーAの基準を満足しないが，a：尿蛋白定性の1＋以上の増加によって定性2＋以上へ上昇，b：24時間尿蛋白量＞0.5 g/日かつ≧25％の改善がないもの，c：尿蛋白Cr比＞0.5 g/gCr，かつ≧25％の改善がないもの 3. Scr＞1.5 mg/dLかつ前値の1.15倍以上/1.3倍以下への増加
C	以下のいずれか1項目に該当 1. 軽度尿蛋白（a：尿蛋白定性1＋以上であるがカテゴリーA，Bの基準を満たさない，b：1日尿蛋白＞0.25 g/日であるがカテゴリーA，Bの基準を満たさない，c：尿蛋白Cr比＞0.25 g/gCrであるが，カテゴリーA，Bの基準を満たさない） 2. 血圧上昇（血圧140/90 mmHg以上であり，a：収縮期30 mmHg以上かつ，b：拡張期15 mmHg以上の上昇があるが，カテゴリーA，Bの基準を満たさないもの）
D	腎症の既往はあるが，現在は消失
E	腎症の既往なし

⑨血液所見

カテゴリー	定　義
A	TTP または ループスに起因する以下のいずれか 1 項目が 2（不変），3（悪化），または 4（新たな出現） ・溶血所見と Hb＜8 g/dL　・血小板数 ＜2.5 万/μL
B	TTP が 1（改善）または ループスに起因する以下のいずれか 1 項目に該当 ・溶血と Hb＝8～9.9 g/dL，または溶血所見のない Hb＜8 g/dL ・白血球数＜1,000/μL　・好中球数＜ 500/μL　・血小板数＝2.5 ～ 4.9 万 /μL
C	ループスに起因する以下のいずれか 1 項目に該当 ・溶血と Hb＞10.0，または溶血所見のない Hb＝8～10.9 g/dL ・白血球数＝1,000～3,900/μL　・好中球数＝500～1,900/μL ・血小板数＝5.0～14.9 万/μL ・リンパ球数＜1,000/μL　・クームス試験陽性（ただし，溶血所見を伴わない）
D	血液異常の既往はあるが，現在活動性なし
E	血液異常の既往なし

［Isenberg DA et al：Rheumatology 44：902–906, 2005 より引用］

e ANCA 関連血管炎

●European Vasculitis Study Group (EUVAS) による ANCA 関連血管炎の重症度分類

［重症度と定義］

1. 限局型（localized）
   上・下気道病変以外の臓器病変，発熱などの全身症状を認めない病型
2. 早期全身型（early systemic）
   臓器機能あるいは生命に危険を及ぼす病変を伴わないすべての病型
3. 全身型（generalized）
   腎臓あるいは他の臓器機能に危険を及ぼす病変を伴う病型，腎病変では血清 Cr 5.66 mg/dL 未満
4. 重症型（severe）
   腎不全または重要臓器の機能不全を伴う病型，腎病変では血清 Cr 5.66 mg/dL 以上
5. 難治型（refractory）
   GC および CY 治療に反応しない，進行性の病型

重症度分類は個々の患者において経過とともに変化する可能性があり，それに伴い治療方針も変更する必要があることに留意する．

［Mukhtyar C et al：Ann Rheum Dis 68：310-317, 2009 より引用］

●BSR/BHPR ガイドラインにおける血管炎の重症度分類

臨床病型	全身症状	重要臓器障害	血清 Cr［mg/dL］	寛解導入療法
限局型あるいは早期全身型	あり	なし	<1.70	MTX または CY
全身型	あり	あり	<5.66	CY
重症型	あり	あり	>5.66	CY + mPSL パルス + 血漿交換

［Lapraik C et al：Rheumatology 46：1615-1616, 2007 より引用］

●JMAAVstudy（わが国における前向き研究）における重症度分類

・各症例の重症度および病型を下記に基づいて分類する．

分　類	病　型	備　考
軽症例	腎限局型	RPGN 型は除外
	肺線維症型	肺胞出血は除外
	その他の型	筋・関節型，軽症全身型，末梢神経炎型
重症例	全身性血管炎型	3 臓器以上の障害
	肺腎型	限局性肺出血または広範囲間質性肺炎と腎炎の合併
	RPGN 型	血清 Cr 値が 1 ヵ月以内に 2 倍以上に増加
最重症例	びまん性肺出血型	
	腸管穿孔型	
	膵炎型	
	脳出血型	
	抗基底膜抗体併存陽性例	
	重症例の治療抵抗性症例	

［Ozaki S et al：Mod Rheumatol **22**：394-404, 2012 より引用］

付録②

● Birmingham Vasculitis Activity Score (BVAS) [BVAS 2008]

徴 候	持続性[*1]	新規/増悪[*1]
1. 全身症状（最大点）	2	3
筋痛	1	1
関節痛/関節炎	1	1
発熱≧38.0℃	2	2
体重減少≧2 kg	2	2
2. 皮膚（最大点）	3	6
梗塞	1	2
紫斑	1	2
潰瘍	1	4
壊疽	2	6
他の血管炎所見[*2]	1	2
3. 粘膜/眼（最大点）	3	6
口腔内潰瘍/肉芽腫	1	2
陰部潰瘍	1	1
唾液腺炎または涙腺炎	2	4
有意な眼球突出（＞2 mm）	2	4
強膜炎/上強膜炎	1	2
結膜炎/眼瞼炎/角膜炎	1	1
視力障害	2	3
突然の失明[*3]	0[*3]	6
ぶどう膜炎	2	6
網膜変化（血管炎/塞栓/滲出/出血）	2	6
4. 耳鼻咽喉（最大点）	3	6
血性鼻漏/血塊/潰瘍/肉芽腫	2	4
副鼻腔病変	1	2
声門下狭窄	3	6
伝音性難聴	1	3
感音性難聴	2	6
5. 胸部（最大点）	3	6
喘鳴	1	2
結節/空洞[*3]	0[*3]	3
胸水/胸膜炎	2	4
浸潤影	2	4
気管支内病変	2	4
大量喀血/肺胞出血	4	6
呼吸不全（人工呼吸器）	4	6

徴 候	持続性[*1]	新規/増悪[*1]
6. 心血管（最大点）	3	6
脈拍の消失	1	4
弁膜症	2	4
心膜炎	1	3
狭心痛	2	4
心筋炎	3	6
うっ血性心不全	3	6
7. 腹部（最大点）	4	9
腹膜炎	3	9
血性下痢	3	9
虚血による腹痛	2	6
8. 腎臓（最大点）	6	12
高血圧（拡張期圧＞95）	1	4
蛋白尿（定性＞1+または0.2 g/日以上）	2	4
血尿（定性＞1+または＞10 RBC/HPF）	3	6
Cr 1.41～2.83 mg/dL[*4]	2[*4]	4[*4]
Cr 2.83～5.64 mg/dL[*4]	3[*4]	6[*4]
Cr ≧5.66 mg/dL[*4]	4[*4]	8[*4]
Cr上昇＞30%またはCCr低下＞25%[*2]	0[*3]	6
9. 神経系	6	9
頭痛	1	1
髄膜炎	1	3
器質的昏睡	1	3
てんかん（高血圧性ではない）	3	9
脳卒中	3	9
脊髄病変	3	9
脳神経麻痺	3	6
末梢感覚神経障害	3	6
多発性単神経炎	3	9

[BVAS表の注記]

*1 「持続性（persistent）」は4週間以前より認められている項目，「新規/増悪（new/worse）」は4週間以内に新たに出現した項目を記載する

*2 網状皮斑，皮下結節，結節性紅斑をさす

*3 「失明」，「結節/空洞」，「Cr上昇＞30%またはCCr低下＞25%」は「持続性（persistent）」の場合はカウントせず，0点とする

*4 血清Crの絶対値によるスコアリングは初診時のみカウントする．増悪時は「Cr上昇＞30%またはCCr低下＞25%」にカウントし6点とする

[Mukhtyar C et al：Ann Rheum Dis **68**：1827–1832, 2009より引用]

●血管炎障害指標（Vasculitis Damage Index：VDI）

Ⅰ．筋骨格症状	なし	あり
1 明らかな筋萎縮，筋力低下		
2 変形または骨びらんを伴った関節炎		
3 脊椎圧迫骨折		
4 無腐性骨壊死		
5 感染性骨髄炎		

Ⅱ．皮膚症状	なし	あり
1 脱毛		
2 皮膚潰瘍		
3 口腔潰瘍		

Ⅲ．耳・鼻・咽喉頭症状	なし	あり
1 難聴		
2 鼻閉・慢性鼻汁分泌・痂皮形成		
3 鞍鼻・鼻中隔穿孔		
4 慢性副鼻腔炎・X線による骨破壊所見		
5 声門狭窄（未手術）		
6 声門狭窄（手術後）		

Ⅳ．呼吸器症状	なし	あり
1 肺高血圧		
2 肺線維症/空洞所見		
3 胸膜の線維化		
4 肺梗塞		
5 慢性気管支喘息		
6 慢性呼吸不全		
7 呼吸機能検査異常		

Ⅴ．循環器機能	なし	あり
1 狭心症・冠動脈バイパス		
2 心筋梗塞		
3 2回目の心筋梗塞		
4 心筋症		
5 心弁膜障害		
6 高血圧		

Ⅵ．腎症状	なし	あり
1 GFR<50%（予測値または実測値）		
2 蛋白尿0.5 g/日以上		
3 腎不全末期		

Ⅶ．消化管症状	なし	あり
1 腸管の梗塞		
2 腸間膜動脈循環不全・膵炎		
3 慢性腹膜炎		
4 食道狭窄・上部消化管の手術		

Ⅷ．末梢循環障害	なし	あり
1 1肢における脈の欠損		
2 1肢における2回目の脈の欠損		
3 2肢以上の脈の欠損		
4 大血管の狭窄		
5 間欠性跛行・上肢運動に伴う虚血症状		
6 静脈血栓症		
7 小さな部位の組織欠損		
8 大きな部位の組織欠損		
9 2回目の大きな部位の組織欠損		

Ⅸ．眼症状	なし	あり
1 白内障		
2 網膜病変		
3 視神経萎縮		
4 視力低下・複視		
5 1眼の失明		
6 もう1眼の失明		
7 眼窩の破壊		

Ⅹ．精神神経症状	なし	あり
1 認知障害		
2 精神障害		
3 痙攣		
4 脳血管障害		
5 2回目の脳血管障害		
6 脳神経障害		
7 末梢神経障害		
8 横断性脊髄障害		

Ⅺ．その他の障害	なし	あり
1 早期閉経		
2 骨髄障害		
3 糖尿病		
4 薬剤性による慢性的な血尿		
5 悪性腫瘍		
6 その他の所見		

[VDI概説]
- 中・小型血管炎の臓器予後は，①血管炎自体による臓器障害，および②血管炎に対する治療に起因する合併症（感染症，圧迫骨折など）による臓器障害の2つに規定される
- VDIは各項目1点でMAXスコアは64点である
- 臓器の不可逆的な障害を記載する．初発例は0点である
- 一般的にVDI>5は予後不良とされる

[Exley AR et al：Arthritis Rheum **40**：371-380, 1997より引用]

f IgG4 関連疾患

●IgG4-RD Responder Index

・評価日より 4 週間以前から存在しているものを評価対象とする.
・本指標は臨床試験での解析を目的としており，臨床での治療決定などを目的としてはいない.

[評価項目]

臓器/部位	activity			damage
	スコア（0～4 点）	症候性（yes/no）	緊急性（yes/no）*1	あり/なし*2
硬髄膜				
下垂体				
眼窩内および涙腺				
唾液腺				
甲状腺				
リンパ節				
肺				
大動脈および分枝				
後腹膜，縦隔，腸間膜				
膵臓				
肝胆管				
腎臓				
皮膚				
その他部位の硬化性/腫瘤性病変				
血清 IgG4 値	*3	—	—	—

[各項目の点数基準]

0：正常あるいは現在の所見および症状の消失
1：改善
2：不変（前回評価と同様；活動性が持続）
3：新規あるいは再発
4：治療にもかかわらず悪化

[注意事項]

*1 「緊急性」の有無はただちに治療を開始する必要があれば「yes」となり，その場合は当該臓器のスコアを 2 倍にする
*2 IgG4-RD の結果として生じた臓器障害が不可逆だと考えられる場合に「damage あり」と記載する
*3 IgG4 値についても同様の基準で，数値とともにスコアを記載する

［Carruthers MN et al：Int J Rheumatol **2012**：259408, 2012 より引用］

索　引

欧　文

AA アミロイドーシス　271
ABT（アバタセプト）　76, 114
ACE（アンジオテンシン変換酵素）　312
aCL（抗カルジオリピン抗体）　180
ADA（アダリムマブ）　110
ADAMTS13　307
aHUS（非典型 HUS）　306
AL アミロイドーシス　271
ANA（抗核抗体）　37, 42, 176
ANCA（抗好中球細胞質抗体）　51, 303
ANCA 関連血管炎　208
AOSD（成人発症 Still 病）　14, 157, 309
aPL（抗リン脂質抗体）　53, 180
AS（強直性脊椎炎）　160
AZP（アザチオプリン）　103, 179

B

BAR（バリシチニブ）　118
bDMARDs（生物学的疾患修飾性抗リウマチ薬）　147
Behçet 病　242
BEL（ベリムマブ）　116, 178
BUC（ブシラミン）　95

C

C3　54
C4　54
Castleman 病　252
CH50　54
Chapel Hill Consensus Conference（CHCC）　208
COVID-19　76, 325, 327
crowned dens syndrome　236
CRP　160, 164
csDMARDs（従来型合成疾患修飾性抗リウマチ薬）　147
CTD-ILD　292
CY（シクロホスファミド）　101
CyA（シクロスポリン）　104, 179
CZP（セルトリズマブ ペゴル）　111

D

DAS28　2, 76, 145, 364

E

EGPA（好酸球性多発血管炎性肉芽腫症）　217
EOA（びらん性変形性関節症）　226
ETN（エタネルセプト）　110

F

FFP（新鮮凍結血漿）　307
FIL（フィルゴチニブ）　119

G

GC（糖質コルチコイド）　89
GCA（巨細胞性動脈炎）　152, 202
GLM（ゴリムマブ）　111
Goodpasture 症候群　220, 303
Gottron 徴候　8, 192
GPA（多発血管炎性肉芽腫症）　211
GST（金チオリンゴ酸ナトリウム）　97

H

HAQ-DI（Health Assessment Questionnaire-Disability Index）　146

HCQ（ヒドロキシクロロキン） 97, 187
HIV 関連不明熱 24
HLA-B27 160, 165, 173, 174
HLH（血球貪食性リンパ組織球症） 309
HPS（血球貪食症候群） 309
HRCT 293
HUS（溶血性尿毒症症候群） 306

I

IFX（インフリキシマブ） 110
IgA 血管 222
IgG4 53
IgG4 関連疾患 247
IGR（イグラチモド） 96
IL-12/23 阻害薬 120
IL-17 阻害薬 121
IL-23 阻害薬 120
IL-5 阻害薬 122
IL-6 阻害薬 112, 321
immune thrombocytopenia 304
interstitial pneumonia with autoimmune features（IPAF） 292
irAE（免疫関連副作用） 287
IVCY（シクロホスファミド大量静注療法） 179, 308
IVIG（免疫グロブリン大量静注療法） 127

J

JAK 阻害薬 117
JIA（若年性特発性関節炎） 275

L

LA（ループス抗凝固因子） 181
LEF（レフルノミド） 95
Lemierre 症候群 22

M

matrix metalloproteinase-3（MMP-3） 41, 144
MCTD（混合性結合組織病） 196, 295, 316
Mikulicz 病 247
MMF（ミコフェノール酸モフェチル） 76, 102, 179
MMP-3（matrix metalloproteinase-3） 41, 144
modified Rodnan total skin thickness score 34
MPA（顕微鏡的多発血管炎） 214
MPO-ANCA 217
MRI 67
MTX（メトトレキサート） 76, 99, 147
MZR（ミゾリビン） 103

N

NSAIDs（非ステロイド性抗炎症薬） 85, 161

O

OA（変形性関節症） 226
Ozo（オゾラリズマブ） 112

P

PAH（肺動脈性肺高血圧症） 175
palpable purpura 223
PDE4 阻害薬 125
PE（血漿交換） 131
PEF（ペフィシチニブ） 118
PMR（リウマチ性多発筋痛症） 152, 202
PSL（プレドニゾロン） 89

R

RA（関節リウマチ） 142
Raynaud 現象 12, 187, 196
RF（リウマトイド因子） 36, 40

S

T

U

和　文

あ

い

う

え

お

か

リウマチ・膠原病診療
ゴールデンハンドブック（改訂第2版）

2017年1月25日　第1版第1刷発行
2021年3月15日　第1版第5刷発行
2023年4月15日　改訂第2版発行

監修者 竹内　勤
編集者 金子祐子，齋藤俊太郎
発行者 小立健太
発行所 株式会社 南 江 堂
〒113-8410 東京都文京区本郷三丁目42番6号
☎(出版)03-3811-7198 (営業)03-3811-7239
ホームページ https://www.nankodo.co.jp/

印刷・製本 永和印刷
装丁 node（野村里香）

Golden Handbook of Rheumatology, 2nd Edition

Printed and Bound in Japan
ISBN978-4-524-23499-8

定価は表紙に表示してあります.
落丁・乱丁の場合はお取り替えいたします.
ご意見・お問い合わせはホームページまでお寄せください.